BAD BLOOD

一个硅谷巨头的秘密与谎言

Secrets and Lies in a Silicon Valley Startup

［美］约翰·卡雷鲁　著　成起宏　译

北京联合出版公司
Beijing United Publishing Co.,Ltd.

雅众文化 出品

献给

莫莉、塞巴斯蒂安、杰克和弗兰西斯卡

目 录

作者的话

本书依据与150多人的数百次访谈而写成，其中包括60位希拉洛斯（Theranos）公司的前雇员。绝大多数人在本书叙述中是以他们的真实姓名出现，但也有一些人请求我隐藏他们的身份，他们或者是害怕遭到公司的报复，担忧可能在司法部正进行的刑事调查中遭受牵连，或者是想保护自己的隐私。为了得到最完整的、最详细的事实，我同意给这些人赋予化名。然而，我所描写的其他一切以及他们的经历，都是基于事实，千真万确。

我所引用的任何电子邮件、文档均根据原始文件，逐字核对过。我所安排的人物对话，其中引用的那些话语是根据当事人的回忆重构。部分章节基于法律程序中的记录，例如作证时的证词。对于此种情况，我在本书正文后的注释中详细列出了相关记录。

在写作本书的过程中，我接触了希拉洛斯传奇故事中的所有关键人物，向他们提供机会，就所有关于他们的说法提出意见。伊丽莎白·霍姆斯（Elizabeth Holmes）拒绝了我的访谈请求，选择不与本书的写作合作，当然，这是她的权利。

序 幕

2006 年 11 月 17 日

蒂姆·坎普（Tim Kemp）有好消息带给他的团队。

这位前 IBM 高管在希拉洛斯——一家拥有尖端血液检测系统的创业公司——负责生物信息技术。该公司刚刚为一家制药企业做完它的大型现场展示处女秀。22 岁的创始人伊丽莎白·霍姆斯飞到瑞士，向欧洲医药巨头诺华公司（Novartis）的高管们展示其系统的功能。

在一封给他十五人团队的电子邮件中，坎普写道："今天早晨伊丽莎白打电话给我，她表示感谢，还说'太完美了'。她特别要我感谢你们，要让你们知道她的感激之情。她还提到，诺华公司印象深刻，要求做方案，并且有兴趣为项目提供财务支持。我们做到了。"

对于希拉洛斯，这是一个转折时刻。三年的时间，这家创业公司已经将霍姆斯在斯坦福大学的宿舍中所梦想的一个雄心勃勃的主意，发展成为大型跨国公司有兴趣使用的实际产品。

演示取得成功的消息很快传到二楼，那是管理层办公室所在地。

其中一位高管是亨利·莫斯利（Henry Mosley），希拉洛斯的首席财务官。莫斯利是在八个月前的 2006 年 3 月份加入希拉洛斯公司的。他衣着凌乱，有一双锐利的绿眼睛，个性懒散，却是硅谷科技界的资深人士。他在华盛顿长大，在犹他州大学取得 MBA 学位，随后于 20 世纪 70 年代末来到加利福尼亚，再也没有离开过。他的第一份工作是在芯片制造商英特尔公司——硅谷的先驱者之一。后来，他曾在四家不同的科技公司负责财务部门，将其中两家带入上市公司行列。希拉洛斯远不是他的第一个竞技场。

吸引莫斯利来到希拉洛斯的，是环绕在伊丽莎白身上的才华和经历。她也许太年轻，但围绕在她身边的却是全明星阵容。她的董事会主席唐纳德·L. 卢卡斯（Donald L.Lucas）是位风险投资人，培养出了软件创业家、亿万富翁拉里·埃里森（Larry Ellison），帮助他在20世纪80年代中期将甲骨文公司（Oracle）成功上市。卢卡斯和埃里森都在希拉洛斯公司有部分个人投资。

另一个名声显赫的董事会成员是钱宁·罗伯特森（Channing Robertson），斯坦福大学工程学院副院长。罗伯特森是斯坦福教师体系中的佼佼者之一。他关于烟草致瘾特性的专业证词，迫使烟草行业在20世纪90年代末期以65亿美元与明尼苏达州政府达成里程碑式的和解。根据莫斯利与罗伯特森仅有的几次互动，很显然，罗伯特森对伊丽莎白评价很高。

希拉洛斯也拥有一支强大的管理团队。坎普在IBM公司度过了三十年的时光。希拉洛斯的首席商务官戴安娜·帕克斯（Diane Parks）拥有二十五年任职于制药和生物科技公司的经历。产品高级副总裁约翰·霍华德（John Howard）曾经负责松下公司的芯片制造分公司。在一个小创业公司能云集如此水准的高级管理人员，并不常见。

然而，吸引莫斯利加入希拉洛斯的不仅是董事会和高管团队。它所逐鹿的市场非常大。制药企业每年花费数百亿美元在临床试验上，用于测试新药。如果希拉洛斯能令自己对它们变得不可或缺，从那花费中获取一小部分，就能大赚特赚。

伊丽莎白要求他将一些财务预测进行整合，以便展示给投资者。他提出的第一套数字未能得到她的首肯，所以他得把这些数字往上调整。对于修订后的数字，他感觉不太自在，但他想，如果公司能够完美执行，这些数字还是在可行范围内。而且，寻求投资于创业公司的那些风险投资人知道，创始人会高估这些预测。这是游戏的一部分。风险投资人甚至对此有个专门的词：曲棍球杆曲线预测（the hockey-stick forecast）。它的表现形式是：收入多年来徘徊不前，然后突然像变魔术一般地直线向上飙升。

有一件事莫斯利无法确定自己是否完全理解：希拉洛斯的技术是如何工作的？潜在投资者来拜访的时候，他会带他们去见希拉洛斯的联合创始人沙奈克·罗伊（Shaunak Roy）。沙奈克拥有化学工程博士学位。他与伊丽莎白曾一起在罗伯特森斯坦福大学的实验室工作过。

沙奈克会刺破自己的手指，挤出少量血液。然后他把血液转移到一个白色的塑料检测盒中，其大小跟一张信用卡差不多。随后将检测盒放入一个烤箱大小的方盒。这个盒子被称作“阅读器”（reader）。它从检测盒中提取数据信号，以无线方式发送到服务器，服务器分析数据，发回结果。这就是其主要原理。

当沙奈克向投资者展示系统时，会指给他们看一个计算机屏幕，在那上面会显示血液通过检测盒流入阅读器。莫斯利并没有真正明白其中的物理或化学原理。但那不是他的事情。他只是管财务的人。只要系统能显示出结果，他就感到欣慰。而系统总是会得到结果的。

几天后，伊丽莎白从瑞士归来。她脸上挂着笑容，悠闲地四处散步，莫斯利愈加觉得这表明此行进展良好。不是说这事儿有什么不同寻常。伊丽莎白一般都是斗志昂扬的。她拥有一个创业家那种不受羁绊的乐观。在给员工的邮件中，她喜欢用“非同 – 寻常”（extra-ordinary）一词——“非同”用斜体字写，加上连接号，以表示强调——来描述希拉洛斯的使命。这有点夸张，但她似乎是发自内心的，而且莫斯利知道，宣讲布道是硅谷成功的创业公司的创始人都在干的事情。冷嘲热讽不能改变世界。

不过，奇怪的是，那一帮陪同伊丽莎白参与此行的同事似乎并没有她那样的热情。有几个人毫不掩饰他们的沮丧。

难道是他们的狗狗被车轧死了？莫斯利半开玩笑地想。

他踱步下楼，去找沙奈克。公司有 60 名员工，大多数人都坐在楼下的一个个小隔间。如果有什么他还不知道的问题，沙奈克肯定知道。

一开始，沙奈克明确否认知道什么事情。但莫斯利感觉到他憋着什么，继续对他施压。沙奈克逐渐放松警惕，承认希拉洛斯 1.0——伊丽莎白所命名的血液检测系统——并不总是管用。事实上，那是要看运气的，他说。有时候你可以从中得到结果，有时候得不到。

对莫斯利来说，这可是个新鲜事。他一直觉得系统是可靠的。投资者来看的时候，它不是一直管用吗？

沙奈克说，它看上去总是管用，那是有原因的。电脑屏幕上显示的血液通过检测盒进入一个个小方孔中的图像是真实的，但你永远不知道能不能得到结果。所以，他们在此前管用的时候录制了一个结果。每一次展示最终显示的，是录下来的结果。

莫斯利目瞪口呆。他一直以为那些结果是从检测盒中的血液实时获取的。那些他带过来的投资者被引导相信就是如此。沙奈克刚刚描述的一切听起来像一场骗局。当你向投资者推销的时候，满怀乐观和抱负当然没错，但有一条线是不能逾越的。而这在莫斯利看来已经越线了。

那么，在诺华公司到底发生了什么？

莫斯利从任何人那里都得不到直接答案，但他现在怀疑其中有某种类似的手法。他是对的。伊丽莎白带到瑞士去的两个阅读器中，有一个在他们到了以后发生故障。她带过去的人花了整个晚上，想让它重新工作。在第二天早晨的演示中，为了掩盖问题，蒂姆·坎普在加利福尼亚的团队发送了一个虚假的结果过去。

莫斯利那天下午与伊丽莎白有一个安排好的、每周一次的会议。他进伊丽莎白办公室的时候，立刻又感受到了她的个人魅力。她拥有一张远比实际年龄成熟的面庞。她那蓝色的大眼睛被训练得可以一眨不眨地盯着你，让你觉得自己就是世界的中心。那仿佛是在催眠。她的声音强化了这种迷惑效果：一种非同寻常的深沉的男中音。

莫斯利决定在表明自己的焦虑之前，先让会谈按照自然的流程进行。希拉洛斯刚刚完成它的第三轮融资。不论按照什么标准，这次融资都非常成功：在前两轮融资筹得 1500 万美元的基础上，公司又从投资者那里筹集了 3200 万美元。最令人瞩目的数字是公司的新估值：1.65 亿美元。创业只有三年但敢于说自己值那么多的公司并不是很多。

高估值的一个重大原因，在于希拉洛斯告诉投资者，它已经与制药企业合作伙伴达成若干协议。有一张幻灯片列出了它与五家公司达成的六个协议，它们可以在随后的十八个月内产生 1.2 亿到 3 亿美元的收入。它也列出了另外十五个正在谈判中的交易。按照幻灯片的演示，如果这些交易开花结果，收入最终将达到 15 亿美元。

制药公司将使用希拉洛斯的血液检测系统来监控病人对新药物的反应。在临床测试中，检测盒与阅读器将放置在病人家中。病人每天会多次刺破自己的手指，阅读器将把血液检测结果发送给临床测试的主办方。如果结果表明存在对药物的不良反应，药物生产方可以立即降低用量，不用再等到临床测试结束。这可以为制药公司减少多达 30% 的研发成本。反正幻灯片是这么说的。

那天上午的发现之后，莫斯利对所有这些说法的不安与日俱增。首先，在供职希拉洛斯的八个月中，他从来没有见过那些与制药公司的合同。每次他查究那些合同的时候，得到的反馈都是它们“处于法律评估之中”。更重要的是，他之所以同意那些雄心勃勃的收入预测，是因为他认为希拉洛斯的系统能可靠地工作。

即使伊丽莎白也有任何这类担忧，她也没有显露出任何迹象。她总是一副轻松愉快的领导者形象。新的估值带来尤其重大的自豪感。她告诉莫斯利，董事会将有新成员加入，以反映投资者的不断增加。

莫斯利找到机会，开始谈论瑞士之旅，以及办公室里的谣传——说哪儿出了问题。他说完之后，伊丽莎白承认确实有一点问题，但她耸了耸肩。问题很容易解决，她说。

基于自己现在了解的情况，莫斯利仍然满怀疑虑。他提到沙奈克告诉他的关于投资者演示的事情。他说，如果那些演示并不是完全真实的，那么应该停止。“我们是在欺骗投资者。我们不能一直那样做。”

伊丽莎白的表情突然改变。她片刻之前还令人愉悦的风度消失不见了，换上的是一张带有敌意的面孔，就好像有个开关刚才被按了下去。她冷冷地逼视着自己的首席财务官。

“亨利，你不是一位有团队精神的人，”她用冰冷的语调说，“我认为你应该马上离开。”

刚刚发生的事情绝不会错。伊丽莎白不只是要求他离开她的办公室。她是在叫他离开公司——马上离开。莫斯利刚刚被解雇了。

第一章　有目标的生活

伊丽莎白·安妮·霍姆斯（Elizabeth Anne Holmes）很小的时候，就知道自己想成为一名成功的创业家。

7岁的时候，她开始设计一个时间机器，在笔记本上画满了详细的工程图样。

9岁还是10岁的时候，在一次家庭聚会上，她的亲戚问了她每个男生和女生早晚都会被问到的问题："长大以后，你想做什么?"

伊丽莎白毫不迟疑地回答："我要做一个亿万富翁。"

"为什么不做总统呢?"这位亲戚问道。

"不，总统将会娶我，因为我会拥有10亿美元。"

这些并不是一个孩子随便说说的话。根据一位见证了这一场景的家族成员所说，伊丽莎白是极其严肃、斩钉截铁地说出这些话的。

伊丽莎白的雄心得到了父母的鼓励。克里斯蒂安·霍姆斯（Christian Holmes）和诺尔·霍姆斯（Noel Holems）对他们的女儿有很高的期望，这根源于卓越的家族历史。

在父亲这一边，她的传承来自一位匈牙利移民查尔斯·路易斯·弗莱施曼（Charles Louis Fleischmann），他创建了一桩兴旺发达的生意——弗莱施曼酵母公司（Fleischmann Yeast Company）。公司的非凡成就让弗莱施曼家族在进入20世纪之际成为美国最富有的家族之一。

查尔斯的女儿贝蒂·弗莱施曼（Bettie Fleischmann）嫁给了父亲的

丹麦裔医生，克里斯蒂安·霍姆斯（Christian Holmes）。他是伊丽莎白的高曾祖父。在妻子富有家族的政治和商业关系的帮助下，霍姆斯医生创建了辛辛那提总医院和辛辛那提大学医学院。所以当然有可能伊丽莎白不仅遗传了创业基因，也遗传了医学基因，对于云集在斯坦福大学附近沙丘道（Sand Hill Road）上的风险投资家而言，这确实变成了事实。

诺尔，伊丽莎白的母亲，拥有她自己足堪自豪的家族背景。她的父亲是一位西点军校的毕业生，20 世纪 70 年代初期，作为五角大楼的一名高阶官员，他策划并执行了从征兵制军队到完全志愿服役制军队的转型。达奥斯特家族（Daousts）的先祖可以一直追溯到拿破仑的最高战地将领之一，达沃特元帅（maréchal Davout）。

但还是伊丽莎白父亲一方家族的成就引爆和抓住了人们的想象。克里斯·霍姆斯[1]可以确保的是，不仅告知他的女儿家族先辈们所取得的巨大成功，也告诉她家族后辈们的失败。他的父亲和祖父都过着铺张但错误不断的生活，婚姻混乱，跟酗酒做斗争。克里斯谴责他们挥霍家族财富。

多年以后，伊丽莎白在一次访谈中将会这样告诉《纽约客》（the *New Yorker*）杂志："伴随着我成长的，有那些关于伟大的故事，也有另外一些故事，故事中的人们不想把自己的生命用在明确的目标上，于是还有当他们做出这样的选择后所发生的故事——对性格和生活质量产生的影响。"

伊丽莎白在华盛顿度过童年生涯，她的父亲在那里任职于政府机构，担任过从美国国务院到国际开发署（Agency for International Development）的一系列职务。她的母亲在国会山担任助理，因为要抚养伊丽莎白和其弟弟克里斯蒂安（Christian），才中断了职业生涯。

夏天的时候，诺尔会带着孩子们去佛罗里达的波卡莱顿（Boca Raton），伊丽莎白的姨妈伊丽莎白·迪亚兹（Elizabeth Dietz）和姨父罗恩·迪亚兹（Ron Dietz）在那里拥有一套公寓，可以看到大西洋近岸内

1 克里斯蒂安·霍姆斯的简称。（编者注。本书所有脚注如无特殊说明，均为译者注，后同，不另标出。）

航道（the Intracoastal Waterway）的漂亮景色。他们的儿子大卫（David）比伊丽莎白小3岁半，比克里斯蒂安小1岁半。

这些表亲们睡在公寓地板的泡沫床垫上，早晨的时候冲到海滩上去游泳，下午则玩大富翁游戏来消磨时光。大多数时候都是伊丽莎白领先，这时她会坚持玩到最后残酷的结局，尽可能地堆积房子和旅馆，让大卫和克里斯蒂安破产。当偶然失利之时，她会怒不可遏，并且不止一次直接穿过公寓前门的帘子跑掉。那是她强烈好胜倾向的早期闪现。

高中时代，伊丽莎白并不属于受欢迎的人。那个时候，她父亲接受了天纳克集团公司（the conglomerate Tenneco）的一份工作，把家搬到了休斯敦。霍姆斯家的孩子进入休斯敦最具声望的私立学校圣约翰（St. John's）。伊丽莎白拥有蓝色的大眼睛，但身材过于瘦长，她漂染了头发，试图融入，同时也在与饮食紊乱做斗争。

高中第二年，她投身于功课之中，常常学习到深夜，从而成为一名全A优等生。这是她终身模式的起点：努力工作，少睡觉。尽管在学业上精益求精，但她也成功地在社交上有所斩获，与休斯敦一位有声望的整形外科医生的儿子约会。他们一起去了纽约，在时代广场迎接新千年的到来。

大学即将来临，伊丽莎白将目光投向斯坦福大学。对于一名梦想成为创业家，对科学和计算机兴趣浓厚的优等生，斯坦福是一个理所当然的选择。这所由铁路大亨利兰·斯坦福（Leland Stanford）在19世纪末创建的小小农学院已经与硅谷有难解难分的关联。此时互联网热潮方兴未艾，其中有一些最闪亮的巨星——例如雅虎——是在斯坦福的校园里创建的。在伊丽莎白高三那年，两位斯坦福的博士生正以另一家小小的创业公司开始吸引关注，它的名字叫谷歌。

伊丽莎白已经对斯坦福非常了解。20世纪80年代末到90年代初，她家在离斯坦福校园几英里远的加州伍德赛德（Woodside）住了好多年。在那儿，伊丽莎白与隔壁的一个女孩成了朋友，她的名字叫杰西·德雷珀（Jesse Draper）。杰西的父亲是蒂姆·德雷珀（Tim Draper），第三代风险投资家，他即将成为硅谷最为成功的创业企业投资人之一。

伊丽莎白与斯坦福还有另一重联系：中文。她的父亲因为工作原因，去过中国很多次，他认定自己的孩子应当学会中文普通话，于是他和诺尔安排了一名家教，每周六上午到他们休斯敦的家里上课。高中上到一半的时候，伊丽莎白以其语言能力成功地参加了斯坦福的暑期普通话培训项目。该项目原本只面向大学生，但她流畅的普通话给项目主管留下了深刻印象，足以例外开恩。前五个星期的课程在斯坦福大学位于帕洛阿尔托（Palo Alto）的校园里上，剩下四个星期则在北京接受训练。

2002 年春天，伊丽莎白被斯坦福大学接纳，并获得总统奖学金，该荣誉授予最好的学生，她得到 3000 美元，可以用来追逐自己所选择的任何知识领域。

她的父亲给她灌输了应当过一种有目标的生活的理念。在为公众服务的职业生涯中，克里斯·霍姆斯曾负责过人道主义行动，比如 20 世纪 80 年代的马里尔船民抢运（Mariel boatlift）事件[1]——让超过 10 万名古巴人和海地人移民到美国。家里到处都是他在饱受战乱困扰的国家提供灾难救济的照片。伊丽莎白从中接收的信息便是，如果想在这个世界上真正留下自己的印记，仅仅变得富有不够，还要取得能够促进更重大的“良善”的成就。生物科技拥有两者兼得的前景。她选择学习化学工程，这个领域提供了通向生物科技行业的自然途径。

斯坦福大学化学工程系的门面是钱宁·罗伯特森。魅力十足、英俊而风趣的罗伯特森从 20 世纪 70 年代就在斯坦福任教，他拥有一种罕见的善于和学生沟通的能力。他也是工程学教职员中最时尚的人，顶着一头灰色的金发，穿着皮夹克出现在教室中，让他显得比 59 岁的实际年龄年轻 10 岁。

伊丽莎白参加了罗伯特森的化学工程导论课，以及他讲授的关于受控药物输送设备的研讨班。她还说服罗伯特森，让她在他的实验室里帮忙。他同意了，把她交给一位博士研究生，此人正在研究一个项目，寻找可

1 1980 年 4 月至 10 月间发生的移民事件，大批古巴人从古巴的马里尔港逃难至美国，七个月间共有 12.5 万名古巴难民逃至美国。时任美国总统卡特最终与古巴政府达成协议，终止了该事件。

添加在洗衣粉中的最好的酶。

除了在实验室里耗费大量的时间，伊丽莎白还过着积极的社交生活。她参加各种校园社团，跟一个叫作 JT. 巴特森（JT Batson）的二年级学生约会。巴特森来自佐治亚州的一个小镇，被伊丽莎白的光鲜和老于世故深深地迷住了，但他也发现了伊丽莎白的谨慎防备。“她并不是什么都跟你分享，”他回忆说，“她处世小心谨慎。”

新生学期的那个寒假，伊丽莎白回到休斯敦，与父母以及从印第安纳波利斯飞回来的迪亚兹一家欢度假期。大学生活才过了几个月时间，她已经萌生辍学的念头。在圣诞晚宴上，她的父亲将一架纸折的飞机飞到她坐的餐桌那头，机翼上写的字母是“Ph.D”（博士学位）。

在场的一位家庭成员回忆说，伊丽莎白的反应相当直率：“不，爸爸，我不想获得博士学位。我想赚钱。”

那年春天的某一天，她出现在巴特森宿舍的门口，告诉他，不能再跟他约会了，因为她要创立一家公司，必须将所有的时间奉献给公司。从未被人甩过的巴特森目瞪口呆，但他始终记得那种刺痛的感觉，以及伊丽莎白为抛弃他给出的奇特理由。

直到接下来的那个秋天，伊丽莎白才真正从斯坦福辍学，那是在她从新加坡基因组研究院（Genome Institute of Singapore）的暑期实习归来之后。2003 年上半年，亚洲有一种此前未知的病毒肆虐，即所谓严重急性呼吸系统综合征，或称非典型性肺炎（SARS）。伊丽莎白整个夏天都在检测病患样本，那是通过旧式的低等科技方式如注射器或鼻腔拭子获得的。这一经历令她相信，必须找到更好的方式。

她回到休斯敦的家，在自己的电脑前面连续坐了五天，晚上只睡一两个小时，吃母亲给她的餐盘里的食物。依照她从实习期间和在罗伯特森的课堂上学到的新技术，她写出了一项专利申请：一种手臂绑布，可以同时诊断医疗状态并且给出治疗。

伊丽莎白的母亲驱车带她从德克萨斯去加州，开始第二学年，她在车上睡着了。一回到校园，她就向罗伯特森和沙奈克 · 罗伊——她在罗伯特森的实验室所协助的那位博士生——展示了她提出的专利。

多年以后，在法庭作证时，罗伯特森回忆起被她的创造性所触动的场景：“她拥有某种能力，拿来科学、工程学、科技的各种碎片，将它们综合在一起，所用的方式是我以前从未想到过的。”他也被伊丽莎白坚持自己想法的积极性和决心所打动。“此前我教过的数千学生中，从未有人像她那样，”他说，“我鼓励她走出去，追寻自己的梦想。”

沙奈克更多持怀疑态度。成长于芝加哥印度移民家庭的他，与硅谷的光怪陆离相去甚远，他觉得自己非常务实，接地气。伊丽莎白的概念对他而言，似乎有点遥不可及。但他被罗伯特森的热情冲昏了头脑，被建立一家创业企业的想法迷住了。

伊丽莎白起草建立公司的书面材料的时候，沙奈克完成了获得学位所需的最后一个学期的工作。2004 年 5 月，他加入这个创业公司，成为第一个雇员，并获得了一小部分股权。而罗伯特森则以顾问身份加入了公司的董事会。

一开始，伊丽莎白和沙奈克在伯林盖姆（Burlingame）的一个小办公室窝了几个月，直到他们找到更大的地方。新的地方毫不起眼。尽管严格来说地址属于门罗帕克（Menlo Park），但它实际上位于东帕洛阿尔托（East Palo Alto）边缘的一个荒芜的工业区内，这里时不时还可以听到枪声。一天早晨，伊丽莎白出现在办公室的时候，头发上带有玻璃碎片。有人向她的车开枪，打碎了驾驶员一侧的窗户玻璃，子弹离她的头差之毫厘。

伊丽莎白将公司命名为“实时治疗”（Real-Time Cures），但在初期给雇员的工资支票上被错误地印成了“实时诅咒”（Real-Time Curses）。随后她将公司名字改为希拉洛斯（Theranos），是由治疗（therapy）和诊断（diagnosis）两个词拼合而成。

为了筹集所需资金，她动用了自己的家族关系。她说服了少年时代的朋友、从前的邻居杰西·德雷珀的父亲蒂姆·德雷珀投资 100 万美元。德雷珀家族的声名极具分量，帮助伊丽莎白获得了一些信誉：蒂姆的祖父在 20 世纪 50 年代末建立了硅谷第一家风险投资公司，蒂姆自己的公司 DFJ 因为从对公司的早期投资中获利丰盛而闻名，例如投资基于网络的电子邮件公司 Hotmail 等。

另一个使她获得大额投资的家族关系，是他父亲的一位老朋友，已经退休的公司重组专家维克多·帕尔梅耶里（Victor Palmieri）。两人相识于 20 世纪 70 年代，克里斯·霍姆斯当时在卡特政府的国务院任职，而帕尔梅耶里则担任其难民事务全权大使。

伊丽莎白打动德雷珀和帕尔梅耶里之处，在于她生气勃勃的精力，以及在诊疗领域中运用纳米科技和微型工艺原理的视野。在一份用来招募投资者的二十六页的文件中，她描述了一种可以运用微型针将血液透过皮肤无痛吸出的粘片。这份文件将其称为诊疗贴片（TheraPatch），其中包含一个微型芯片感应系统，可以分析血液，并且做出“过程控制决策”，决定一粒药片中有多少剂量需要输送进去。贴片也会以无线方式把其读数传递给病人的医生。这份文档包括该贴片及其各个组成部分的彩色图表。

并不是每个人都接受这种花言巧语。2004 年 7 月的一个早晨，伊丽莎白与一家专注于医药科技投资的风险资本公司迈德文奇（MedVenture Associates）会谈。会议桌对面坐着该公司的五位合伙人，她语速很快，以宏大的词汇谈论她的技术将给人类带来的重大变化。但是，迈德文奇的合伙人要求她更详细介绍自己的微型芯片系统，还有，它与一家名为亚贝克希斯（Abaxis）的公司已经开发并商业化的产品有何区别，此时伊丽莎白明显慌张失措，会议气氛顿时变得紧张。由于未能回答合伙人深入探究的技术问题，她在大约一小时后起身，愤愤离去。

迈德文奇并不是唯一一家拒绝这位 19 岁大学辍学生的风险资本公司。但那并没有阻止伊丽莎白，到 2004 年末的时候，她从一堆投资者那里总共筹集了 600 万美元。除了德雷珀和帕尔梅耶里，她还从一位上了年纪的风险投资人约翰·布莱恩（John Bryan）、房地产和私人股权投资者斯蒂芬·L. 芬贝格（Stephen L. Feinberg）那里获得了投资，后者也是休斯敦的 MD 安德森癌症中心（MD Anderson Cancer Center）董事会成员。她也说服了一位叫迈克尔·张（Michael Chang）的斯坦福同学投资，此人的家族控制着中国台湾地区数十亿美元规模的高科技设备经销生意。霍姆斯家族的多位远房成员，包括诺尔·霍姆斯的妹妹伊丽莎白·迪亚兹，也都有凑份。

随着金钱的流入，对于沙奈克而言，一个小小的薄片就能做伊丽莎白想要的所有事情，显然几近于科幻小说。理论上也许是可能的，就像载人火星飞行理论上存在可能一样。但细节决定成败。为了让贴片的想法变得更具可行性，他们减少了其功能，只留下诊断部分，但即使这样也面临着难以置信的挑战。

最终，他们都放弃了贴片的想法，转而探求某种类似于用来在糖尿病患者中监控血糖水平的手提设备的东西。伊丽莎白想要让希拉洛斯的设备跟那些血糖测试仪一样轻便，但她想让设备不仅能测量血液中的糖分，还要测量其他许多物质，这会让它复杂得多，因而也将臃肿得多。

妥协的结果是一种检测盒－阅读器的系统，融合了微流体和生物科技两大领域。病人要刺破手指，吸出血液，得到一个小样本，然后放入检测盒中，检测盒看上去像一张加厚的信用卡。检测盒放入一个更大的称为阅读器的机器中。阅读器内的泵将把血液透过检测盒中的微小管道压入小孔中，这些小孔覆盖有被称为抗体的蛋白质。在到达小孔的过程中，一个过滤器将把血液中的固体成分、红血球和白血球、血浆分离出来，只让血浆通过。当血浆进入并与抗体接触时，化学反应将会产生信号，阅读器“读”到信号，将其转化成测试结果。

伊丽莎白设想将检测盒与阅读器放置在病人家中，从而可以让他们定期检测血液。阅读器上的蜂窝天线把测试结果通过一台中央服务器发送到病人医生的计算机上。这将允许医生迅速调整病人的用药，不必等到病人去抽血中心或是再次看医生时才进行血液检测。

加入公司十八个月后，到 2005 年下半年，沙奈克才开始觉得他们有所进展。公司制造出一个原型机，取名为希拉洛斯 1.0，雇员数量增加到 20 多人。它也拥有了一个有望迅速获得收入的商业模式：计划将其血液检测技术授权给制药公司使用，帮助它们在临床测试中发现不良药物反应。

甚至，他们的小公司开始获得一些关注。圣诞节那天，伊丽莎白给雇员们发出一封题为“节日快快乐乐”的电子邮件。邮件向他们问好，并且提到她接受了科技杂志《红鲱鱼》（*Red Herring*）的一次访谈。邮件的最后写着：“谨此致‘硅谷最热门的创业公司’!!!”

第二章　点胶机器人

埃德蒙·顾（Edmond Ku）是在2006年初与伊丽莎白·霍姆斯面谈的，他立刻被她展现在自己面前的愿景迷住了。

在她描绘的世界中，希拉洛斯的血液检测技术让个人的用药可以随时得到调整。为了说明她的观点，伊丽莎白以止痛药西乐葆（Celebrex）举例，该药被怀疑会增加心脏病发作和中风的危险。有传言说，制造商辉瑞公司（Pfizer）计划从市场上回收这种药物。她解释说，有了希拉洛斯的系统，西乐葆的副作用会被根除，数百万关节炎患者可以继续服用该药，缓解疼痛。伊丽莎白引用数字说，据估计，每年有10万美国人因为不良药物反应而死去。她说希拉洛斯将排除所有这些死亡。这是在不折不扣地挽救生命。

埃德蒙（我们简称他“埃迪”）感觉自己被对面这个年轻女性深深吸引住了，她眼睛一眨不眨、专心致志地盯着他。他想，伊丽莎白描述的使命令人钦佩。

埃迪是一位沉静的工程师，在硅谷以擅长修理闻名。被复杂工程问题困扰的科技创业公司会叫他去，通常他都能找到解决办法。他出生于中国香港，十来岁的时候跟随家庭一起移民加拿大。他有一种总是用现在时表达的习惯，这在母语为中文、将英语当作第二语言学习的人当中很常见。

希拉洛斯董事会的一位成员最近找到他，让他接手这家创业公司的工程部门。如果接受这份工作，他的任务是将希拉洛斯 1.0 原型机变成可行的产品，可以让公司进行商业化。在听完伊丽莎白鼓舞人心的言辞之后，他决定签约。

不需要太久的时间，埃迪便意识到希拉洛斯是他所遇到的最困难的工程挑战。他过去的经验在电子方面，不在医学设备。而他所接手的原型机事实上无法运作。它更像是伊丽莎白脑海中想法的一个模型。他得把这个模型转变成能发挥作用的设备。

主要困难来自伊丽莎白坚持他们只能使用非常少的血液。她从母亲那里继承了打针恐惧症；诺尔·霍姆斯只要一看到注射器就会昏过去。伊丽莎白想让希拉洛斯的技术只需指尖刺出的一滴血就可以发挥作用。她如此固执于这一想法，在一次招聘会上，一名雇员买来一个用泡沫做的假血滴，把公司的标志放在血滴上作为展示的时候，伊丽莎白被搞得心烦意乱。她觉得它们太大了，不符合她脑海中微小用量的形象。

她对微型化的痴迷扩展到了检测盒。她想让它可以放置在手掌上，这令埃迪的工作进一步复杂化。他和团队花了几个月时间不断重新设计检测盒，但做出来的产品从未达到要求：即从同样的血液样本中获得可靠的、能保持前后一致的检测结果。

他们被允许使用的血液剂量如此小，以至于不得不使用生理盐水稀释，以获得更多的剂量，而这反过来大大增加了已经相对比较程序化的化学过程的挑战性。

令复杂程度变高的另一个因素是，血液和生理盐水不是唯一流经检测盒的液体。当血液到达小孔中时，还需要被称为反应物的化学物质，反应才会发生。那些反应物存储在单独的隔层中。

所有这些液体都必须以一丝不苟、精心设计的顺序流经检测盒，因此检测盒中包含小阀门，以精确的间隔打开和关闭。埃迪和他的工程师们按照原始设计、阀门时间、不同液体被泵驱动通过检测盒的速度，不断修修补补。

另一个问题是防止所有这些液体泄漏，以及相互之间污染。他们试图通过改变检测盒中微型通道的形状、长度和流向来让污染最小化。他们用食用色素做了无数次试验，看不同的颜色流向哪里，在哪里会产生污染。

这是要将一个复杂的、相互联结的系统压缩在一个狭小的空间中。埃迪的一个工程师对此有一个比喻：它就像一个橡皮筋构成的网，拉动一根，会不可避免地波及其他好多根。

每一个检测盒的制作成本高达200美元，但却只能使用一次。他们一周要测试数百次。伊丽莎白已经购买了一条耗资200万美元的自动包装生产线，期待着可以将它们打包装运的日子到来，但那一天似乎遥不可及。由于已经用完了第一次筹集的600万美元，希拉洛斯在第二轮融资中又募集了900万美元，以补充其资金。

化学方面的工作是由一个独立的团队在运作，主要由生物化学家组成。这个团队与埃迪团队的合作，根本谈不上理想。两者都直接向伊丽莎白汇报，但相互之间的沟通则不被鼓励。伊丽莎白喜欢让信息分成独立的部分，这样只有她对整个系统的发展拥有完整的图景。

由此导致的结果是，埃迪无法确定，他们遇到的问题到底是来源于自己所负责的微流体，还是因为与他毫无关系的化学工作。不过，他知道一件事情：如果伊丽莎白允许他们使用更多的血液，成功的机会大得多。但她不会听的。

一天晚上，埃迪工作到很晚，伊丽莎白来到他的工作室。她对他们的进展节奏感到不满，想让工程部门每周七天、每天二十四小时运转，以加速开发。埃迪认为那不是个好主意。他的团队已经在加班加点了。

他注意到，公司员工的流动率已经非常高，而且不仅是一般员工。高管们似乎也干不了多久。首席财务官亨利·莫斯利某一天消失不见了。办公室里有谣传，说他被抓住盗用资金。没有人知道真相到底如何，因为他的离开和其他所有人一样，都没有公布，也没有什么解释。这造成了一种令人焦虑不安的工作氛围：一位同事可能今天还在一起工作，第二天就不见了，而你完全不知道为什么。

埃迪拒绝了伊丽莎白的提议。他告诉她，即使安排轮班，一份连轴转的日程表也会将他的工程师们榨干。

伊丽莎白回应:“我不管。我们可以进进出出换人,公司是最重要的。”

埃迪觉得，她不会真的像听上去那样冷酷无情。但她是那么专注于达成自己的目标，以至于似乎完全忘记了她的决策现不现实。埃迪注意到在她的桌子上有一张剪报，是从最近一份关于希拉洛斯的媒体报道上剪下来的。它来自钱宁·罗伯特森，公司董事会中的斯坦福大学教授。

剪报上写着:“你开始意识到，你正看着的眼睛，属于另一位比尔·盖茨，或是另一位史蒂夫·乔布斯。”

那是她为自己设定的过高的标杆，埃迪想。不过，如果有谁真的能够越过这个标杆，那可能就是这个年轻的女子。埃迪从未见过如此发愤图强、如此冷酷无情的人。她晚上只睡四个小时，整天都嚼着巧克力咖啡豆，给自己注入咖啡因。他试着劝她多睡一些，过一种更健康的生活方式，但她不予理睬。

即使倔强如伊丽莎白，埃迪知道，还是有一个人对她有发言权：一个名叫桑尼（Sunny）的神秘男人。伊丽莎白多次提到他的名字，足以让埃迪了解某些关于他的基本信息：他是巴基斯坦人，比伊丽莎白年长，他们是一对情侣。据说桑尼在 90 年代末卖掉他合作创建的一家互联网公司，获得一大笔财富。

人们在希拉洛斯公司并没怎么见过桑尼，但在伊丽莎白的生活中，他似乎分量很重。2006 年末，在帕洛阿尔托饭店举行的公司圣诞晚会上，伊丽莎白喝得太多了，没法自己回家，于是她打电话给桑尼，让他来接她。正是在那时，埃迪了解到他们一起住在几个街区以外的一套公寓里。

桑尼并不是唯一给伊丽莎白提供建议的年长男人。她每周日与唐·卢卡斯(Don Lucas)[1] 吃早午餐,地点在后者位于阿瑟顿(Atherton)的家中,那是帕洛阿尔托北部最富裕的地区。她通过卢卡斯认识的拉里·埃里森也对她拥有影响力。卢卡斯和埃里森都在希拉洛斯的第二轮融资中有投资，用硅谷的说法叫作“B 轮”融资。埃里森有时候开着他的红色保时

1 即唐纳德·L. 卢卡斯，此为简称。

捷前来造访，查看自己的投资。听到伊丽莎白以“拉里说……”作为开场白，是稀松平常的事情。

埃里森也许是世界上最富有的人之一，净财富达到250亿美元，但这并不代表他就是理想的楷模。在甲骨文公司初创早期，众所周知，他夸大自己数据库软件的功能，发布的各个版本都充斥着漏洞。但对于医疗设备，你不能那么做。

我们很难知晓，伊丽莎白运营希拉洛斯的方式有多少是她自己的，有多少是秉承自埃里森、卢卡斯或桑尼，但有一件事情清清楚楚：当埃迪拒绝让他的工程师团队七天二十四小时运转时，伊丽莎白并不开心。从那一刻开始，他们的关系冷淡了下来。

没过多久，埃迪发现伊丽莎白在招募新的工程师，但她没有叫他们向埃迪汇报。他们形成了一个单独的团队。一个竞争团队。他明白，伊丽莎白正在挑动他的工程师团队和新的团队彼此对抗，某种企业版的适者生存。

埃迪没有时间过多考虑这些，因为还有别的事情需要他处理：伊丽莎白说服了辉瑞公司，在田纳西州的一个试点项目中尝试使用希拉洛斯的系统。根据协议，希拉洛斯 1.0 版设备将放置在人们家中，病人将使用它每天检测血液。其结果会以无线方式发送到希拉洛斯位于加利福尼亚的办公室，在那里进行分析，然后转发给辉瑞。他们无论如何必须在试点开始前解决所有问题。伊丽莎白已经排好前往田纳西的日程，准备培训部分病人和医生使用系统。

2007 年 8 月初，埃迪陪同伊丽莎白前往纳什维尔（Nashville）。桑尼驾着他的保时捷到公司接上他们，驱车前往机场。这是埃迪第一次面对面见到桑尼。年龄差距一下子变得清晰，桑尼看上去 40 岁出头，差不多比伊丽莎白大了 20 岁。在他们的关系中，还有一种冷冷的、务实的互动方式。在机场告别的时候,桑尼没有说“再见”或“旅途愉快”。相反，他大声吼道：“好了，快去挣钱吧!”

他们来到田纳西后，带来的检测盒与阅读器不能正常运作，于是埃迪不得不在旅馆的床上花了整晚的时间将它们拆开，重新组装。到早晨的时候，他成功地令它们工作良好，能够从当地一家肿瘤医院的两位病人和六名医生、护士那里抽取血液样本。

病人看上去情况很糟糕。埃迪知道，他们因为癌症而奄奄一息。他们正服用药物，用来减缓肿瘤块的生长速度，从而赢得几个月的生存时间。

回到加利福尼亚后，伊丽莎白声称这趟出行取得成功，并向员工发出一封热情洋溢的电子邮件。

"真的非常带劲，"她写道，"病人们很快就掌握了我们的系统。见到他们的那一刻，你能感受到他们的恐惧，他们的希望，还有他们的痛楚。"

她补充说，希拉洛斯的员工应当"绕场欢庆胜利"。

埃迪并没有那么乐观。在临床病患研究中使用希拉洛斯 1.0 似乎为时过早，尤其是现在，当他知道该项研究中涉及晚期癌症患者之后。

为了排解烦恼，周五晚上，埃迪和沙奈克常常一起出去喝啤酒，他们去的是帕洛阿尔托一家热闹的体育酒吧，叫作老油条（Old Pro）。化学团队的领头人加里・弗伦泽尔（Gary Frenzel）常常跟他们一起去。

加里来自德克萨斯，是一个友善的老男孩。他喜欢讲自己做牛圈骑手时候的光荣故事。在摔坏了太多块骨头之后，他不得不放弃了牛仔生涯，从事化学家职业。加里喜欢小道消息，爱开玩笑，引得沙奈克爆发出声音尖锐的大笑，埃迪以前从未听到过如此夸张的笑声。三人组因为这些外出活动而关系密切，成了好朋友。

然后有一天，加里再也不来老油条了。埃迪和沙奈克一开始不知道为什么，但他们很快就找到了答案。

2007 年 8 月底，希拉洛斯的员工们收到一封电子邮件，让他们到楼上集中开会。公司此时已经发展到 70 多人。每个人都停下手中的工作，在伊丽莎白位于二楼的办公室门前集合。

气氛非常严肃。伊丽莎白的脸上眉头紧皱，看上去怒气冲冲。站在她身边的是迈克尔・埃斯基维尔（Michael Esquivel），一位衣着光鲜、语速很快的律师，几个月前刚刚离开硅谷最早的律师事务所威尔逊・桑西尼・古奇・罗沙迪（Wilson Sonsini Goodrich & Rosati），加入希拉洛斯担任法律总顾问。

埃斯基维尔担当主要发言角色。他说希拉洛斯正起诉三位前员工盗窃公司知识产权。他们的名字是迈克尔·奥康纳尔（Michael O' Connell）、克里斯·托德（Chris Todd）和约翰·霍华德。霍华德曾负责所有研究和开发项目，在埃迪受雇之前面试过他。托德是埃迪的前任，领导了 1.0 版原型机的设计。而奥康纳尔是一位参与研制 1.0 版检测盒的员工，已在去年夏天离职。

埃斯基维尔下令，任何人今后不得与他们有任何接触，所有的电子邮件和文档必须封存。他将在威尔逊·桑西尼律师事务所的协助下进行彻底调查，收集证据。然后，他说了一句让整个屋子都感到惊慌的话。

“我们已经致电联邦调查局（FBI）协助我们处理此案。”

埃迪和沙奈克发现，加里·弗伦泽尔可能是因为这一系列事件而受到了惊吓。他是埃迪的前任克里斯·托德的好朋友，加里和托德一起在之前的两家公司工作了五年，随后跟随他加入希拉洛斯。托德在 2006 年 7 月离开希拉洛斯后，与加里保持着经常性的联系，常常电话交谈，互相发电子邮件。伊丽莎白和埃斯基维尔一定发现了加里的这些行为，将其视作反叛。他看上去惊慌失措。

沙奈克也与托德交好，因而能够大致拼凑出所发生的事情。

奥康纳尔来自斯坦福，拥有纳米科技的博士后资历，他认为自己已经解决了困扰希拉洛斯系统的微流体问题，叫托德跟他一起去成立一家新公司。他们取了个名字，叫作 Avidnostics。奥康纳尔也跟霍华德讨论过，霍华德提供了一些帮助和建议，但拒绝加入他们的冒险。Avidnostics 与希拉洛斯非常相似，不过他们计划把设备卖给兽医，其理由是一种在动物而不是人类身上进行血液检测的设备，会更容易获得监管批准。

他们游说了一些风投公司，但没有成功，此时奥康纳尔失去了耐心，发邮件给伊丽莎白，询问她是否愿意付费使用他们的技术。

他捅了大娄子了。

伊丽莎白始终担忧公司专有信息外泄，常常到过分夸张的程度。她不仅要求员工签署保密协议，还要求任何进入希拉洛斯办公室的人或者进行商务往来的人都要签。即使在公司内部，她也保持对信息流动的严格管控。

奥康纳尔的行为证实了她最坏的怀疑。几天时间，她做好了一场法律诉讼的准备工作。2007 年 8 月 27 日，希拉洛斯向加利福尼亚州最高法院提交了一份十四页的起诉书。起诉书请求法院针对三位前员工签发一份临时限制令，任命一位特别专家“确保他们不会使用或披露原告方的商业秘密”，并且为希拉洛斯的五种不同类型的金钱损失做出赔偿。

随后的几个星期乃至几个月时间，公司的气氛变得格外压抑。保留文档的电子邮件定期发到员工的收件箱，希拉洛斯进入封闭期。IT 部门主管是一位名叫马特·比塞尔（Matt Bissel）的计算机专家，他部署的安全手段让每个人都觉得处于被监视之下。如果没有经过比塞尔的同意，USB 驱动硬盘不得插上公司的电脑。一名员工这么做的时候被抓住，遭到了解雇。

在这出闹剧中，工程师团队之间的竞争加剧了。与埃迪团队竞争的小组由托尼·纽金特（Tony Nugent）领衔。托尼是个粗鲁而实际的爱尔兰人，在计算机附件生产商罗技公司（Logitech）工作过十一年，其后一度就职于一个名叫 Cholestech 的公司，该公司做的产品是一种比希拉洛斯想做的东西更简化的版本，叫作 Cholestech LDX，可以用从指尖采集的少量血液样本进行三种类型的胆固醇检测和一种类型的葡萄糖检测。

托尼最初被带到希拉洛斯，是由 Cholestech 的创始人加里·休伊特（Gary Hewett）作为顾问带过来的。休伊特担任希拉洛斯的研发副总裁仅五个月就被解雇，托尼接替了他的职位。

刚来到希拉洛斯的时候，休伊特确信微流体未能在血液诊断中发挥作用，是因为血液的量太少了，无法进行精确测量。但他没有时间来想出很多替代方案。这项任务落在托尼身上。

托尼认为，希拉洛斯的价值定位，部分应当在于将化学家们在实验室中检测血液的所有步骤实现自动化。为了实现自动化，托尼需要机器人。但他并不想浪费时间从头开始建造机器人，于是他从新泽西州一家名叫飞士能（Fisnar）的公司定制了一个价值 3000 美元的点胶机器人。它成为新的希拉洛斯系统的核心。

飞士能机器人是一个相当初级的机械化装置。它是一只安装在台架上的机械手，可以在三个维度上活动：左右、前后、上下。托尼将一支吸液管——一种细长的透明管，用于传送或测量小剂量液体——固定在机器人上，给机器人编程，让它按照化学家在实验室里的动作来运作。

在另一名最近受雇的工程师戴夫·尼尔森（Dave Nelson）的帮助下，他最终制造了一个更小版本的点胶机器人，可以放入比台式电脑机箱稍宽但稍短一些的铝制盒子里。托尼和戴夫从 1.0 版借鉴了某些组件，比如电路和软件，把它们加入盒子中，使之成为一个新的阅读器。

新的检测盒是一个包含小塑料试管和两个吸液器尖头的托盘。跟之前采用微流体的检测盒一样，它也是一次性的。你把血液样本放在其中一个试管中，把检测盒通过一个向上翻转的小门推入阅读器。阅读器的机械手随后模仿人类化学家的那些步骤进行工作。

首先，它抓取一个吸液器尖头，用它吸取血液，把血液与检测盒其他试管中的稀释剂混合。然后它抓取另一个吸液器尖头，吸取已经稀释的血液。第二个尖头上覆盖有抗体，这些抗体可以将自己附着在特定的分子微粒上，制作出一个微观世界的三明治。

机器人的最后一步是从检测盒中的另一个试管中吸取反应物。当反应物与“微型三明治”发生接触时，发生的化学反应释放出光信号。阅读器中内置有一个叫作光电倍增管的装置，由它随后将光信号转化成电流。

检测试图测量血液中的分子聚集度，它可以从电流的强度进行推测，而电流的强度是与光信号的强度成正比的。

这种血液检测技术被称为化学发光免疫检验（chemiluminescent immunoassay）。（在实验室术语中，“检验”[assay] 一词是“血液检测”的同义词。）这种技术并不算新，80 年代初期，卡迪夫大学的一名教授率先开辟出这种技术。不过托尼实现了自动化，并将其内置在一个机器中，尽管这个机器比烤箱大小的希拉洛斯 1.0 版大，但尺寸足以令伊丽莎白将其放置在病人家中的愿景成为可能。而且它只需要大约 50 微升血。尽管比伊丽莎白最初坚持的 10 微升要多，但仍可以只算作一滴。

开始进行研制的四个月后，到 2007 年 9 月，托尼拥有了一个可以运作的原型机。它的表现比埃迪·顾在公司另一个角落还在孜孜不倦地研究的系统可靠得多。

托尼问伊丽莎白，想给它取个什么名字。

"我们尝试了一切其他办法，都失败了，所以我们叫它爱迪生吧。"她说。

一些员工嘲弄地称作"点胶机器人"的东西，突然成了新的前进方向。而且它现在以美国公认最伟大的发明家命名，拥有了一个受人尊敬的名字。

放弃微流体系统，支持爱迪生设备，考虑到希拉洛斯刚刚发起一场捍卫作为前者基础的知识产权的诉讼，这个决策颇有些滑稽。对于埃迪·顾而言也是个坏消息。

离感恩节还有几个星期，一天上午，埃迪和他的团队被依次叫到一个会议室。轮到埃迪的时候，托尼、人力资源经理塔拉·兰西奥尼（Tara Lencioni）和律师迈克尔·埃斯基维尔通知他，他被解雇了。他们说，公司正向新的方向前进，他正研究的东西不在其列。如果托尼要得到离职补偿，他必须签署一份新的保密协议和一份互不诋毁协议。兰西奥尼和埃斯基维尔陪他来到工作区，让他取走一些个人物品，然后将他赶出了这栋楼。

一小时后，托尼看了一眼窗外，发现埃迪还站在外面，上衣搭在胳膊上，看上去失魂落魄。原来他那天早晨没有开车来上班，因而被搁在那里无所适从。那个时候还没有优步（Uber），于是托尼去找沙奈克——他知道他们是朋友——让他开车带埃迪回家。

两周以后，沙奈克步埃迪的后尘，也被扫地出门，不过方式友好得多。爱迪生设备的核心是一个经过改造的点胶机器人，这与伊丽莎白最初向他兜售的崇高愿景相比，是一步相当大的倒退。他也对员工的不断更换和歇斯底里的法律诉讼感到焦虑不安。在耗费了三年半时光之后，似乎是时候继续前进了。沙奈克告诉伊丽莎白，他考虑重回学校，他们同意分道扬镳。她组织了一个办公室派对，欢送他离开。

希拉洛斯的产品可能不再是她所设想的开创性的、代表未来的技术，但伊丽莎白仍然一如既往地全身心投入公司。事实上，她对爱迪生设备是如此兴奋，几乎迫不及待地把它带出公司去炫耀。托尼对戴夫开玩笑说，他们应该造两个出来再告诉她。

玩笑归玩笑，托尼对她的轻率有点儿不安。他做过一项基本的安全评估，确保它不会电死什么人，但那只是它的限度范围。他甚至不知道应该给它贴上什么样的标签。他咨询律师，但律师们没给出什么帮助，于是他自己去翻阅美国食品和药品监督管理局（Food and Drug Administration，FDA）的规定，最终觉得，“仅供研究使用”可能是最合适的。

这并不是一件已完成的产品，谁也不应当觉得它是个完成品，托尼想。

第三章　仰慕苹果

对于一位在硅谷心脏地带创建公司的年轻创业家来说，很难摆脱史蒂夫·乔布斯的阴影。到2007年，这位苹果的创始人已经在科技界和美国社会铸就自己的传奇，通过iMac笔记本电脑、iPod音乐播放器和iTunes音乐商店，他带领这家计算机制造商东山再起。那年1月，在旧金山的苹果世界大会上，在一堆欣喜若狂的观众面前，他发布了自己最新、最重大的惊艳之作：iPhone手机。

任何人与伊丽莎白待上一段时间，就会发现她毫不掩饰地崇拜乔布斯和苹果公司。她喜欢将希拉洛斯的血液检测系统称作“医疗健康版iPod”，并且预言，跟苹果无所不在的产品一样，她的产品有一天也将遍布美国的每一个家庭。

2007年夏天，她对苹果公司的崇拜又更进了一步：招募了多位苹果的员工进入希拉洛斯。其中一位名叫安娜·阿里奥拉（Ana Arriola），是曾经参与设计iPhone的产品经理。

安娜第一次与伊丽莎白见面，是在科帕咖啡馆，帕洛阿尔托一家很时髦的咖啡与三明治店，这儿已经成了她在办公室之外最喜欢流连的地方。在向安娜灌输了一通她的背景和亚洲之旅后，伊丽莎白告诉安娜，她梦想通过希拉洛斯的血液检测，建立一张包含每个人的疾病地图。公司通过处理血液数据，将能够运用数学模型反向还原癌症之类的疾病，并预测肿瘤的演化。

对于像安娜这样的医学外行而言，这听上去太令人激动，将会改变世界，而且伊丽莎白看上去才华横溢。但如果安娜加入希拉洛斯，她将放弃 15000 股苹果公司的股份，因此，她想听听她妻子[1]科瑞恩（Corrine）的意见。她安排与伊丽莎白在帕洛阿尔托再次面谈，这次科瑞恩也在场。伊丽莎白也给科瑞恩留下了深刻印象，安娜的一切踌躇犹豫都消失了。

安娜加入希拉洛斯，担任首席设计建构师。这个职位最主要的任务，是负责爱迪生设备的整体外观和感觉。伊丽莎白想要给这台机器一个类似于 iPhone 的软件触摸屏，以及一个光滑的外壳。她要求外壳应该有两种颜色，按对角线分割，就像最早的 iMac 电脑一样。但跟第一台 iMac 不一样，它不能是透明的。它得把机械手以及爱迪生设备的其他内部构件藏起来。

她把外壳设计外包给维斯·贝哈尔（Yves Béhar），这位瑞士出生的工业设计师在硅谷的声名仅次于苹果公司的乔尼·伊夫（Jony Ive）。贝哈尔提出了一个精致的黑白两色设计，但事实证明很难在制造上实现。托尼·纽金特和戴夫·尼尔森花了无数的时间塑模金属薄片，试图把它做好。

外壳无法掩盖机械臂发出的高噪声，但安娜还是比较满意，至少伊丽莎白在出去展示的时候，带着它拿得出手。

安娜觉得伊丽莎白自己也可以精心修饰一番。伊丽莎白穿着打扮的方式绝对谈不上时尚。她穿宽松的灰色套装，圣诞节的毛衣，让她看上去像一个邋遢的会计。她周围的人比如钱宁·罗伯特森和唐·卢卡斯都开始拿她和史蒂夫·乔布斯比较。安娜告诉伊丽莎白，如果是这样，她应该在穿着上相配。伊丽莎白将她的建议铭刻在心。从此以后，大部分日子，她都穿着黑色的高翻领毛衣和黑色的便裤来上班。

安娜很快有了伴，贾斯汀·麦克斯韦尔（Justin Maxwell）与迈克·鲍尔勒（Mike Bauerly）加入希拉洛斯，两位新招进来的人从事爱迪生设备的软件设计和系统其他与病人交互部分的设计，例如检测盒的打包等。安娜与贾斯汀在苹果公司共事过，迈克的女朋友与他们曾是同事，因而

1 原文如此。安娜原为男性，后变性为女性，参见本书书尾作者注释。

也通过她认识了迈克。从苹果公司转投过来的这些人用不了多久就发现，伊丽莎白和希拉洛斯有其古怪之处。安娜每天早晨到得很早，7点半与伊丽莎白碰面，汇报她在设计上的最新情况。当她把车停进车位的时候，安娜发现伊丽莎白在黑色英菲尼迪越野车中大声播放嘻哈音乐，金色条纹的头发狂野地摆动。

一天，贾斯汀走进伊丽莎白的办公室，向她汇报一个项目的最新情况，伊丽莎白激动地向他打手势示意，说她要给他看样东西。她指着桌子上一个9英寸长的金属镇纸，那上面刻着这样的句子："如果你知道自己绝不会失败，你会做什么?"她把镇纸的位置摆正，正面看着这些话，显然觉得这话令人激动。

拥有一位理想主义的老板并不是坏事，但还有其他一些方面使得在希拉洛斯工作不那么愉快。其中之一，就是需要每天和IT部门的头头马特·比塞尔及其同伴内森·洛兹（Nathan Lortz）做斗争。比塞尔和洛兹设计公司的计算机网络的方式，是将信息流相互分隔，像一道道竖井，阻碍员工和部门之间进行沟通。你甚至不能与一位共事者发送即时信息。聊天的端口是被封闭的。所有一切都以保护专有信息和商业秘密的名义为借口，但最终的结果是生产率的大幅降低。

情况如此令人泄气，有一天晚上，贾斯汀待到很晚，给安娜写了一封非常冗长的邮件谈论这个问题。

"我们已经忽略了商业上的目标。难道这个公司是'把一群人关在屋子里，防止让他们做违法的事情'吗?还是说它想'和最优秀的人一起做有趣的事情，越快越好'?"他愤怒地说。

贾斯汀和迈克也清楚地知道，比塞尔和洛兹在监控他们，把发现的情况报告给伊丽莎白。IT部门总是想知道他们在计算机上运行的是什么程序，时不时充满怀疑地看待原本一目了然的友好行为，将其变成煽动性的流言蜚语。不仅是IT部门的家伙们在窥视。伊丽莎白的行政助理也会在脸书（Facebook）上跟员工加好友，把他们发布的帖子告诉她。

一名行政助理一直跟踪员工上班和下班的时间，让伊丽莎白准确地知道每个人投入了多长时间工作。为了诱使人们工作更长的时间，她每天晚上提供晚餐。食物常常要到 8 点或 8 点半才能送到，那意味着你走出办公室的时间最早也要到 10 点。

当希拉洛斯的董事会召开每季度例行会议的时候，气氛变得尤为奇怪。员工们被要求表现出很忙的样子，当董事会成员步行穿过办公区域时，不得与他们有目光接触。伊丽莎白引导他们进入一个大型玻璃会议室，并且把隔帘拉下来。这就像中央情报局（CIA）的特工们在与一位卧底行动人员举行秘密会晤。

一天晚上，安娜驾车顺路带贾斯汀和工程师亚伦·摩尔（Aaron Moore）回旧金山。亚伦在一份行业出版物上看到一则小广告，放弃了自己在麻省理工学院（MIT）的微流体博士学业，于 2006 年 9 月来到希拉洛斯工作。安娜和贾斯汀加入的时候，他已经在公司工作了差不多一年。亚伦非常聪明，在斯坦福念大学，研究生则是在麻省理工学院，但他有些玩世不恭。他来自俄勒冈州的波特兰（Portland），有波特兰式嬉皮士风格：乱蓬蓬的头发，三天没刮过的胡子，戴耳环。他也很诙谐机智，所有这些让他成为希拉洛斯的苹果旧将们喜欢的人。

安娜、贾斯汀和亚伦都住在旧金山，驾车或者坐地铁来上班。那天晚上，他们驾车回家的时候，坐在安娜的普锐斯（Prius）车上，堵在车流中时，亚伦向他的新同事发了一顿牢骚。怕他们还没注意到，亚伦告诉他们，在希拉洛斯，人们不断地被炒掉。安娜和贾斯汀当然注意到了。埃迪·顾的解雇刚刚才发生。除了埃迪之外，还有二十个人丢掉了工作。事情发生得太快，埃迪留下了一大堆工作用的工具，包括一套非常好的 X-Acto 牌[1]精确切割刀具，被贾斯汀在一个废物篮里面找到，据为己有。

亚伦提到，他也对利用田纳西州那些癌症病人进行的研究感到困惑。他们从未能让微流体系统正常工作，当然更不足以在活生生的病人身上使用，然而伊丽莎白仍坚持推动研究。转向托尼制造的新机器是一种改善，但亚伦觉得，它的表现仍然不够好。工程师团队和化学家团队之间没有

1 美国知名刀具品牌。

沟通。两者都是各自对系统中自己的那部分进行测试，但没人运行过整体的系统测试。

安娜越听越感到不安。她曾认定，如果希拉洛斯的血液检测技术即将应用在病人身上，那么应该是已接近完美。现在亚伦告诉她，那技术很大程度上还是一项有待改进的工作。安娜知道田纳西州的研究涉及濒临死亡的癌症病人。想到他们也许被当作测试一项有缺陷的医疗设备的小白鼠，她也感到焦虑不安。

安娜和亚伦所不知道而且有可能多少缓解他们的焦虑的是，希拉洛斯从癌症病人的血液中获取的检验结果将不会改变他们的治疗方式。它们将只被用作研究目的，帮助辉瑞公司评估希拉洛斯技术的有效性。但希拉洛斯的大部分员工都完全不知道，因为伊丽莎白从未向他们解释过此项研究的条款。

第二天早晨，安娜联系了介绍她到希拉洛斯工作的人——她从前在苹果公司的同事艾维·特维尼安（Avie Tevanian）。艾维是希拉洛斯的董事会成员。他几个月前向安娜伸出橄榄枝，安排她与伊丽莎白会面。安娜与艾维在洛斯阿尔托斯（Los Altos）的皮特咖啡馆（Peet’s Coffee）碰面，说了她从亚伦·摩尔那里了解的事情。她担心希拉洛斯对田纳西州的研究越过了道德底线。艾维专注地听着，然后告诉安娜，他自己也开始对这个公司产生了怀疑。

艾维是史蒂夫·乔布斯最长久、最亲密的朋友之一。他们一起在NeXT软件公司工作，那是80年代中期乔布斯被从苹果公司赶出来之后创立的。乔布斯在1997年返回苹果公司的时候，把艾维带了过来，让他负责软件工程部门。在累死累活干了十年之后，艾维宣布退出。他赚了很多钱，不知道拿这些钱怎么办，想花更多的时间陪伴妻子和两个孩子。退休几个月后，一个为希拉洛斯寻找新董事的猎头找到了他。

跟安娜一样，艾维第一次见到伊丽莎白，也是在科帕咖啡馆。她以一个活泼的年轻女子形象现身，充满激情，知道自己在做什么，这正是你想要在一位创业家身上看到的气质。当艾维主动提到一些自己在苹果公司学到的管理智慧时，她的眼睛放出光彩。他与乔布斯的长期交往似乎特别吸引她。他们碰面后，艾维同意加入希拉洛斯董事会，并在2006年下半年的募资中购买了150万美元公司的股份。

艾维参加的前两次董事会相对平安无事，但到了第三次，他开始注意到一种模式。伊丽莎白会拿出乐观的不断增长的收入预测，根据是她所说的希拉洛斯与制药企业正在洽谈的交易，但这些收入从没有实现过。艾维成为董事后不久，首席财务官亨利·莫斯利被解雇，但这于事无补。在他参加的上一次董事会上，艾维针对与制药企业的交易提出了很多尖锐的问题，但他被告知，这些交易仍处于法律评估之中。当他要求查看合同时，伊丽莎白说她手头没有任何备用副本。

还有，产品的发布也一再推迟，而对需要进行什么修补，这方面的解释不断发生变化。艾维并不会假装懂得血液检测的学问，他的专长是软件。但是如果像他被告知的，希拉洛斯的系统已经处在微调的最后阶段，怎么可能每个季度都有一个完全不同的技术问题作为推迟的借口？在他看来，这听上去不像一个即将进行商业化的产品。

2007年10月底，他参加了董事会报酬委员会的一次会议。董事会主席唐·卢卡斯告诉委员会成员，伊丽莎白为了税收规划目的，计划建立一个基金会，想让委员会同意，特别捐赠一批股票给基金会。艾维注意到，唐对伊丽莎白有多么溺爱。这个老人把她看成孙女一样。唐一头白发，是个身材肥胖、喜欢戴宽边帽的绅士，他已过了75岁，属于更老一代的风险投资家，这一代人把风险投资当成私人俱乐部一般。他曾经把拉里·埃里森培养成一个著名的创业家。看到伊丽莎白，显然他觉得自己又发现了另一个。

然而艾维认为伊丽莎白的想法并非好的公司治理之道。既然她可以控制基金会，当然也可以控制与其绑定在一起的新的股票的投票权，这将增加她的总体投票份额。艾维觉得，给予创始人更多权力，对其他股东的利益并不有利。他投了反对票。

两个星期后，他接到来自唐的电话，问他是否可以碰个面。艾维驱车来到这位老人在沙丘道上的办公室。到了之后，唐告诉他，伊丽莎白真的非常恼火。她觉得他在董事会会议上的行为令人很不愉快，认为他不应当再留在董事会。唐问他是否愿意辞职。艾维表示惊讶。他只不过是在履行作为董事的职责，提出问题是其中一项。唐表示同意，说他认为艾维的工作做得很好。艾维告诉唐，他要花几天时间重新考虑。

回到位于帕拉阿尔托的家后，他决定回头查看他作为董事会成员得到的关于之前年度情况的所有文件，包括在他购买股份之前收到的投资材料。重新读过之后，他意识到关于这家公司的每一件事情在一年的时间跨度内都发生了改变，包括伊丽莎白的整个管理团队。唐应当看看这些，他想。

与此同时，安娜·阿里奥拉越来越坐立不安。本性上来说，安娜容易激动。她说话很快，行动起来总是像旋风一样。大部分时候，这是一种正能量，她将其注入到工作中，获得巨大成效。但有时候，它也会变成压力、焦虑以及变得戏剧化。

一起喝过咖啡后，她与艾维保持着联系，并且从她之前在苹果公司的同事那里了解到，伊丽莎白想要他离开董事会。她不知道是什么造成了他们之间的裂痕，但这一发展显然不是好事。

安娜自己与伊丽莎白的关系正在恶化。伊丽莎白不喜欢被人说不，而安娜在多个场合这么做过，都是在她发现伊丽莎白提出的要求不近情理的时候。她也因伊丽莎白的严守秘密而备受折磨。对于这家小公司，一名设计师可能不像工程师或者化学家那么重要，但她仍然需要处于信息回路之中，了解产品的进度，来恰如其分地做好自己的工作。然而伊丽莎白始终将安娜放在按需要知晓的位置上。

在她们的一次早间晨会上，安娜用她从亚伦·摩尔那里了解的关于希拉洛斯系统的问题质问伊丽莎白。如果他们的技术得到的仍不是真实的结果，是不是应当暂停田纳西州的研究，首先集中精力解决问题？她跟伊丽莎白说，一旦机器能够可靠地运作，他们可以立即重新启动项目。

伊丽莎白一口拒绝了这个主意。她说，辉瑞和其他每一家大制药企业都想要她的血液检测系统，希拉洛斯将成为一个伟大的公司。如果安娜觉得不开心，那么也许她应当反思，这里是不是适合自己的地方。

“仔细想想，然后告诉我你想怎么做。”她说。

安娜回到座位上，煎熬了几个小时。她无法摆脱那个想法：田纳西州研究项目是一件不应该做的事情。伊丽莎白想让艾维离开董事会也令人不安。安娜信任艾维，把他当作朋友。如果艾维和伊丽莎白发生争执，她会选择跟艾维站在一起。

到下午 3 点左右，安娜做出了决定。她写了一封简短的辞职信，打印了两个副本，一个给伊丽莎白，一个给人事部。伊丽莎白那个时候外出，不在办公室，所以她从门缝底下把信塞进去。出来的时候，她迅速敲了一封电子邮件给伊丽莎白，让她知道在哪里可以找到辞职信。

伊丽莎白三十分钟后给她回复电子邮件，请她打她手机。安娜对她的请求置之不理。她与希拉洛斯彻底结束了。

唐・卢卡斯不用电子邮件。多年来，他经历了太多法律诉讼，包括 20 世纪 90 年代初期一波针对甲骨文公司的集体诉讼，他不喜欢这种留下电子痕迹的东西，担心哪一天会在法庭上被用来指控自己。如果艾维想让唐看看他的发现，得面对面地展示给他看。他联系了唐的两位助理，安排再一次会面。

在预定的那天，艾维出现在唐的办公室，随身带来他作为希拉洛斯董事获得的所有文件，厚厚的复印件，大概有几百页。他告诉唐，放在一起来看，这些文件呈现出一系列无法自圆其说的矛盾。董事会这样是有问题的，他说。希拉洛斯也许可以得到纠正，但用伊丽莎白管理事务的方式是做不到的。他建议他们引入某种更成熟的监管。

“好吧，我想你应该辞职，”唐回复，接着马上说，“你拿那一堆纸来，想干什么？”

艾维大吃一惊。唐甚至对他说的话完全无动于衷。这位老人似乎只关心一件事情：他是否想把事态升级到提交全体董事会。在脑海中将形势盘算了一会儿之后，艾维决定退出。他从苹果公司退休是有原因的。没有必要把事态激化。

“好，我会辞职，所有这些材料我都留给你。”他说。

艾维起身准备离开，这时唐说还有其他事情需要讨论。希拉洛斯的第一名员工、事实上的创始合伙人沙奈克·罗伊即将离开公司，并将大部分创始人股份回售给伊丽莎白。她需要董事会放弃公司回购股份的权利。艾维觉得这主意不好，但他告诉唐，由于他即将辞职，董事会可以无须他参加，直接进行表决。

“还有一件事，艾维，”唐说，“我需要你放弃自己购买那些股份的权利。”

艾维有点被惹恼了。他被要求忍受太多了。他告诉唐，叫希拉洛斯的法律总顾问迈克尔·埃斯基维尔发送所需要的文件给他。他会对文件进行评估，但不会做出任何承诺。

文件送到后，艾维仔细阅读它们，并且得出结论，如果公司放弃自身回购沙奈克股份的权利，他和其他股东完全有权利购买其中部分股份。他还注意到，伊丽莎白谈了一笔多么诱人的交易：沙奈克愿意以 56.5 万美元的价格，放弃他的 113 万股。折算下来是 50 美分一股，这比他和其他股东在一年多前希拉洛斯上一轮融资中支付的价格，折价 82%。少量折价情有可原，因为艾维的股份是优先股，对公司的资产和收益有更高的要求权，而沙奈克的股份是普通股，但如此高的折价率此前闻所未闻。

艾维决定行使他的权利，告诉埃斯基维尔，他想要获得自己有权得到的相应比例的沙奈克股份。这个要求没有被顺利接受。两人之间频繁进行电子邮件往来，一直到圣诞节期间。

圣诞夜晚上，11 点 17 分，埃斯基维尔发给艾维一封电子邮件，谴责他的“恶意”作为，并警告他，希拉洛斯正在严肃考虑，起诉他作为董事会成员破坏信托职责，以及公开诋毁公司。

艾维大为惊愕。不仅仅是他从未做过此类事情，而且对他而言，在硅谷的所有岁月，他从未被逼迫到诉讼威胁的程度。整个硅谷都知道他是个好人，人见人爱。他没有一个敌人。到底怎么了？他试图与其他董事会成员联系，但没有人回应他的呼吁。

不知道如何是好的艾维咨询了一位律师朋友。好在有他在苹果公司积累的财富，他的个人资产比希拉洛斯公司还多，所以昂贵的诉讼并没有真的让他害怕。但在他把发生的一切通通告诉朋友之后，这位朋友问了一个帮助他正确看待形势的问题："按照你现在了解的关于这家公司的一切，你真的还想从它那里分得更多的东西吗？"

艾维反复考虑这个问题，答案是否定的。而且，当下正是给予和欢庆的时刻。他决定让事态平息下来，将希拉洛斯抛之身后。但在这么做之前，他给唐写了一封告别信，发送给唐的助理，附上公司施压要求他签署的放弃声明书复印件。

他写道，用来让他签署放弃声明的冷酷伎俩，证实了他向唐提出的公司运作方式方面的"某些糟糕问题"。他接着说，他不会责怪迈克尔·埃斯基维尔，因为很显然这个律师只是秉承上面的意思而行事。他以这样一段话为信件结尾：

> 我真的希望你能将这里发生的一切完整地告知其他董事会成员。他们应当知道那些事情，而不是冒着来自公司/伊丽莎白的风险，百分百地"与项目共进退"。
>
> …………

你真诚的

艾维·特维尼安

第四章　告别东帕洛

2008 年初，希拉洛斯搬到位于帕洛阿尔托山景大道（Hillview Avenue）的一幢新楼。在硅谷，这相当于从南布朗克斯（South Bronx）搬到了曼哈顿中城。

在硅谷，门面是最重要的。三年来，希拉洛斯一直是在“正轨”的错误一侧经营。在这里，“正轨”是指 101 号公路，或者被称为湾岸高速公路（Bayshore Freeway）。它将帕洛阿尔托一分为二，一侧是美国最富裕的小镇，另一侧是它贫穷得多的兄弟东帕洛阿尔托，一度拥有美国谋杀之都的可疑名声。

公司原来的办公室位于这条四车道高速公路的东帕洛阿尔托一侧，旁边是一家机修厂，马路对面是一家屋顶承建商。这不是那些有钱的风险投资家乐意见到的社区类型。与此相比，新址就在斯坦福大学校园隔壁，拐角处是惠普公司（Hewlett-Packard）的奢华总部。此处房价昂贵，标志着希拉洛斯正逐渐跻身大佬行列。

唐·卢卡斯对这次搬家非常满意。在与托尼·纽金特的一次谈话中，他明确表达了对老地方的鄙弃。“终于让伊丽莎白摆脱了东帕洛，太好了。”他告诉托尼。

不过，对于负责执行的人来说，这次搬家并不那么好玩。这个工作落在了 IT 部门主管马特·比塞尔身上。比塞尔是伊丽莎白最信任的助手之一。他在 2005 年加入希拉洛斯，员工编号是第 17 号，履职极为认真。

除了负责公司的 IT 基础设施之外，他的任务还包括安保。他是负责对迈克尔·奥康纳尔的诉讼提供计算机证据法律分析的人。

过去的几个月，规划搬迁占据了马特的大部分时间。2008 年 1 月 31 日，星期四，一切似乎都已准备就绪。搬家工人预定在第二天早晨首先到达，把所有东西都拖走。

但那天下午 4 点，马特被迈克尔·埃斯基维尔和加里·弗伦泽尔拉进了一个会议室。伊丽莎白在瑞士通过电话参与会议，她正在那里为诺华公司进行第二次展示，这是在上次导致亨利·莫斯利离开的虚假产品展示的十四个月后。她刚刚了解到，如果到半夜他们还不把地方清空，房东就会收取他们 2 月份的租金。她说绝不允许这样的事情发生。

她指示马特打电话给搬家公司，叫搬家工人立刻赶过来。马特觉得能做到的概率非常低，但他答应试一试。他走出会议室去打电话。搬家公司的调度员嘲笑他。他被告知：不，先生，事到临头才让我们改时间是不可能的。

伊丽莎白不肯罢休。她告诉马特打电话给另一家以前用过的搬家公司，把活派给他们。跟第一家公司不一样，这家公司没有工会组织。她很确定这家公司会更加灵活。但当马特打电话给第二家公司解释情况的时候，那边的人强烈建议他放弃这个主意。此人说，有工会组织的搬家公司都是由暴徒控制的。希拉洛斯公司的想法有卷入暴力的危险。

即使在听到如此令人冷静的回答之后，伊丽莎白依然不肯罢休。马特和加里试图用其他困难跟她理论。加里提出公司库存的血液样本的问题。他指出，假设他们当天能成功地找来一队人马，搬运工人要到第二天才能将所有东西装卸到公司新址。在此期间，他们如何能将血液样本保持在合适的温度？伊丽莎白说他们可以使用冷藏车，停在车位上保持整晚运转。

在经历了疯狂的几个小时后，马特终于能够给她说点听得进去的话了，他指出，即使他们不管用什么办法在那天半夜 11 点 59 分之前将房子清空，他们仍然还得走州政府的程序，证明已经将全部危险物品进行了合理的处置。要知道，希拉洛斯是一家生物科技公司。那些流程要花好几周时间去安排，而除非走完这些程序，否则新的客户是不能搬进来的。

最终，搬迁按照原计划在第二天进行，但这一插曲是压垮马特的最后一根稻草。一半的他崇拜伊丽莎白。她是他所见过最聪明的人之一，确实能做一个令人激动、鼓舞人心的领袖。他常常开玩笑说，她能把冰块卖给因纽特人。但另一半的他对伊丽莎白的不可捉摸和公司始终不断的混乱状态感到厌倦。

马特的一部分工作职责令他越来越烦闷。伊丽莎白要求员工绝对忠诚，如果她感觉到有人不再对她忠诚，可以在转瞬之间将他们抛弃。马特在希拉洛斯工作的两年半时间中，目睹她炒掉了 30 多人，还不包括在微流体方案被抛弃时跟着埃迪·顾一起丢掉工作的 20 多名员工。

伊丽莎白每次解雇人的时候，马特都得帮着“终结”员工。有时候，这不仅意味着收回离职员工的公司网络权限，护送他或她走出办公楼。某些情况下，她要求他为离职员工建立档案，以便她加以利用。

有一个案例，马特特别后悔帮助她：那就是前首席财务官亨利·莫斯利。马特把他工作用笔记本电脑中的文件上传到中央服务器进行备份的时候，无意中发现其中有不合宜的色情资料。当伊丽莎白知道此事后，她宣称这是让莫斯利离开的原因，并且拒绝给他股票期权。

在莫斯利离开前，马特一直是向他汇报工作的。知道他为帮助伊丽莎白给希拉洛斯筹资做了非常出色的工作。当然，他不应在一台工作用的笔记本电脑上看色情片，但马特不觉得那是应当受到敲诈勒索的滔天大罪。而且，其发现是在被解雇已是既定事实之后。说这是莫斯利被炒鱿鱼的原因，完全是不对的。

对待约翰·霍华德的方式也令他困扰。当马特回头查看为迈克尔·奥康奈尔诉讼案安排的所有证据时，他没有看到任何证明霍华德有做错的地方。他是曾与奥康奈尔有联系，但他拒绝加入奥康奈尔的公司。然而伊丽莎白坚持以捕风捉影的方式将其联系在一起，也将霍华德告上法庭，全然不顾他是伊丽莎白从斯坦福辍学后第一批帮助她的人之一，包括在公司初创时期，他曾让伊丽莎白使用自己在萨拉托加（Saratoga）家中的地下室做实验。（希拉洛斯后来放弃针对三名前员工的诉讼，前提是奥康奈尔答应签字将他的专利让给公司。)

马特一直希望创立自己的IT咨询公司，他认定是时候抽身走人去实现自己的想法了。他告诉伊丽莎白自己的决定的时候，伊丽莎白完全不相信似的盯着他。她无法理解他怎么可能放弃一份即将革命性地改变医疗保健事业、改变世界的工作，去做那样的事情。她试图用加薪和升职诱使他留下，但被他拒绝了。

在希拉洛斯的最后两周，马特所目睹的在无数其他员工身上发生的事情，也在自己身上发生了。伊丽莎白不再跟他说话，甚至看都不看他。她将他的职位许诺给他在IT部门的同事埃迪·鲁伊兹（Ed Ruiz），如果埃迪同意去深挖马特的文档和电子邮件的话。但埃迪跟马特是好朋友，拒绝那样做。不管怎么样，什么都没找到。马特干干净净，无可指摘。与亨利·莫斯利不一样，他得以保留自己并行使自己的股票期权。他在2008年2月离开希拉洛斯，并建立了自己的公司。埃迪·鲁伊兹在几个月后加入了他的公司。

希拉洛斯在帕洛阿尔托的新办公室很漂亮，但对于一家创业公司而言确实太大了一点，尤其是在埃迪·顾集体裁员使得员工数量下降到50人之后。主楼层是一个长方形的空间。伊丽莎白坚持将员工集中在它的一侧，留下一个巨大的空旷空间在另一侧。有一两次，亚伦·摩尔试图将其利用起来，他引诱几个同事在那里踢室内足球比赛。

在安娜·阿里奥拉离开后，亚伦与贾斯汀·麦克斯韦尔、迈克·鲍尔勒更加亲密了。安娜没有给他们任何计划离开的提示。她就是在有一天走出去，再也没有回来。这令贾斯汀最为不安，因为是安娜鼓动他离开苹果公司，来到希拉洛斯的，但他努力保持正面积极的态度。他告诉自己，如果公司能够搬到帕洛阿尔托最好的办公区，它一定是某些方面走在正轨上。

搬迁后不久，亚伦和迈克决定利用托尼·纽金特和戴夫·尼尔森制造的两台爱迪生设备开展某种非正式的“人之因素”研究。这是工程师的术语，即把它们交到人们的手中，观察两者之间是如何互动的。亚伦很想知道人们如何刺破自己的手指，以及后续如何一步步将血液转移到检测盒中。在进行内部测试的时候，他刺破自己手指的次数太多，以至于对其不再有任何感觉。

征得托尼的批准后，他们将爱迪生设备放在亚伦的马自达汽车的后备厢，开车前往旧金山。他们的计划是带着它们周游朋友在城里的创业公司。首先，他们在亚伦位于旧金山教会区（Mission Distric）的公寓里稍做停留，检查准备工作。他们将机器放在亚伦起居室的木质咖啡桌上，确保带了其他所需的一切东西：检测盒、抽血用的采血针以及被称为传输管的小注射器，用于将血液放入检测盒中。

亚伦用他的数码相机拍照片，以记录他们的所作所为。维斯·贝哈尔的外壳那时还没有好，所以设备还是原始的外观。它们的临时外壳是用灰色铝片接合而成的。前盖可以向上翻，就像一个猫进出的门，可以将检测盒放进去。在“猫门”上方以一定角度设置有基本的系统软件界面。在机器内部，机械臂发出很大的、刺耳的声音。有时候，它会压坏检测盒，吸液管尖头有时会折断。整个给人的印象就是一个八年级学生的科学项目。

亚伦和迈克拜访他们朋友办公室的时候，受到笑脸欢迎和咖啡招待。每个人都很有风度，同意支持他们的小试验。其中一站是社交网站创业公司贝博网（Bebo），该公司几个星期后被美国在线（AOL）以 8.5 亿美元收购。

随着时间推移，有一件事情越来越明显，即只扎一次针常常难以搞定。将血液转移到检测盒并不是所有程序中最简单的一环。人们得用酒精擦拭手指，用刺血针将其刺破，使用传输管将手指上冒出来的血液吸进去，然后按压传输管上的活塞，把血液挤进检测盒里。几乎没有人可以在第一次尝试的时候就做到完全正确。亚伦和迈克得不断地请求测试对象，让他们多刺自己几次。这事儿搞得一团糟，到处是血。

这些困难证实了亚伦已有的怀疑：公司低估了流程中的这一环节。认为一位 55 岁的病人在家中就能迅速掌握，只是美好的愿望。而如果这个环节出问题，系统的其余部分运作得再好也无济于事，你不会得到有效的结果。他们回到办公室之后，亚伦将他的发现告诉托尼和伊丽莎白，但他察觉到，他们并不当回事。

亚伦越来越觉得沮丧和失望。他一开始相信伊丽莎白勾画的前景，觉得在希拉洛斯的工作兴奋刺激。但差不多两年过去，他逐渐耗尽了激情。在其他方面，他跟托尼相处得并不好，而此人却做了他的上司。为了从他手下脱身，他曾要求从技术部门转到销售部门。他甚至花了最近一整个周六的时间，开着车转悠，只为了买一套西服，巴望着伊丽莎白的瑞士之行会让他做跟班。伊丽莎白没有同意，但看起来，至少她已同意考虑他的转调请求。

旧金山之旅回来几天后，亚伦在家里小口地喝着啤酒，下载他拍摄的照片，一个开玩笑的主意突然浮现出来。运用 Photoshop 软件，他将其中的一张照片——两个爱迪生设备并排放在他的咖啡桌餐垫上——制作成一个虚假的克雷格列表网站（Craigslist）[1] 广告。图片上有一行大标题，是这么说的："希拉洛斯爱迪生 1.0 版'阅读器'——极为实用——10000 美元，价格可议。"他写道：

> 待售物品是一套珍贵的希拉洛斯即时诊断"爱迪生"设备。爱迪生被誉为"医疗健康版 iPod"，它是一个半移动式免疫化学平台，能够基于人体或动物的指尖针刺采血样本进行复合蛋白质检测……
>
> 我觉得自己有得败血症休克的危险，所以最近购买了这些设备。现在我测出了自己的蛋白质 C 水平，知道是在 4 微克 / 毫升的安全范围内，所以我已不再需要此款试验型血液分析设备。我之损失即君之所得。
>
> 10000 美元可得一对，6000 美元一件，价格可议——也可考虑交换类似的临床前诊断设备（如罗氏 [Roche], 贝克顿 – 库

1　克雷格列表网站，美国著名分类广告网站。

尔特 [Becton-Coulter，原文如此][1]，亚贝克希斯 [Abaxis]，博适 [Biosite]，等等)。附带供应一次性检测盒、鹅鹕牌运输箱、交流电源适配器、欧盟电源适配器，以及各类血液采集附件、吸血器，等等。

亚伦将这个假广告打印出来，第二天带去上班。贾斯汀和迈克在他的桌上看到这个假广告，觉得太滑稽了。迈克认为值得让更多人看到，于是把它贴在男厕所的墙上。

然后天下大乱。有人揭下广告，拿给伊丽莎白看，她以为是真的。伊丽莎白召集高管和律师紧急开会。她将其看作一个处心积虑的工业间谍案，要求立即调查，找出罪魁祸首。

亚伦觉得，在事情变得进一步失控之前，最好自己坦率承认。他怯怯地去找托尼，向他坦白。他解释说，这就是一场天真的恶作剧，以为人们会觉得好玩。托尼表示理解，他在罗技公司工作的时候，自己也曾参与过一些恶作剧。但他警告亚伦，伊丽莎白非常愤怒。

当天晚些时候，伊丽莎白把亚伦叫到自己的办公室，用刀子一般的眼神盯着他看。她告诉亚伦，对他感到深深的失望。她完全不觉得他的小把戏有什么可笑，其他的员工也不觉得。这是不尊重那些如此努力工作、制造产品的人。别指望加入销售团队了。她不可能把他推到顾客跟前去，这一事件表明他无法代表公司。亚伦回到自己的办公桌，知道自己已经完全被伊丽莎白打入冷宫。

转到销售部门无论如何都可能是错误的提议。亚伦不知道，在公司的那个角落，麻烦已经在发酵之中。一位名叫托德·瑟尔迪（Todd Surdey）的新员工加入了公司，负责销售和市场，而这个职位之前由伊丽莎白自己担任。

1　贝克顿－迪金森公司（Beckton-Dickinson）和贝克曼－库尔特公司（Beckman-Coulter）为美国两家生产临床前分析设备的公司，亚伦在这里将两家公司的名字各取一半，因而作者标注“原文如此”。其余如罗氏、亚贝克希斯以及博适均为著名血液检验设备制造商。

托德是个完美的销售管理者。进入希拉洛斯之前，他在多家知名公司工作过，最近的一家是德国的软件巨头 SAP。他身材健美，长相英俊，身穿上好的西装，每天开着一辆拉风的宝马车来来去去。午餐时间，他会从后备厢搬出一辆碳纤维公路自行车，去附近的山上骑行。亚伦也喜欢骑车，在恶作剧将自己推入伊丽莎白的冷宫之前，为了巴结托德，他曾经陪着去过几次。

托德的两个销售下属都以东海岸为基地，所有大型制药公司的总部都在那里。其中一位下属是苏珊·迪吉亚莫（Susan DiGiaimo），她在新泽西的家里办公，已经为希拉洛斯工作了差不多两年。苏珊陪着伊丽莎白，听她对制药商说过数不清的花言巧语。当伊丽莎白向他们许下一个个空头承诺的时候，她在一旁听着并不自在。制药商的高管们询问希拉洛斯的系统能否依据他们的需求进行定制，伊丽莎白总是回答："绝对没问题。"

托德履职之后不久，开始向苏珊提出很多问题，主要是关于伊丽莎白计划从与制药商的交易中获取多少收入。苏珊保有一份详细的收入预测电子表格。数字很大，每一笔交易都达到数千万美元。她告诉托德，根据她的了解，它们被大大地高估了。

而且，除非希拉洛斯向每一个合作者证明其血液系统有效，否则就无法实现任何实际收入。也就是说，每桩交易都要提供一个初始试验期，即所谓的验证阶段。有些公司，比如英国的制药商阿斯利康（AstraZeneca）愿意为验证阶段支付的金额不超过 10 万美元，而且如果对结果不满，可以掉头走人。

2007 年在田纳西州的研究，是与辉瑞公司交易的验证阶段。其目的是通过测量肿瘤生长时身体额外产生的三种蛋白质在血液中的集中度，证明希拉洛斯能够帮助辉瑞测试癌症病人对药物的反应。如果希拉洛斯未能在病人的蛋白质水平和药物之间建立任何相关性，辉瑞就会终止伙伴关系，伊丽莎白从这笔交易中期待的任何收入都将变成空谈。

苏珊还告诉托德，她从未见过任何验证数据。当她与伊丽莎白去进行展示的时候，设备经常出现故障。一个相关的例子是他们刚刚在诺华公司进行的展示。2006 年下半年第一次在诺华公司的展示中，蒂姆·坎普从加利福尼亚向瑞士发送了一个伪造的结果，在此之后，伊丽莎白继续讨好这家药企，安排在 2008 年 1 月再次拜访它的总部。

第二次会谈的前一天晚上，苏珊和伊丽莎白在苏黎世的酒店里扎了两个小时的手指，试图在她们得到的测试结果之间建立某种一致性，但徒劳无益。第二天上午，她们出现在诺华公司位于巴塞尔的办公室，但情况更加糟糕：在满满一屋子瑞士高管面前，三个爱迪生阅读器都给出错误信息。苏珊觉得羞愧无比，但伊丽莎白镇定自若，将问题归罪于一个微小的技术故障。

根据从苏珊以及其他帕洛阿尔托的员工那里得到的情报，托德开始相信，希拉洛斯的董事会在公司的财务状况和技术现状方面受到了误导。他将自己的担忧告诉了法律总顾问迈克尔·埃斯基维尔，此人已经与他建立了良好的关系。

事实上，迈克尔自己的疑虑也在与日俱增。一次午休时间，他和一名同事出去跑步，从新的办公地点跑到斯坦福圆盘（Stanford Dish）[1]，再折回来。在跑步时，他提到对希拉洛斯与制药企业的伙伴关系感觉不太好。他不肯说更多，但那位同事可以感觉到有什么事情在困扰着他。

2008 年 3 月，托德和迈克尔找到希拉洛斯的董事会成员之一汤姆·布洛迪恩（Tom Brodeen），告诉他伊丽莎白在董事会上吹嘘的收入预测并不是基于现实情况。他们说，预测被严重夸大了，按照产品现在的未完成状态是不可能实现的。

布洛迪恩是一位经验丰富的商人，65 岁左右，曾经领导过一家大型咨询公司，还有多家科技公司。他进入希拉洛斯董事会的时间不长，是 2007 年秋天应唐·卢卡斯的邀请而加入的。考虑到自己担任董事的时间太短，他建议托德和迈克尔带着他们的报告直接去找董事会主席卢卡斯。

由于距离艾维·特维尼安提出类似的担忧只有几个月时间，这一次卢卡斯认真对待此事。另外，他也不得不如此：托德是希拉洛斯投

1 斯坦福大学建造的一个射电望远镜，位于大学校园附近的山上。

资人之一、风险投资人 B.J. 卡辛（B. J. Cassin）的女婿。卡辛是卢卡斯的老朋友。在这家创始企业 2006 年初的 B 轮融资期间，他们同时向希拉洛斯投资。

卢卡斯在他位于沙丘道的办公室召集董事会紧急会议。伊丽莎白被要求等在门外，而其他董事——卢卡斯、布洛迪恩、钱宁·罗伯特森和彼得·托马斯（Peter Thomas，一家早期风险投资公司 ATA 的创始人）——在里面商谈。

经过讨论之后，四个男人达成共识：他们将剥夺伊丽莎白的 CEO 职务，她已经被证明太年轻、太缺乏经验，不适合这个职位。汤姆·布洛迪恩将暂时取代她领导公司，直到找到更长期的替代者。他们把伊丽莎白叫进去，拿他们所了解到的情况与她对质，并告知他们的决定。

但随后不可思议的事情发生了。

在其后的两个小时里，伊丽莎白说服他们改变了决定。她告诉他们，她已认识到自己的管理中存在的问题，承诺将会改变。从今以后，她会更加透明化，更注重回应，不会重蹈覆辙。

布洛迪恩真心不想从退休状态中复出，去管理一家在相关领域他缺乏专业知识的公司，所以他采取中立立场，看着伊丽莎白巧妙地混合运用忏悔和魅力，逐渐赢回他那三个董事会同僚的支持。他想，真是令人印象深刻的表演。即使是一位年长得多、经验丰富得多、精通公司内斗艺术的 CEO，要扭转她那样的形势，也得费尽心力。他想起了一句古老的谚语：“当你攻击国王的时候，你必须杀了他。”托德·瑟尔迪和迈克尔·埃斯基维尔已经将火力对准了国王，或不如说女王，但她活了下来。

女王不会浪费任何扑灭叛乱的时间。伊丽莎白首先解雇了瑟尔迪，几个星期后轮到埃斯基维尔。

对于亚伦·摩尔、迈克·鲍尔勒和贾斯汀·麦克斯韦尔，这一波新的清洗是又一次的负面发展。他们与所发生的事情没有私人关系，但他们真的知道，希拉洛斯失去了两位好员工。托德和迈克尔不仅是与他们相处融洽的好伙伴，还是聪明睿智、秉持原则的同僚。用迈克·鲍尔勒的话说，他们是从同一个模子里刻出来的。

这些解雇事件使得贾斯汀对希拉洛斯感到更加厌恶。这样的员工更替是他以前从未经历过的，他深深困扰于亲眼看见的欺诈成性的公司文化。

最恶劣的作奸犯科者是软件团队的头头，蒂姆·坎普。蒂姆是个唯唯诺诺的人，从不会质疑伊丽莎白，告诉她什么行得通什么行不通。比如，他曾经反驳贾斯汀，向伊丽莎白保证，他们使用 Flash 编写爱迪生设备的软件用户界面，会比使用 JavaScript 快。然后就在第二天早晨，贾斯汀在他的桌子上发现了一本学习 Flash 的书。

伊丽莎白从来没有骂过蒂姆，即使有明显的例子让她注意到他的口是心非。她看中他的忠诚，在她眼里，他从不对她说不，这一事实反映出一种坦诚的态度。尽管蒂姆的很多同事都认为他是个庸才，是位糟糕的管理者，但那都不打紧。

还有一件牵涉到伊丽莎白本人的事，也让贾斯汀难以容忍。一天晚上，在电子邮件往来时，为了编写软件的某个部分，他找她要一条所需的信息。她回复说，第二天早晨回来上班的时候，她会去查找的。这显然意味着她已经回家了。但过了几分钟，他无意中在走廊尽头托尼·纽金特的办公室里撞见了她。贾斯汀大为愤怒，气冲冲地走了。

过了一会儿伊丽莎白来到他的办公室，说她理解他为什么恼怒，但是警告他："下次不要再当着我的面跑掉。"

贾斯汀试图提醒自己，伊丽莎白还太年轻，要学会管理一家公司，还有很多东西需要学习。在他们的最后一次邮件往来中，他推荐了两本管理的自学书籍给她，《拒绝混蛋守则：打造一个文明的工作场所，拯救不文明的工作场所》（*The No Asshole Rule: Building a Civilized Workplace and Surviving One That Isn't*），以及《不要废话：工作中直率沟通》（*Beyond Bullsh*t: Straight-Talk at Work*），还有它们在亚马逊网站上的链接。

他在两天后辞职。他的辞职信有一部分是这么写的：

> 祝你好运，请一定要读那些书，看《办公室》[1]，信任那些与你有不同意见的人……撒谎是一个令人憎恶的习惯，它在我们这里的对话中流动，就像我们的钱在流通一样。在试图解决肥胖症之前，我们先应当治好这里的文化痼疾……我对你没有恶意，既然你相信我在希拉洛斯正在做的事情，希望我在这里取得成功。我觉得我有义务在离职面谈时告诉你这些，因为我们没有 HR 来做记录。

遗憾的是，伊丽莎白把他叫进办公室，告诉他不同意他的批评，并且要求他“有尊严地”辞职。贾斯汀同意实现平稳交接，发邮件给同事，详细指明，在哪里可以找到他正在开展的各个项目。但当他坐下来写邮件的时候，忍不住加入关于那些项目现状的一些个人想法，换来的却是伊丽莎白最后一次对他的斥责。

亚伦·摩尔和迈克·鲍尔勒在希拉洛斯多待了几个月，但他们早已心不在此。新办公地点吸引人的一个地方，是它的入口上方有一个很大的阳台。迈克在阳台上设置了折叠躺椅和吊床。亚伦和迈克会在这里休息，享受一段长长的咖啡时间，他们谈笑着，午后的阳光惬意地温暖着他们的脸庞。

亚伦觉得，得有人来告诉伊丽莎白踩下刹车，不要急着把还在努力让其有效工作的产品推向商业化。但要让她听得进去，讯息得是来自三名高管——蒂姆、加里或托尼——之一，但他们中没人愿意去跟伊丽莎白说。托尼承受着来自伊丽莎白的巨大压力，他最后厌倦了亚伦的抱怨，叫他离开公司。他跟亚伦说：“走吧，去找一个你可以猴子称大王的地方。”

亚伦也觉得是时候离开了。令他惊讶的是，伊丽莎白想劝他留下来。尽管有那次恶作剧，但伊丽莎白似乎对他评价很高。但他已下定决心。他在 2008 年 6 月辞职。迈克·鲍尔勒随后于 12 月份离开。苹果公司

---

1 《办公室》(*The Office*)，NBC 出品的美剧，2005 年首播。

的旧将们至此全都各奔前程，标志着公司一个混乱时期的结束。伊丽莎白在一次流产的董事会政变中幸存下来，重新牢牢控制了权力。希拉洛斯剩下来的员工们期待更加平和、更加安宁的时期。但他们的希望很快就会破灭。

第五章　童年邻居

当伊丽莎白忙着创建希拉洛斯的时候，她家的一位老熟人在远方对她做的事情产生了兴趣。此人名叫理查德·富兹（Richard Fuisz），是一名企业家兼医疗行业发明家，极为自负，而且经历丰富。

霍姆斯一家与富兹一家相熟已经有二十年的时间。他们第一次碰到，是 20 世纪 80 年代在福克斯豪新月（Foxhall Crescent）做邻居的时候，那是华盛顿一个林木茂盛的社区，毗邻波托马克河（Potomac River），处于森林环绕之中，拥有雄伟的宅邸。

伊丽莎白的母亲诺尔和理查德的妻子洛兰（Lorraine）建立了亲密的友谊。那个时候，她们俩都是全职妈妈，在年龄相仿的时候生育孩子。洛兰的儿子和伊丽莎白在圣帕特里克圣公会走读学校念同一个班级，那是这个社区的一所私立小学。

诺尔和洛兰相互串门，进进出出。她们都喜欢中国菜，孩子们上学的时候，她们经常出去吃午饭。伊丽莎白和弟弟参加富兹家孩子们的生日聚会，在富兹家的游泳池里嬉戏。一天晚上，富兹家停电了，理查德不在家，所以霍姆斯家接了洛兰和她的两个孩子贾斯汀（Justin）和杰西卡（Jessica）来过夜。

她们丈夫之间的关系没有那么亲密。克里斯·霍姆斯得靠政府的薪水度日，而理查德·富兹是一位成功的商人，而且对于炫耀这一点并不觉得有什么羞涩。作为一名执业医生，他早些年卖掉了一家制作医学培训影片的公司，获得5000万美元。他开一辆保时捷和一辆法拉利。他也是一位医疗行业发明家，拥有自己的专利，从中获取版税。贾斯汀·富兹记得，在两家人一起去动物园游览的时候，伊丽莎白的弟弟克里斯蒂安跟他说："我爸爸认为你爸爸是个混蛋。"贾斯汀后来把这个话说给妈妈听，洛兰将之归因为嫉妒。

钱确实是霍姆斯家的一个痛点。克里斯的祖父克里斯蒂安·霍姆斯二世在夏威夷附近的一座小岛上过着奢华享乐的生活，令他所拥有的来自弗莱施曼公司股票的财富大大缩水，克里斯的父亲克里斯蒂安·霍姆斯三世则在一场并不成功的石油行业投资中耗尽了剩下的财富。

不管克里斯·霍姆斯潜藏了多少的仇恨，都不能阻止诺尔·霍姆斯和洛兰·富兹成为好朋友。甚至在霍姆斯家搬走以后（先是去了加利福尼亚，后来去德克萨斯），两个女人仍保持着日常联系。霍姆斯家回到华盛顿作短期停留的时候，富兹一家带他们去高档餐馆庆祝诺尔的40岁生日。克里斯没有为他的妻子安排派对，所以洛兰安排了这次外出，作为弥补。

洛兰后来去德克萨斯拜访过诺尔几次，她们还一起去纽约市购物和观光。有一次她们带着孩子一起去，在公园大道（Park Avenue）的丽晶酒店（Regency Hotel）订了房间。那次旅行所拍的一张照片中，伊丽莎白站在母亲和洛兰之间，与她们手挽着手，在宾馆门前。她身穿一件浅蓝色的夏裙，头发上别着粉色的蝴蝶结。在后面的旅行中，诺尔和洛兰把孩子们留在家里，她们则住在富兹家购买的一间公寓里，这间公寓位于中央公园西大道（Central Park West）上的特朗普国际酒店大厦（Trump International Hotel and Tower）。

2001年，克里斯·霍姆斯的事业遭遇难关。他离开天奈克公司，接受了休斯敦最著名的一家公司安然（Enron）的一个职位。安然的欺诈行为被曝光后，公司在那年12月破产。和其他几千名员工一样，他失去了工作。在此期间，他去拜访过一次理查德·富兹，寻找就业的方向和生意上的建议。富兹此时和他前一段婚姻所生的儿子创立了一家新的公司，核心是他的一项发明：一种可以在嘴里融化的薄片，与传统的药丸相比，它可以更快地让药物进入血液循环。他和儿子乔在弗吉尼亚州大瀑布城（Great Falls）的一套办公室经营这家公司。

乔·富兹回忆说，克里斯来的时候，看上去憔悴而忧郁。他若有所思地说想试试咨询业，并强调他和诺尔迫切地想回到华盛顿。理查德·富兹刚刚在麦克莱恩市（McLean）环城公路郊区的富人区购买了一套房子，他提议克里斯使用他和洛兰刚刚空出来的对街上的房子，不收租金。他们还没考虑过要将其挂牌。克里斯张嘴无声地说了一声“谢谢”，但并没有接受这个提议。

克里斯和诺尔·霍姆斯终于在四年后搬回了华盛顿，克里斯在世界野生动物基金会（World Wildlife Fund）找到了一份工作。一开始，他们与朋友一起住在大瀑布城，同时寻找一个可以住的地方。诺尔到处看房的时候，时不时给洛兰打电话，汇报找房的情况。

有一天午餐的时候，话题转到伊丽莎白身上，谈及她在忙些什么。诺尔骄傲地告诉洛兰，她的女儿发明了一种手腕设备，可以分析人的血液，并且创建了一家公司来将其商业化。事实上，那个时候希拉洛斯已经从伊丽莎白最初贴薄片的想法转向其他方向，但这样的细微差别对于诺尔在午餐时间自豪地讲的一大串事情来说，无足轻重。

洛兰回到家中，把诺尔告诉她的事情重复给丈夫听，觉得他作为一位医疗行业发明家，可能会有兴趣。但她可能没有想到他会做出怎样的反应。

理查德·富兹是一位自负而高傲的人。长期的朋友兼邻居的女儿在他的专业领域内创建了一家公司，而他们竟然没有寻求他的帮助，甚至都没有找他咨询过，这种想法深深地刺痛了他。正如后来他在一封电子邮件中所说：“霍姆斯一家如此乐意接受我们的殷勤好客（纽约的公寓、晚餐，等等），但他们竟没有寻求我的建议，这一事实令我觉得特别不是滋味。潜台词就是：‘我会喝你的酒，但我不会在你挣来酒钱的这个领域问计于你。’”

富兹过去就对别人的轻视和怠慢耿耿于怀。对于觉得冒犯了他的人，他想要报复的程度，在他与医院设备供应商百特国际公司（Baxter International）的首席执行官弗农·劳克斯（Vernon Loucks）漫长持久的争执中得到了最好的呈现。

在整个70年代和80年代初期，富兹去过中东很多次，那里已经成为他的医疗电影公司MedCom的最大市场。回程的时候，他通常会在巴黎或伦敦待一个晚上，从那里搭乘英国航空公司或者法国航空公司运营的协和式超音速客机回纽约。1982年，在其中的一次停留时，他在巴黎的雅典娜广场酒店（Plaza Athénée hotel）偶遇劳克斯。当时，百特迫切想扩张到中东。共进晚餐时，劳克斯提议以5300万美元收购MedCom，富兹接受了。

富兹被要求继续执掌百特的新分支机构三年时间，但劳克斯在收购结束后不久就解雇了他。富兹起诉百特非法解约，声称劳克斯解雇他，是因为他拒绝支付220万美元的贿赂给一家沙特公司，以便将百特从一个阿拉伯人的公司黑名单——因为与以色列人做生意——上抹掉。

双方在1986年达成和解，百特同意向富兹支付80万美元。不过，事情并未就此结束。当富兹飞到百特在伊利诺伊州迪尔菲尔德（Deerfield）的总部签署和解协议的时候，劳克斯拒绝与他握手，激怒了富兹，又将双方推回敌对状态。

1989年，百特被从阿拉伯人的抵制名单中移除，给了富兹一个机会进行报复。那时，他作为一名中央情报局的秘密特工，过着双重生活。他是早些年前，在《华盛顿邮报》的分类广告栏看到广告之后，志愿去为中央情报局服务的。

富兹为中情局所做的工作，包括在中东各地设立许多虚假公司，雇用特工人员，给他们非外交人员的身份掩护，以便在当地情报机关的监视之外从事活动。其中一家公司向与他关系特别好的叙利亚国家石油公司提供石油钻井操作工。

富兹怀疑百特重新获取阿拉伯国家的青睐，是通过欺诈手段，他运用自己在叙利亚的关系着手证明此事。他派遣了一名自己招募的女性特工，从负责实施抵制的阿拉伯联盟委员会在大马士革的办公室中获得了一份保藏在那里的备忘录。该份文件显示，百特向委员会提供了关于它最近对一家以色列工厂销售的详细资料，并且承诺不会在以色列进行新的投资，或是向这个国家出售新的技术。这令百特违反了美国在1977年实施的反制裁法案，该法案禁止美国公司参与任何外国制裁，或是向黑名单制定方提供任何表示与制裁合作的信息。

富兹复印了这份爆炸性的备忘录，一份发给百特公司的董事会，另一份发给《华尔街日报》（*Wall Street Journal*），后者刊发了一篇相关的头版报道。富兹并没有让事情就此平息。他后来又得到了百特的法律总顾问写给叙利亚军方一位将领求证该备忘录的信件，并将这些信件内容泄露出去。

这些揭发导致司法部启动调查。1993年3月，面临侵犯反制裁法的严重指控，百特被迫认罪，支付民事和刑事罚款660万美元。公司被暂停承接新的联邦合同四个月，两年内禁止在叙利亚和沙特阿拉伯开展业务。声誉的损失也导致其丧失了与一家大型医院集团价值5000万美元的交易。

对于大多数人而言，这已经是充分证明了自己。但富兹并不这样认为。令他不满的是劳克斯熬过了丑闻，仍旧担任百特的首席执行官。于是他决定要让他的对手遭受最后的打击。

劳克斯是耶鲁大学毕业生，担任该校的运营实体耶鲁公司（Yale Corporation）的托管人。他也是耶鲁筹款运动的主席。按照他身为托管人的地位，跟过去的每年一样，他预定将于那年的5月出席在康涅狄格州纽黑文（New Haven）举行的毕业典礼。

通过自己前一年从耶鲁毕业的儿子乔，富兹联系上了一位叫本·戈登（Ben Gordon）的学生，他是耶鲁大学的以色列联谊会主席。他们共同组织了一次毕业日的抗议活动，打出了“劳克斯是耶鲁之耻”的标语牌和传单。最高潮是富兹雇来的一架涡轮螺旋桨飞机，它飞越校园，拖着一条大横幅，写着“辞退劳克斯”。

三个月后，劳克斯下台，不再担任耶鲁公司的托管人。

然而，若是将富兹就希拉洛斯将要采取的行动等同于他针对劳克斯的复仇行为，那是过度简单化了。

除了对霍姆斯一家的忘恩负义大为恼火之外，富兹也是一位投机者。他挣钱是通过申请他预测其他公司某一天会需要的专利。他最赚钱的一个小东西，是将棉花糖旋转机改造，用来将药物做成快速溶解的胶囊。这个主意是在 20 世纪 90 年代初，他带着女儿去参加宾夕法尼亚州的一个乡村集市时产生的。他建立了一家公司用来发展这一技术，其后以 1.54 亿美元卖给一家加拿大的制药公司，他个人从这笔交易中将 3000 万美元收入囊中。

洛兰转述诺尔告诉她的事情的时候，富兹坐在他位于麦克莱恩的七个卧室的家中，打开电脑，用谷歌搜索"希拉洛斯"。他的家占地宽广，他把拥有拱形屋顶和巨大壁炉的大房间改造成他的个人书房。工作的时候，他的杰克罗素梗犬[1]喜欢趴在壁炉前面。

富兹找到这家创业公司的网站。网站主页对希拉洛斯正在开发的微流体系统作了大致的描述。在网站的新闻一栏中，他还找到一个电台访谈的链接，是几个月前，2005 年 5 月伊丽莎白接受全国公共广播电台（NPR）"生物技术国度"（BioTech Nation）栏目访谈的片段。在访谈中，她更为详细地描述了自己的血液检测系统，解释说她预测的应用前景是：在家中监测药物引起的不良反应。

富兹反复听了几次 NPR 的访谈，出神地盯着窗外，院子里的池塘养着锦鲤，他觉得伊丽莎白的观点有几分道理。但作为一位训练有素的医生，他也发现了一个可以加以利用的缺陷。如果病人在家中使用希拉洛斯的设备监控他们对药物的接受程度，就需要建立一种内嵌机制，当检测结果异常的时候，可以向医生发出警告。

他看到了获取那个缺失要素的专利的机会，认为沿着这条路走下去是有利可图的，不管是从希拉洛斯身上还是从其他人那里。三十五年的医学专利发明经验告诉他，这样的一个专利，也许最终可以从每一个特

1　杰克罗素梗犬（Jack Russell），一种小型梗犬，起源于英国，最初用于猎狐，精力充沛，活泼好动。

许使用权身上收取400万美元。

2005年9月23日，星期五，晚上7点30分，富兹发了一封电子邮件给他的常年专利律师，来自安托内利·特里·斯托特和克劳斯律师事务所（Antonelli, Terry, Stout & Kraus）的艾伦·斯卡维利（Alan Schiavelli），邮件标题是“血液分析——偏离正常（个性化）”：

> 艾，我和乔想申请如下专利。它是一种已知（原文如此）[1]技术，可以监测多种（原文如此）[2]血液参数，如血糖、电解质、血小板活性、红细胞比容等。我们想要进行的改进，呈现为一种记忆芯片或类似存储设备，它可以通过计算机或类似设备进行程序控制，并包括针对病人的“正常参数”。从而，如果结果显著偏离于这些标准，就会给用户或医疗专家发送通知，要求再次抽样。如果再次检测的结果仍然存在重大偏离，运用现有技术的设备，就会联系医生、护理中心。（原文如此）[3]制药企业或其他人等等。
>
> 请在下周告知我，你是否可以处理此事。谢谢。
>
> 理·富

斯卡维利正忙于其他事务，几个月都没有回复。2006年1月11日，富兹又发了一封电子邮件给他，终于引起了他的注意，富兹说想对他最初的想法做一些修改：警告机制现在变成可以在病人服用的药物包装盒的使用说明书上设置“一个条形码或无线电标签”。血液检测设备中的芯片可以扫描条形码，设备可以编程，如果病人的血液检测表明药物产生了副作用，会自动向病人的医生发出警告。

富兹和斯卡维利频繁交换邮件，提炼想法，最后形成了一份十四页

1 原文为know，应为形容词形式。

2 原文为variou，应为various。以上均为富兹原始邮件中的文字错误，作者加注原文如此。

3 原始邮件中使用的是句号，此处应为顿号。

纸的专利申请，他们于 2006 年 8 月 24 日提交给美国专利和商标署（U.S. Patent and Trademark Office）。所申请的专利并没有想着要发明革命性的新科技。相反，它是将已有的东西结合在一起：无线数据传输、计算机芯片、条形码，形成一个医学报警机制，可以嵌入其他公司制造的居家式血液检测设备。对于目标指向的公司，它并没有特别保密：在报告的第四段提到了希拉洛斯公司的名字，并且有引用它网站上的内容。

提出专利申请后，在十八个月内不会对外公开，因此，伊丽莎白和她的父母一开始都不知道富兹的所作所为。洛兰·富兹和诺尔·霍姆斯继续定期见面。霍姆斯家在靠近海军天文台（Naval Observatory）的威斯康星大道上买了一套公寓，搬了进去。有时候，洛兰从麦克莱恩开车过来，陪伴诺尔，穿着慢跑服，在社区的步道上跑步。

一天，诺尔来到富兹家吃午饭。理查德跟她们一起，坐在家中石砌的大露台上，话题转到伊丽莎白身上。她刚刚和其他几位年轻的创业者一起登上《公司》(*Inc.*) 杂志，其中包括脸书的马克·扎克伯格（Mark Zuckerberg）。女儿开始获得媒体青睐，令诺尔倍觉骄傲自豪。

洛兰从麦克莱恩一家美食店叫了外卖，他们慢慢吃着午餐，富兹以一种柔和平静的声音——他在需要施展魅力时会采用这种声音——向诺尔提议，他是否可以对伊丽莎白有所帮助。他指出，对于像希拉洛斯这样的小公司，很容易被大公司占便宜。他没有泄漏自己申请专利的事情，但这些评论可能足够令霍姆斯一家引起警惕。从那时开始，两对夫妻之间的关系变得令人担忧起来。

2006 年的最后几个月，富兹一家和霍姆斯一家两次碰头，一起吃晚饭。一次是在克里斯和诺尔新公寓那条路上的一家日式餐馆 Sushiko。那晚克里斯没有吃多少东西。他告诉富兹家，在去帕洛阿尔托看望伊丽莎白的时候，由于最近动过手术，他术后并发症发作，被迫住进了斯坦福医院。幸好伊丽莎白的男朋友桑尼安排他住在医院的 VIP 套间，并且支付了费用。

谈话转向了希拉洛斯，该公司在当年年初完成了第二轮融资。克里斯提到，这次融资吸引了硅谷一些最大牌的投资人，这是一件好事，克里斯补充道，因为他和诺尔也把他们本来为伊丽莎白做斯坦福学费的 3 万美元投到了公司里面。

从这时开始，不知道因为什么原因，晚餐的气氛变得紧张起来。理查德和克里斯本来就不投缘，理查德可能说了什么话，伤及另外一个男人。不管什么情况，按照洛兰的说法，克里斯 · 霍姆斯批评了她戴的香奈儿项链，后来，在他们买完单、沿着威斯康星大道散步的时候，克里斯又提及约翰 · 富兹（John Fuisz）——富兹家另一个来自第一段婚姻的儿子——在为他最好的朋友工作，听上去像是一种含蓄的威胁。约翰 · 富兹是一名律师，在麦克德莫特 · 威尔和埃默里（McDermott Will & Emery）律师事务所工作，而克里斯 · 霍姆斯最亲密的朋友查克 · 沃克（Chuck Work）正是该事务所的高级合伙人之一。

其后，诺尔和洛兰之间的友谊开始出现裂痕。她们一直是一对奇特的组合。洛兰出身于皇后区的工人阶层，她那粗野的纽约市口音暴露了她的背景。与此相对，诺尔则是国际化的华盛顿体制内女性的缩影。她的部分青年时代是在巴黎度过的，当时她的父亲被派驻到欧洲防务司令部总部。

后来的几个月，两个女人又在一起喝过几次咖啡。但可能是怀疑理查德 · 富兹在捣什么鬼，克里斯 · 霍姆斯总是坚持加入，弄得他们的关系尴尬而紧张。在乔治城迪恩德鲁卡（Dean & DeLuca）[1] 的一次碰面中，当他们谈到洛兰的兄弟最近去世并留下了一只猫时，谈话变得紧张起来。洛兰非常苦恼，不知道拿这只猫怎么办，这似乎激怒了克里斯。他叫她把猫扔掉就是，还模仿抓住猫并将其塞到袋子里去的动作。他不耐烦地说：“猫有什么重要的。”

自从霍姆斯家搬回华盛顿后，诺尔一直跟洛兰去位于弗吉尼亚州泰森斯角（Tysons Corner）的同一家理发店。她们用的是同一名理发师，名叫克劳迪娅。有一天给洛兰剪头发的时候，克劳迪娅问她，最近和诺尔之间是不是有什么问题。显然，诺尔已经跟克劳迪娅吹过风了。洛兰

1 迪恩德鲁卡，美国高端连锁食品商店。

觉得尴尬，说她不想谈这个，然后转换了话题。

2007 年圣诞节，洛兰带着蛋糕去拜访霍姆斯家的公寓，两人又见了一面。伊丽莎白那时候正在这里过圣诞节假期，她一定知道父母与富兹家出现了不和。她没有多说什么，只是偶尔斜眼看看母亲的朋友。

富兹的专利申请一周后就可以查询了，也就是 2008 年 1 月 3 日，任何人在美国专利和商标署（USPTO）的在线数据库都可以查到。然而，希拉洛斯又过了五个月才发现其存在，当时公司的化学团队主管加里·弗伦泽尔偶然发现了它，要求伊丽莎白予以注意。到那个时候，霍姆斯家和富兹家已经处于互不说话的状态，富兹和妻子说话的时候，把他的专利申请称作“希拉洛斯杀手”。

那个夏天，克里斯·霍姆斯到麦克德莫特·威尔和埃默里律师事务所在华盛顿的办公室，去见他的老朋友查克·沃克，那地方离白宫只有两个街区。克里斯和查克是多年的老朋友。他们是在 1971 年认识的，当时查克顺路捎带克里斯去参加预备役部队的集会。尽管查克大了 5 岁，但他们很快发现彼此有很多共同之处：他们都来自加利福尼亚，上的是同一所高中，加利福尼亚克莱蒙特（Claremont）的韦伯学校（the Webb Schools），同一所大学，康涅狄格州中城的卫斯理大学（Wesleyan University）。

这些年来，查克常常助克里斯一臂之力。安然公司垮台后，他让克里斯在他的公司里使用访客办公室来寻找工作。伊丽莎白的弟弟克里斯蒂安因为某件涉及一个电影放映机的事情——被克里斯说成是恶作剧——不得不离开休斯敦的圣约翰高中，此时查克帮助克里斯蒂安进入韦伯学校，因为他在学校的董事会任职。当伊丽莎白从斯坦福辍学，需要人帮助申请第一个专利的时候，查克帮助她联系麦克德莫特律所专长于这个方面工作的同事。

那正是 2008 年夏天克里斯·霍姆斯来访那天的主题。克里斯被激怒了。他告诉查克，一个名叫理查德·富兹的人盗窃了伊丽莎白的主意，申请了专利。克里斯特别指出，富兹有一个儿子叫约翰，在麦克德莫特工作。查克模模糊糊地知道约翰·富兹是谁。他们在公司曾经打过一两次交道，共同参与某个案子。他也知道麦克德莫特多年来为希拉洛斯提供专利方面的法律服务，因为最初就是他为这交易作的介绍。但克里斯所说的其他东西就有点不着边际了。他既不知道理查德·富兹是谁，也不知道他申请的专利是什么。然而为了给他的老朋友一个面子，他还是同意见见伊丽莎白。

她在几个星期之后来访，那是 2008 年 9 月 22 日，她与查克以及另外一名叫作肯·凯奇（Ken Cage）的律师会面。当麦克德莫特搬到第十三街的石灰石建筑罗伯特·A.M. 斯特恩（Robert A. M. Stern）大楼时，查克是公司的执行合伙人，所以他拥有位于八楼的最大、最好的拐角办公室。两张双人沙发斜对着办公室大大的飘窗，伊丽莎白带着她的血液检测机器进来，坐在其中一张双人沙发上。她没有演示这个设备是如何工作的，但查克觉得它第一眼看上去令人印象深刻。那是一个巨大、闪亮的黑白盒子，带有一个数字触摸屏，很明显是在模仿苹果手机。

伊丽莎白直奔主题。她想知道麦克德莫特是否愿意代表希拉洛斯对抗理查德·富兹。肯表示他们会调查专利申请干涉案，如果那是伊丽莎白想要的。干涉案是由专利和商标署裁决的争议性案件，以决定两个对立的申请人正在争夺的同一发明专利是由谁率先提出的。胜者的申请获得优先权，即使申请在后。肯精于此类案件。

不过，查克对于这样做有所犹豫。他告诉伊丽莎白，他得好好考虑此事，并告知其他同事。他说，富兹有一个儿子也是本律所的合伙人，这令情况有些尴尬。伊丽莎白对于提到约翰·富兹一点也不感到奇怪。那正是她等待的时刻。她询问约翰是否有可能获得来自麦克德莫特的关于希拉洛斯卷宗的机密信息，并泄露给他的父亲。

这似乎超出了查克的忍受范围。此类事情会让一名律师被解雇并取消律师资格。约翰是一名专利侵权诉讼律师。他并不是麦克德莫特专门负责起草和提交专利团队的一员。他没有任何原因或理由取得希拉洛斯的文件。而且，他是公司的一名合伙人，为什么要牺牲自己的职业生涯？那太不合理了。而且，希拉洛斯已经在两年前的 2006 年将所有的专利业务移交给硅谷的威尔逊·桑西尼律师事务所。查克还记得当时克里斯打电话给他，向他致歉，说拉里·埃里森坚持让伊丽莎白用那个律所。麦克德莫特被迫将一切都移交给了他们。没有留下任何文件可以让麦克德莫特的律师获取。

伊丽莎白离开后，查克咨询了公司专利申请团队和专利侵权诉讼团队的头头，后者是约翰·富兹的上司。他们告诉他，希拉洛斯对抗理查德·富兹的专利干涉案也许是可行的，但约翰·富兹是一名声誉良好的合伙人，公司与自己合伙人的父亲对抗，会引起混乱。查克决定拒绝伊丽莎白的请求。几周后，他通过电话告知伊丽莎白自己的决定。查克和麦克德莫特期望再也不要听到此事。

第六章　桑尼

切尔西·伯克特（Chelsea Burkett）感到筋疲力尽。那是 2009 年的夏末，她在帕洛阿尔托的一家创业公司工作，长时间加班，干着相当于一家成熟公司五个不同角色的活。并不是说她反对努力工作。像大多数 25 岁的斯坦福毕业生一样，奋斗已深植在她的基因里。但她渴望有一点激情，从她的工作中却什么都得不到：她的雇主 Doostang 是一个为金融专业人员而设计的就业网站。

切尔西是伊丽莎白在斯坦福最好的朋友之一，新生第一年，她们都住在校园东部边缘的一个大型居住区威尔伯厅（Wilbur Hall），宿舍挨着，两人一拍即合。第一次遇见的时候，伊丽莎白穿一件红白蓝三色的 T 恤，印着“别把德州搞乱”（Don’t mess with Texas）的字样，笑容灿烂。切尔西觉得她善良、聪明、有趣。

两人都是社交动物，性格外向，有着相似的蓝眼睛。两人一起喝酒，参加派对，宣誓加入女生联谊会——部分原因是为了有更好的住宿。不过，当切尔西还是一个试图找到自我的正常青年的时候，伊丽莎白似乎已经清楚地知道她想要什么，想做什么了。二年级刚开始的时候，当她带着自己设计的一项专利回到校园时，切尔西无比震惊。

伊丽莎白从学校辍学、创建希拉洛斯的最初五年，两个年轻的女子仍保持联系。她们不经常见面，但常常发短信。在一次类似的短信交流中，切尔西谈及自己的工作不太开心，结果伊丽莎白回短信过来：“为什么不来为我工作呢？”

切尔西去山景大道的办公室见伊丽莎白。她的朋友不需要费多少力气向她推销希拉洛斯。伊丽莎白热情地谈论未来她的公司将用它的技术来拯救生命。对于切尔西而言，相比帮助投资银行家寻找工作，这听上去要有趣、高尚得多。伊丽莎白又如此具有说服力。她说话的时候，以一种热烈的方式盯着你看，让你相信她，想跟随她。

她们很快就敲定了切尔西的角色：她将在客户解决方案小组工作，职责是负责安排希拉洛斯为了获取制药企业的业务而正在开展的验证项目。切尔西的第一个任务，是为强生公司（Johnson & Johnson）的子公司山陶克（Centocor）组织一项研究。

几天后，当她汇报自己的新工作的时候，切尔西才知道她并不是伊丽莎白雇用的唯一一位朋友。就在一周之前，拉米什·“桑尼”·巴尔瓦尼（Ramesh “Sunny” Balwani）已经加入进来，担任希拉洛斯的高管。切尔西见过桑尼一两次，但跟他并不熟，只知道他是伊丽莎白的男朋友，他们一起住在帕洛阿尔托的一间公寓里。桑尼加入公司的事情，伊丽莎白只字未提。但切尔西现在面临的问题是必须跟他一起工作。或者说为他工作？她不确定自己是向桑尼汇报，还是向伊丽莎白汇报。桑尼的头衔是执行副总裁，既显得高高在上，但又含混不清。不管他的角色到底是什么，他不遗余力地建立自己的权威。从一开始，他就将触角伸入公司的方方面面，变得无所不在。

桑尼天生充满力量，但表现的方式并不好。尽管身高只有5英尺5英寸[1]，而且很胖，但他以激进、咄咄逼人的管理风格，弥补了自己矮小身材的缺陷。他眉毛浓密，眼睛呈杏仁状，嘴角下垂，下颌是方形的，呈现出一种威吓之气。他傲慢自负，对员工苛刻，颐指气使，动辄斥骂。

考虑到切尔西与伊丽莎白的友谊，桑尼试图对她友善一些，但切尔西一开始就不喜欢他。她无法理解自己的朋友看中了这个男人什么：差不多比她大了20岁，欠缺最基本的风度和礼貌。她以所有的直觉意识到，

1 英尺、英寸均为英制长度计量单位，1英尺约等于30.48厘米，1英寸约等于2.54厘米。下同，不另标出。（编者注）

桑尼对她不利，但伊丽莎白似乎对他无限信任。

桑尼出现在伊丽莎白的生活中，是在她去上大学之前的那个夏天。他们在北京相遇，当时伊丽莎白是第三年参加斯坦福的普通话项目。那个夏天，伊丽莎白被同行的一些学生欺负，很难交到朋友。桑尼是这群大学小子中唯一的成年人，他挺身而出，施以援手。这是伊丽莎白的母亲诺尔向洛兰·富兹描述他们关系的最初起源时说的。

桑尼在巴基斯坦出生、成长，1986 年第一次来到美国上大学。其后，他在莲花公司（Lotus）和微软公司（Microsoft）做了十年软件工程师。1999 年，他在加利福尼亚州的圣克拉拉（Santa Clara）加入了以色列创业家利龙·彼得鲁什卡（Liron Petrushka）的初创企业，商业竞价网（CommerceBid.com）。彼得鲁什卡正在开发一个软件项目，能够让公司将他们的供应商集中起来，通过实时在线竞拍互相竞争，从而获取规模经济，降低成本。

桑尼加入商业竞价网的时候，互联网狂热正在最高潮，彼得鲁什卡的公司所在的细分领域被称为 B to B 电子商务，更是红得发紫。分析师们正屏气凝神，预测企业之间将有 6 万亿美元的商业往来通过互联网来处理。

该领域的领先者商业一号（Commerce One）刚刚公开上市，其股票价格上市的第一天就翻了三倍。到年底的时候已经上涨超过十倍。当年 11 月，就在桑尼被任命为商业竞价网的总裁和首席技术官的几个月后，商业一号以 2.32 亿美元的现金和股票收购了这家创业公司。这是一个惊人的价格，公司只有三个客户在测试其软件，几乎没有任何收入。作为公司排名第二的高管，桑尼将超过 4000 万的美元收入囊中。他的时机掐得极为完美。五个月后，互联网泡沫破灭，股票市场崩盘。商业一号最终申请破产。

然而桑尼并不认为自己是拜幸运所赐。在他心中，自己是一个天才商人，商业一号的随风消逝证明了他的才能。当伊丽莎白在几年后遇到他的时候，没有任何怀疑他的理由。她那时还是一个容易受到影响的 18 岁女孩，把桑尼看作她想成为的人：一名成功而富有的创业家。他成了她的导师，那个能够告诉她如何在硅谷做生意的人。

伊丽莎白和桑尼什么时候开始卷入恋情之中，并不是很清楚，但看上去是在她从斯坦福辍学之后不久。他们2002年第一次在中国遇见的时候，桑尼已经与一位日本艺术家藤本惠子（Keiko Fujimoto）结婚，住在旧金山。到2004年10月，在购买帕洛阿尔托钱宁大街（Channing Avenue）的一套独立产权公寓的契约上，他写下的状态是“单身”。其他公开记录表明，伊丽莎白是在2005年7月搬到那套公寓的。

在短暂而获利丰厚的商业竞价网时期之后，桑尼在十年内没做什么事情，除了享受自己的金钱，以及在幕后给伊丽莎白提供建议。他待在商业一号担任副总裁，直到2001年1月，然后注册进入了伯克利商学院。后来他在斯坦福参加了计算机科学的课程学习。

2009年9月加入希拉洛斯的时候，桑尼的法律记录至少有一个污点。为了给他在商业竞价网的收入避税，他雇用了会计事务所德豪国际（BDO Seidman），德豪安排他投资一种避税工具。这一操作产生了一笔4100万美元的伪造税务损失，用以抵销他从商业竞价网获取的收益，几乎完全免除了他的纳税义务。当国家税务局（IRS）在2004年打击此类行为时，桑尼被迫与国家税务局达成和解，为他所欠的税支付了数百万美元。他转而起诉德豪事务所，声称他对税收事务一窍不通，是事务所故意误导他。该诉讼在2008年达成和解，但具体条款未予公开。

除了税收的麻烦之外，桑尼对自己的财富扬扬自得，喜欢通过汽车来炫耀。他开一辆黑色的兰博基尼加拉多，以及一辆黑色的保时捷911。两辆车都拥有浮夸的车牌。保时捷的车牌上写着“DAZKPTL”，这是戏仿卡尔·马克思论述资本主义的著作。兰博基尼的车牌是“VDIVICI”，拿短语“Veni, vidi, vici”（“我来，我见，我征服”）开玩笑，那是尤利乌斯·恺撒在泽拉（Zela）之战后写给罗马元老院的一封信，用来夸耀自己迅速而具有决定性的胜利。

桑尼的穿着打扮也在刻意标榜财富，但不一定有什么品位。他穿白色的设计师衬衫，袖口蓬松，酸洗过的牛仔裤，蓝色的古驰（Gucci）休闲鞋。他的衬衫最上面的三颗纽扣始终是解开的，把自己的胸毛露在外面，还有脖子上一条细细的金项链。不论什么时候，他身上总是散发出古龙水的刺鼻味道。加上那闪亮的车子，给人的整个印象，是急着要去夜店而不是去上班的什么人。

桑尼的专业是软件，据说这也是他能给希拉洛斯带来的价值之所在。在第一次参加公司会议时，他夸口说自己已经写过超过 100 万行代码。一些员工觉得太荒谬了。桑尼在微软工作过，在那里写 Windows 操作系统的软件工程师团队是按照每年 1000 行代码的开发速度工作。即使我们假定桑尼的速度比 Windows 开发人员快二十倍，也需要五十年的时间他才能做到自己所说的那个工作量。

桑尼自负，喜欢对员工显示恩宠，但也时不时奇怪地故作高深。唐·卢卡斯每个月有两三次出现在公司，来拜访伊丽莎白，此时桑尼就会突然消失。一位员工曾经在办公室的打印机上看到伊丽莎白传真给卢卡斯的便条，在那上面伊丽莎白赞扬桑尼的技能和资历，所以她并没有隐瞒雇用桑尼的事实。但是像戴夫·尼尔森——帮助托尼·纽金特制造第一台爱迪生设备的工程师，现在坐在切尔西的小隔间对面——这样的人开始怀疑，伊丽莎白对董事会刻意淡化了桑尼所扮演角色的重要性。

对于他们之间的关系，她跟董事会也讲得含糊不清。伊丽莎白告知托尼，桑尼加入公司，当时托尼直截了当地问他们是否还是情侣。她的回答是：他们的关系已经结束。她说，向前看吧，这就是纯粹的生意。但事实将证明她说的是假的。

2009 年秋天，切尔西承担的山陶克任务让她来到比利时的安特卫普。陪她一起来的是聪明的丹尼尔·杨（Daniel Young），一位毕业于麻省理工学院的生物工程学博士。丹尼尔六个月以前受雇，职责是帮助在希拉洛斯的血液检测系统中加入新的一环：预测建模。现在，忽悠制药企业的高管时，伊丽莎白告诉他们，希拉洛斯可以预测服药的病人会产生怎样的反应。病人的测试结果将会输入公司所开发的专有计算机程序中。她说，随着越来越多的结果录入到程序中，它预测血液中的标志物在治疗期间将如何变化的能力会越来越完善。

这听上去很尖端，但有一个关键点：如果要让计算机程序的预测有价值，那么血液检测的结果必须是可靠的，到比利时之后不久，切尔西开始怀疑这一点。希拉洛斯得测量病人血液中的生物标志物——过敏原－特异性免疫球蛋白 E（allergen-specific immunoglobulin E），或简称 IgE——来帮助山陶克评估病人对于一种哮喘药的反应。但在切尔西看来希拉洛斯的设备似乎麻烦不断，不断出现机械故障。要么是检测盒没法熨熨帖帖地塞入阅读器，要么就是阅读器里面的什么东西发生故障。甚至在设备没有出现问题的情况下，要从中得到任何输出结果都很困难。

桑尼总是怪罪无线网络，在部分情况下他是对的。产生测试结果的过程涉及 0 和 1 跨越大西洋的来回传输：血液检测完成的时候，阅读器上的一个蜂窝移动天线将光信号产生的电压数据传送到帕洛阿尔托的一个服务器。服务器分析数据，将最终结果传回比利时的一台手机上。当移动网络连接微弱的时候，数据的传输就会失败。

但除了无线连接问题，还有其他情况可以干扰测试结果的产生。几乎所有的血液检测都要求一定程度的稀释，以降低物质在血液中的浓度，否则可能对检测结果造成严重破坏。在化学发光免疫测定中——这是爱迪生设备所使用的测试方法——必须对血液进行稀释，以过滤掉吸光性色素和其他可能干扰光信号发射的成分。希拉洛斯系统要求的稀释量更大，因为伊丽莎白坚持使用小剂量的血液样本。为了让阅读器有足够多的液体开展工作，样本的剂量必须大量增加。唯一的办法就是进行更多的稀释。那样做将导致光信号更为微弱，很难进行精确的测量。简单地说，部分稀释是有利的，但稀释太多则很糟糕。

爱迪生对周围的温度也非常敏感。为了正常地工作，它们需要在恰好为 34 摄氏度的环境中运行。在阅读器中内置有两个 11 伏的加热器，力图在运行血液检测时保持温度。但在更为寒冷的环境中，例如欧洲的某些医院，戴夫·尼尔森注意到小小的加热器不足以让阅读器保持足够的温暖程度。

桑尼没有任何医学背景，更不用说实验科学的知识，因此，他对此并不知情，也不理解。他更没有耐心去听科学家们的解释。把罪魁祸首归因于移动网络连接要简单得多。切尔西并不比桑尼对这些科学知识有更多的了解，但她与化学团队的主管加里·弗伦泽尔关系很好，从他们的对话中，她了解到困难远远超出了网络连接问题的范围。

那时，切尔西不知道的是，他们的药企伙伴之一已经与这家创业公司渐行渐远。那一年的年初，辉瑞公司通知希拉洛斯，它将终止合作，因为它对田纳西州所进行的验证研究的结果感到失望。伊丽莎白向这家纽约的制药巨头发送了一份二十六页的报告，竭尽全力为耗时十五个月的研究进行解释，但报告暴露出太多的明显矛盾之处。在病人的蛋白质水平下降与抗肿瘤药物的管理之间，这项研究未能显示出任何清晰的联系。报告承认诸如机械故障和无线传输错误之类的混乱，现在切尔西在比利时面临同样的状况。它将无线传输错误归因于“过于茂盛的林木、金属屋顶，以及位置偏远导致的信号质量太差”等。

田纳西州的两位病人打电话给希拉洛斯在帕洛阿尔托的办公室，抱怨阅读器由于温度问题而无法启动。按照报告的说法，“解决办法是请病人让阅读器‘远离空调和可能的气流’”。一位病人将设备放在房车里，另一位把它放在“非常炎热的房间里”，极端温度“影响了阅读器保持所需温度的能力”，报告说。

这份报告从未分享给切尔西。她甚至不知道辉瑞公司研究项目的存在。

切尔西在安特卫普待了三周，返回帕洛阿尔托之后，她发现伊丽莎白和桑尼的注意力从欧洲转向了地球的另外一端：墨西哥。春天以来，一场猪流感开始在那里肆虐，伊丽莎白认为它提供了一次展现爱迪生设备的绝好机会。

在她的脑海中种下这个想法的人是赛斯·迈克尔森（Seth Michelson），希拉洛斯的首席科学官。赛斯是一名数学奇才，曾经在美国航天航空局（NASA）的飞行实验室工作。他的专长是生物数学，运用数学模型帮助理解生物现象。他在希拉洛斯负责预测模型的构建，是丹尼尔·杨的上司。赛斯让人想起迈克尔·J. 福克斯（Michael J. Fox）[1]在 1985 年的电影《回到未来》（*Back to the Future*）中的布朗博士（Doc Brown）。他没有博士那狂野的白发，但他蓄了一把卷曲的灰色络腮胡，赋予他类似的疯狂科学家外表。尽管已经快 60 岁了，他仍然常常说“老兄”，当他解释科学概念的时候，才会真正地变得活泼开朗起来。

赛斯告诉伊丽莎白一个叫作 SEIR（分别代表易感 [Susceptible]、接触 [Exposed]、感染 [Infected] 和解决 [Resolved]）的数学模型，他认为可以运用这个模型来预测猪流感病毒接下来会往哪里扩散。为此，希拉洛斯需要检测最近受感染的病人，将血液检测结果输入模型中。那意味着得带着爱迪生设备和检测盒去墨西哥。伊丽莎白设想将它们放在小货车的车厢里，开车带着它们去墨西哥那些爆发流感最前线的村子。

切尔西能说流利的西班牙语，因此他们决定让她和桑尼前往墨西哥。一般来说，在外国要获得当局许可使用一种实验性的医学设备，并非易事，但伊丽莎白可以动用家族与斯坦福一位富裕的墨西哥学生的关系。此人让切尔西和桑尼出现在墨西哥社会安全研究所（IMSS，管理该国公共健康系统的机构）高级官员的面前。IMSS 批准运送 24 台爱迪生阅读器到墨西哥城的一家医院。这家医院名叫墨西哥总医院（Hospital General de México），规模庞大，坐落于殖民地医生区（Colonia Doctores），这里是墨西哥犯罪最猖獗的社区之一。切尔西和桑尼不敢自己来往于医院，每天早晨，一位司机开车带他们到医院大门内放下，到一天结束的时候再来接他们。

好几个星期的时间，切尔西每天将自己关在医院内的一个小房间。爱迪生阅读器堆在沿墙的架子上。冰箱里储藏着成排的血液样本。血液来自在医院接受治疗的被感染病人。切尔西的任务是加热样本，将它们放进检测盒中，将检测盒放入阅读器中，观看它们是否检测出病毒阳性。

再一次，事情进展并不顺利。阅读器经常闪烁报错信息，或者从帕洛阿尔托返回的结果是病毒阴性，但它应当是阳性。一些阅读器根本就

1 加拿大裔著名演员，主演《回到未来》三部曲，片中布朗博士由克里斯托弗·洛伊德（Christopher Lloyd）饰演。

不工作。而桑尼依然怪罪于无线传输的问题。

切尔西越来越沮丧和悲观。她甚至怀疑自己在这里干什么。加里·弗伦泽尔和其他希拉洛斯的科学家告诉她，诊断 H1N1（猪流感病毒的名称）的最佳方法是用鼻腔样本，在血液中检测该病毒是一种大有疑问的方法。在离开之前，她将这一点告知伊丽莎白，但伊丽莎白嗤之以鼻。“别听他们的，”她说那些科学家，“他们总是在抱怨。”

切尔西和桑尼在墨西哥卫生部与 IMSS 的官员们举行了多次会谈，报告他们的工作。桑尼完全不懂西班牙语，因此全都是切尔西在说。随着会议的拖长，桑尼的脸会呈现出不安和忧虑混杂的样子。切尔西怀疑，他是在担心她告诉墨西哥人希拉洛斯的系统没有正常运作。看到他的窘样，她很开心。

回到帕洛阿尔托，公司里传言，伊丽莎白正在谈一笔生意，要卖400台爱迪生阅读器给墨西哥政府。据说这笔交易将带来急需的现金流入。希拉洛斯在头两轮募集的1500万美元融资早已用完，在2006年下半年的C轮融资中，由亨利·莫斯利帮助引进的3200万美元资金也已烧完。公司现在是靠着一笔由桑尼个人担保的贷款在维持运转。

与此同时，桑尼还飞到泰国，去建立另一个猪流感检测的前哨阵地。流感已经扩展到了亚洲，泰国是该地区受打击最厉害的国家，有上万例病例，200多人死亡。但不像在墨西哥，不清楚希拉洛斯在泰国的活动是否被当地政府禁止。员工中有谣传，说桑尼在泰国的关系见不得人，他得掏钱贿赂来获取受感染病人的血液样本。切尔西在客户解决方案团队的一名同事，斯蒂芬·赫里斯图（Stefan Hristu），在陪同桑尼去泰国回来之后，立即在2010年1月辞职，这让许多人认为谣传是真实的。

那时切尔西已从墨西哥返回，关于泰国的小道消息令她感到恐慌。她知道有一部反腐败的法律，叫作《反海外腐败法》（Foreign Corrupt Practices Act）。违反该法是重罪，可能导致入狱。

她不再想着这件事情，但希拉洛斯又有很多事情让她觉得不舒服。而没有什么比桑尼更让人难以忍受。他以恐吓行为制造出一种恐惧文化。

在公司，解雇已经是家常便饭，但在2009年下半年和2010年初，是桑尼扮演了打手的角色。切尔西甚至知道了一个新的表达：消失某人。那是当有人被开除的时候，员工们用这个词的方式，它一般是作不及物动词用的[1]。“桑尼消失了某人”（Sunny disappear him），他们会说，令人想起20世纪70年代布鲁克林的黑帮火并的景象。

科学家们尤其害怕桑尼。唯一敢于直接面对他的人是赛斯·迈克尔森。圣诞节前的几天，赛斯外出给他的团队买了polo衫。颜色与公司logo的绿色匹配，他们在polo衫上印上“希拉洛斯生物数学”的字样。赛斯觉得这是一个很好的团队建设形式，而且他是自掏腰包。

桑尼看到polo衫时，大为生气。他不喜欢赛斯不征询他的意见，认为赛斯给自己团队的礼物让其他部门经理显得难堪。在职业生涯早期，赛斯在瑞士的大制药公司罗氏（Roche）待过，他在那里领导70人的团队，经手2500万美元的年度预算。他觉得不需要让桑尼来给他上管理课。他反唇相讥，然后两人开始大声对吵。

从那以后，桑尼似乎就对赛斯耿耿于怀，常常刁难他，这导致赛斯去寻找其他工作。几个月后，他在一家总部位于红森林城（Redwood City）的公司健康基因（Genomic Health）找到一份工作。之后，他手里拿着辞职信走进伊丽莎白的办公室，去告知他的决定。桑尼也在她的办公室里，他打开辞职信，读了信，然后把它摔回赛斯的脸上。

“我不接受它！”他喊道。

赛斯面无表情，高声回喊：“先生，我告诉你：在1863年，林肯总统已经解放了奴隶。”

桑尼的回应，是将他赶出了办公大楼。过了几个星期，赛斯才得以取回他的数学书、科学杂志，还有放在桌子上的妻子的照片。他还是在公司的新律师乔迪·萨顿（Jodi Sutton）和一名保安的帮助下，在一个工作日的夜晚，趁桑尼不在的时候才把东西打包带走的。

桑尼在周五的晚上与托尼·纽金特也闹翻了。他一直直接下达指令

1 原文为disappear，消失之意，为不及物动词，后面不跟宾语。

给托尼团队中的一位年轻工程师，给他施加强大的压力，导致他因为压力而崩溃。托尼为此而质问桑尼，他们的争执迅速升温。桑尼陷入狂怒，大叫公司的每个人都欠他的，他义务在给公司做贡献，人们应当多一些感激。

"我挣的钱足够养活我家七代人。我根本就不用待在这儿!"他对着托尼的脸尖叫。

托尼以他的爱尔兰土腔反戈一击:"我一无所有,也不需要待在这里!"

伊丽莎白不得不介入进来，平息事端。戴夫·尼尔森觉得，托尼将会被解雇，星期一上午他就会有一个新的老板了。然而托尼不知为何从这次交锋中幸存了下来。

切尔西试着向伊丽莎白投诉桑尼，但没有能说服她。他们的纽带似乎过于强大，无法撼动。伊丽莎白的办公室与桑尼的办公室只隔着一个玻璃会议室，无论什么时候伊丽莎白走出办公室，桑尼都会立刻从自己的办公室里冒出来，与她相伴而行。他经常陪着她一路走到大楼后面的卫生间，引得一些员工半开玩笑地怀疑他们是不是到后面吸可卡因去了。

工作了六个月之后，到 2010 年 2 月，切尔西失去了在希拉洛斯工作的所有热情，想着是不是要辞职。她痛恨桑尼。随着猪流感的减退，墨西哥和泰国的项目似乎正在失去动力。公司踉踉跄跄，从一个错误设想出发,奔向另一个错误,就像患有注意力缺失紊乱症的孩子。最重要的是，切尔西的男朋友住在洛杉矶，每个周末，为了见男朋友，她得在洛杉矶和湾区之间飞来飞去。这种来回奔波越来越令她濒临崩溃。

当她纠结于该怎么做的时候，发生了新的事情，加速了她的决定。一天，伊丽莎白曾经在墨西哥利用过家族关系的那位斯坦福学生和父亲一起来拜访。切尔西当时不在，没有见证这次访问，但后来办公室里都在议论此事。这位父亲正担忧自己是否患了某种癌症。在听到他对健康的担忧后，伊丽莎白和桑尼说服他，让希拉洛斯来检测他的血液中是否有癌症的生物标志物。托尼·纽金特当时也不在，没有遇到，但当天晚些时候从加里·弗伦泽尔那里听说了此事。

"呃，有意思，"加里告诉托尼，他的声音带着迷惘，"我们今天扮演了医生的角色。”

切尔西感到震撼。比利时的验证研究、墨西哥和泰国的实验是一回事。那些都只是为了研究的目的，跟患者治疗的方法毫无关联。但鼓动某人依靠希拉洛斯的血液检测去做出重大医疗决策，完全是另外一回事。切尔西觉得那太过鲁莽，太不负责任了。

过了没多久，桑尼和伊丽莎白开始散发订购表单的复印件，让医生用来订购实验室的血液检测，并且开始热情地谈论在消费者检测方面的巨大机会，这些令切尔西的警觉进一步升级。

结束吧，切尔西跟自己说。这已经越过太多的底线了。

她去找伊丽莎白，告诉她自己想辞职，但决定不说出自己的担忧。相反，她告诉她的朋友，周末来回奔波成本太高，她想完全搬到洛杉矶去，这些情况当然都是真实的。她提出可以留下来过渡一段时间，但伊丽莎白和桑尼并不希望她这样做。他们说，如果切尔西想走，那么最好立刻就走。他们要求她在离开的时候，对她手下的三个人什么都不要说。切尔西表示反对。这样的离开让人感觉不好，像一个窃贼在午夜逃跑一般。但桑尼和伊丽莎白态度坚决：她什么都不要告诉他们。

切尔西走出办公大楼，走进帕洛阿尔托的阳光之中，百感交集。最主要的感觉是如释重负。但她也觉得难过，没有能够和她的团队告别，告诉他们为什么离开。她会告诉他们那个官方理由——就是她要搬到洛杉矶去——但桑尼和伊丽莎白不相信她会这样做。他们想控制关于她离开的故事。

切尔西也为伊丽莎白忧心忡忡。以想要成为一名成功的创业家的无畏决心，她在自己身边制造了一个气泡，将她与现实割裂开来。而她放进那气泡里的唯一之人，带给她的是恶劣的影响。她的朋友怎能对此视若无睹呢？

第七章　J博士

当日历从2009年翻到2010年，美国仍然深陷在经济萧条的困境之中。在过去两年中，大约有900万人在大萧条以来最严重的衰退中失业。还有数百万人遭受取消抵押物赎回权的打击。但在旧金山以南，那片构成硅谷疆界的1500平方英里地域内，动物精神正在再次骚动。

在沙丘道上，新开了一家叫作玫瑰森林（Rosewood）的奢华酒店，尽管房间的价格已经达到1000美元一晚，但总是满房。它拥有进口的棕榈树，毗邻斯坦福大学校园，很快就成为风险投资家、小企业创始人、外来投资者的首选地点。他们成群结队，拥挤在它的餐厅、湖畔酒吧里，谈论交易，还有就是让人看到自己。宾利、玛萨拉蒂和迈克拉伦车子一排排停在石头铺就的停车场上。

美国的其他地方还在舔舐自己在毁灭性的金融危机中所受的伤，在这里，一波新的科技热潮却已经蠢蠢欲动，驱动因素包括几个方面。其中之一是脸书公司异乎寻常的成功。2010年6月，这家社交网络的私人估值升至230亿美元，六个月后，跃升至500亿美元。硅谷的每一个创业者都想成为下一个马克·扎克伯格，每一个风险投资人都想在下一艘暴富的火箭飞船上占据一席之地。推特（Twitter）公司横空出世，到2009年下半年的估值超过10亿美元，给这热潮又加上了一把火。

同时，随着移动网络速度越来越快，拥有了处理大容量数据的能力，iPhone和它的智能手机竞争对手（以谷歌的安卓操作系统为代表），开辟了向移动计算转变的道路。像《愤怒的小鸟》这样广受欢迎的手机游戏，有数以百万的 iPhone 用户支付 1 美元来下载它，由此催生出可以围绕一个智能手机 App 打造一门生意的理念。2010 年春天，一家寂寂无名的创业公司优步打车（UberCab）在旧金山试验性地启动了其黑车呼叫服务。

不过，如果没有另一个关键要素的话，所有这些也许还不足以引燃新的热潮，那就是跌到谷底的利率。为了拯救经济，美联储将利率削减到近乎零的水平，使得像债券一类的传统投资毫无吸引力，迫使投资者到其他地方寻求更高的投资回报。他们转向的地方之一，就是硅谷。

于是突然之间，东海岸那些平常只投资于上市公司股票的对冲基金经理纷纷来到西海岸朝圣，在全新的创业公司世界寻找有前景的新机会。与他们一起的还有来自从前已经成熟的公司的高管们，他们想利用硅谷的创新，让遭受衰退冲击的生意恢复生机。后面这个群体中有一个 65 岁的人，来自费城，他跟人打招呼的时候喜欢用击掌代替握手，得到了一个绰号："J 博士"。

J 博士的真名叫杰·罗山（Jay Rosan），他本是一个医生，但是职业生涯的大部分时间在为大公司工作。他是沃尔格林（Walgreens）创新团队的成员，该团队的职责是鉴别新的想法和技术，帮助这家 109 岁的连锁药店重启增长之路。J 博士在费城郊区的康舍霍肯（Conshohocken）办公，沃尔格林 2007 年收购关爱健康体系（Take Care Health Systems）时，从对方手中获得了这个地方。关爱健康是一家店内诊所运营商，J 博士此前受雇于该公司。

2010 年 1 月，希拉洛斯通过一封电子邮件找到沃尔格林，声称它开发了能够利用指尖针刺取得的少量血液当场进行血液检测的设备，成本比传统实验室的一半还少。两个月后，伊丽莎白和桑尼来到沃尔格林公司在伊利诺伊州芝加哥郊区迪尔菲尔德（Deerfield）的总部，向一堆沃尔格林的高管做了一次展示。J 博士从宾夕法尼亚飞过来，参加这次会议，他立刻意识到希拉洛斯技术的潜力。J 博士相信，将这家创业公司的设备放到沃尔格林的药店里，可以为这家零售商开辟新的规模庞大的收入来源，并成为它正力图寻找的游戏规则改变者。

吸引 J 博士的不只是商业提案。他是一个注重养生的人，对自己的饮食非常小心，很少喝酒，热情地坚持每天去游泳，因而他对于推动人们过更健康的生活充满激情。伊丽莎白在会上介绍的图景——让血液检测更少痛苦，更普遍便捷，从而可以成为一种对抗疾病的早期警报系统——深深地令他产生了共鸣。那天晚上，在一家酒吧与两位不知道希拉洛斯秘密会谈的同事吃晚饭时，他难以抑制自己的激动情绪。在要求他们对将要告知的事情保守秘密之后，他以故作镇静的语调宣布，他发现了一家相信将会改变医药行业面貌的公司。

"想想看，我们不需要做乳房 X 光，就能检验出乳腺癌。"他告诉已经入迷的同事，为了营造效果，故意停顿了一下。

2010 年 8 月 24 日早晨，还不到 8 点，一队租来的轿车停在帕洛阿尔托山景大道 3200 号门前。一个戴眼镜的健壮男子从其中一辆车上下来，宽宽的鼻梁上有几个斑点。此人名叫凯文・亨特（Kevin Hunter），经营一家名为"合作"（Colaborate）的小型实验室顾问公司。J 博士率领沃尔格林代表团飞到加利福尼亚与希拉洛斯进行为期两天的会谈，亨特是代表团中的一员。这家连锁药店企业几个星期以前雇用了他，目的是帮助沃尔格林评估并建立与希拉洛斯正在洽谈中的伙伴关系。

亨特与沃尔格林所在的行业有一种特殊的亲近关系：他的父亲、祖父和曾祖父都是药剂师。在成长的过程中，他曾经在暑假帮助父亲操作计数器、管理药房的药架。父亲运营的药房分布在纽约、德克萨斯和新墨西哥的空军基地。不过，虽然他对药店如此熟悉，亨特真正的专长却是在临床实验室方面。他在佛罗里达大学获得工商管理硕士学位，随后在实验室设备提供商巨头奎斯特诊断公司（Quest Diagnostics）度过了职业生涯的头八年时光。随后他创建了合作公司，提供实验室咨询服务，客户范围包括从医院到私人股权公司。

亨特关上所租轿车的门，往希拉洛斯办公楼的入口走去，他注意到的第一件事情，是门口的右侧停着一辆闪闪发光的黑色兰博基尼。他想，看来有人准备给我们留下点深刻印象。

伊丽莎白和桑尼在台阶的最上面迎接他和沃尔格林团队的其他人，带领他们来到两人办公室之间的玻璃会议室。在那里他们见到了丹尼尔·杨，他已接替赛斯·迈克尔森领导希拉洛斯的生物数学团队。在沃尔格林这一方，除了亨特和J博士以外，还有其他三个人参加此次行程：一位名叫雷纳特·范登霍夫（Renaat Van den Hooff）的比利时高管、财务高管丹·多伊尔（Dan Doyle），以及亨特在合作公司的同事吉姆·桑德伯格（Jim Sundberg）。

J博士与桑尼和伊丽莎白击掌致意，然后坐下来，以他一贯用来介绍自己的话开始这次会谈："嗨，我是J博士，过去我是打篮球的[1]。"在一起工作的这几个星期里，亨特已经听他这样说过很多次，不再觉得它好笑，但对于J博士，那是一个永远不会过时的笑话。它引发了一阵尴尬的轻笑。

随后J博士开始欢呼："对我们正在做的事情，我非常激动！"他说的是一项公司已经同意的试点计划。该计划包括不迟于2011年中期，在沃尔格林的30–90家门店放置希拉洛斯的阅读器。药店的顾客只需要刺破手指，就可以检测自己的血液，并在一小时内得到检测结果。它们已经签好了一份预备合同，在合同中，沃尔格林承诺预购价值达5000万美元的希拉洛斯检测盒，并另外贷款2500万美元给这家创业公司。如果试点运作一切顺利，两家公司力争将他们的伙伴关系扩展到全国范围。

如此快速的行动在沃尔格林是不多见的。创新团队所发现的机会常常被内审委员会耽搁，被这家零售巨头的官僚主义拖延。这一次，J博士成功地进入快速通道，直接找到沃尔格林的首席财务官韦德·米克隆（Wade Miquelon），争取到他支持这个项目。米克隆计划那天晚上飞过来，参加他们第二天的议程。

围绕试点计划讨论了大约半个小时之后，亨特问洗手间在哪里。伊丽莎白和桑尼明显僵了一下。他们说，保密至关重要，所以任何人离开会议室都需要有人护送。桑尼陪着亨特到洗手间，在洗手间门外等他，然后与他一道回会议室。在亨特看来，这样做毫无必要，是过于多疑了。

1 "J博士"是美国NBA前著名球星朱利叶斯·欧文的绰号。

在从洗手间返回会议室的路上，他扫了一眼办公室，想找到实验室，但没有看到任何类似实验室的地方。他被告知，那是因为实验室在楼下。亨特说他希望在这次访问的某个时候看看实验室，伊丽莎白回答说："没问题，只要我们有时间。"

希拉洛斯告诉沃尔格林，它拥有一个已经具备商业化条件的实验室，并且提供了一个有 192 项不同类型血液检测的清单，说其专属设备可以处理这些检测。现实情况是，尽管在楼下确实有一间实验室，但那只是加里・弗伦泽尔和他的生物化学家团队开展研究的研发实验室。而且，清单上有半数的检测无法按照化学发光免疫测定方法开展，而爱迪生系统必须依赖该检测技术。那些检测需要使用不同的检测方法，超出了爱迪生设备的范围。

会议重新进行，一直开到下午 3 点左右，此时伊丽莎白建议他们一起到城里去吃个早点的晚餐。当他们从椅子上站起身时，亨特再次要求看看实验室。伊丽莎白拍了拍 J 博士的肩膀，示意他跟着她一起到会议室外面去。他过了一会儿回来，告诉亨特不行。伊丽莎白还不愿意给他们看实验室。作为替代，桑尼带着沃尔格林团队参观了他的办公室。在他的桌子后面，有一个睡袋放在地上，他的洗手间里有一个淋浴头，在旁边准备有换洗衣服。他扬扬自得地告诉参观者，有很多个夜晚他工作时间太长，以至于在办公室搞得筋疲力尽。

出去吃饭的时候，桑尼和伊丽莎白让他们错开时间离开。他们不想让每个人都同时到达饭店，担心会有引人注意的风险。他们还要求亨特和他的同事不要使用自己的姓名。亨特来到饭店，那是一家坐落于埃尔卡米诺路（El Camino Real）上的小寿司店，名叫富贵寿司（Fuki Sushi），女招待领着他进入后面一间带移门的私人包厢，伊丽莎白在那里等着。

这种神神秘秘、遮遮掩掩的把戏让亨特深觉愚蠢。那是下午 4 点，饭店里空无一人，不需要对什么人掩饰他们的存在。而且，要说有什么可能引人注意的话，那就是桑尼停在车位上的兰博基尼了。

亨特开始产生怀疑。黑色的翻领毛衣、深沉的声音，还有整天都在小口啜饮的绿甘蓝汁，这些说明伊丽莎白在努力模仿乔布斯，但她似乎分不清楚血液检测的不同类型。希拉洛斯也没有能满足他两个最基本的要求：让他看看实验室，以及在其设备上现场展示一次维生素 D 的检测。亨特的计划是让希拉洛斯检测他和 J 博士的血液，然后晚上去斯坦福的医院重新检测，比较结果。他甚至安排了一名病理学家在医院待命，准备开处方单检测和抽取他们的血液。然而，尽管他在两周以前就已经提出了这个要求，但伊丽莎白声称自己并没有得到通知。

还有其他事情困扰着亨特：桑尼的态度。他的行为既傲慢又殷勤。当沃尔格林方面提出让它的 IT 部门参与试点的准备时，桑尼立即否定了这个主意，说："IT 的人跟律师一样，尽量避免跟他们打交道。"在亨特听起来，这种观点本身就是个问题。

但是，J 博士似乎并没有跟他一样的怀疑。他仿佛被伊丽莎白的光环迷住，陶醉在硅谷的氛围之中。亨特觉得他好像是一个追星族，飞越整个国家，就是为了参加所热爱的乐队的演唱会。

第二天上午，他们在希拉洛斯的会议室继续开会，沃尔格林的首席财务官韦德·米克隆加入进来。韦德已经与伊丽莎白直接签署了试点协议。他似乎也成了她的忠实粉丝。那天的会议开到一半，伊丽莎白安排了一个盛大的节目，送给米克隆一面美国国旗，她说这面旗子曾经飘扬在阿富汗的战场上。她在国旗上写下赠予沃尔格林的字样。

亨特觉得整件事情都很古怪。沃尔格林带他来这里，是为了审查希拉洛斯的技术，但他们却没有让他去做该做的事情。对于这次访问，他们秀出的唯一一件东西，就是那面签名的国旗。然而，J 博士和米克隆好像完全不在意。在他们看来，这次访问进行得很顺利。

一个月后，2010 年 9 月，一群沃尔格林的管理层在迪尔菲尔德总部的会议室会见了伊丽莎白和桑尼。气氛相当喜庆。带有沃尔格林商标的红色气球飘浮在桌子上空，桌上放满了小零食。韦德 · 米克隆和 J 博士正在为沃尔格林的管理层揭幕"贝塔计划"，那是希拉洛斯试点项目的代号。

大屏幕上的投影题为"搅局实验室行业"，沃尔格林的一位高管站在投影前面，独自演唱《想象》(Imagine)。为了庆祝结盟，创新团队想出了个主意，改写了约翰·列侬这首歌的歌词，作为伙伴关系的颂歌。当不伦不类的卡拉OK表演结束后，伊丽莎白和桑尼鼓动沃尔格林的高管人员检测自己的血液。他们带了几个黑白色的机器一起来参加会见。沃尔格林的高管们列队，排在公司总裁克米特·克劳福德（Kermit Crawford）和创新团队的头头科林·瓦茨（Colin Watts）身后，去刺破手指进行检测。

亨特现在全天在沃尔格林工作，为创新团队担任驻场顾问，他没有参加这次会面。但他听说几个沃尔格林的高管给自己做了血液检测，发现这是一个机会，可以看看这项技术到底是怎么运作的。他告诉自己，下次会谈的时候，要向伊丽莎白探究这次检测的结果。帕洛阿尔托的访问结束后，他汇总了一份报告，在其中他警告说希拉洛斯有可能"过分吹嘘或者夸大……检测盒/设备的科学程度"。他还建议沃尔格林在希拉洛斯安排人员，参与整个试点计划，并且推荐他在合作公司的一位名叫琼·斯马特（June Smart）的同事担当这项任务，这位娇小的英国女子最近完成了一个经费管理严格的斯坦福实验室。希拉洛斯拒绝了这项提议。

几天后，亨特在每周定期的电话视频会议——两家公司用这种方式作为他们主要的沟通方式——上问及血液检测结果。伊丽莎白回应称，希拉洛斯只能将结果向医生公布。从康舍霍肯接入视频会议的J博士提醒大家，他是一位受过训练的医生，那么为什么希拉洛斯不直接把结果发送给他呢？他们同意桑尼会后单独与他跟进处理。

一个月过去了，还是没有结果。

亨特的耐心逐渐磨尽。在那一周的电话会议上，双方讨论了希拉洛斯突然对它的监管策略做出的一项改变。希拉洛斯最初表示，根据1988年颁布的联邦实验室监管法律《临床实验室改进法案修正案》（the Clinical Laboratory Improvement Amendments，CLIA），它的血液检测有资格"豁免"审查。CLIA豁免的检测通常是美国食品和药品管理署清楚表明视为家庭用途的简单实验室程序。

现在，希拉洛斯的调子变了，说它正在沃尔格林提供的检测是"实验室开发检测"。这里存在巨大的差异：实验室开发检测处于联邦食品药品监督管理局（FDA）和另一家联邦医疗健康监管机构，美国医疗保险和医疗救助服务中心（the Centers for Medicare and Medicaid Services，CMS）之间的灰色地带。后者一般被人们称为 CMS，它依据 CLIA 法案对临床实验室进行监管，而 FDA 监管实验室为检测而购买和使用的诊断设备。但没有一家对实验室按照自己的方法开展的检测进行严密监管。对于这一变化的重要性，亨特与伊丽莎白和桑尼的意见交换并不愉快。他们坚持认为，大型实验室公司大多使用实验室开发检测，但亨特知道事实并非如此。

亨特认为，这一转变使得检查希拉洛斯检测的准确性变得更为重要。他建议做一项 50 名病人的研究，他们将把希拉洛斯的检测结果和斯坦福医院的检测结果进行比较。他已经在斯坦福那边做了工作，认识那里的人；这事儿很容易安排。亨特注意到，电脑屏幕上伊丽莎白的身体语言立即发生了变化。她明显地变得警惕和防备起来。

“不，我觉得我们这次不必那样做。”她说，迅速将主题转到电话会议议程上的其他项目。

结束会议之后，亨特把雷纳特·范登霍夫叫到一边，他是沃尔格林一方负责试点项目的人。亨特告诉他，刚刚的事情不太对劲。警报正在不断累积。首先，伊丽莎白拒绝让他进入实验室。然后，她拒绝了把沃尔格林的人放在帕洛阿尔托的提议。而现在，她又拒绝做一个简单的比较研究。最最重要的是，希拉洛斯已经从沃尔格林药业连锁公司总裁——公司最重要的人——身上取得了血液，但竟然没能给他一个测试结果！

范登霍夫听他说着，一脸苦涩的表情。

“我们不能要求这个，”他说，“我们不能冒风险让 CVS 与他们在六个月内达成交易，那是真有可能的。”

沃尔格林的竞争对手 CVS 的总部位于罗德岛，按收入来说比沃尔格林的规模高出三分之一，两者之间的竞争确实令连锁药店行业的一切变得多姿多彩。亨特作为一位外来者，一个不是沃尔格林公司一员的人，很难理解这样一种狭隘的世界观。希拉洛斯聪明地利用了这种不安感。结果，沃尔格林患上了严重的错失恐惧症（FoMO）——怕会错过的恐惧。

亨特请求范登霍夫，至少让他看一看那个黑白两色阅读器的内部，

上做血液检测。

伯德为伙伴关系而欣喜若狂。他将伊丽莎白看作早熟的天才，待她少有地尊重。他一般不愿意离开自己的办公室，除非绝对必要，但对她是例外，常常开车越过海湾来帕洛阿尔托。有一次，他来的时候带了一盆硕大的白色兰花。另外一次，他买了一个私人飞机的模型送给伊丽莎白。他预测说，对她来说，下一个将是架真正的飞机。伯德知道希拉洛斯同时在与沃尔格林会谈。伊丽莎白告诉他，他的公司将是独家提供希拉洛斯血液检测的超市，而沃尔格林则将在药店方面获得专属使用权。两家公司对这一安排都不满意，但双方都觉得至少好过错失一个巨大的、全新的商业机会。

回到芝加哥，亨特努力让范登霍夫认真地对待自己的怀疑，但在2010年12月中旬，他的努力遭遇挫折。范登霍夫通知自己的同事，他将在年底离职。他获得了新泽西一家公司的首席执行官职位，该公司为制药公司制造温度指示器。这是一个他不能错过的事业机遇。

沃尔格林从内部任命了一位替代者，一个叫作翠西·利平斯基（Trish Lipinski）的女性高管，她在实验室业界有一定的知名度。在来沃尔格林之前，她在美国病理学家学会（the College of American Pathologists）工作，该学会是代表实验室科学家的医疗学会。亨特毫不迟疑，立即让她知道自己对希拉洛斯项目的看法。他告诉她："我得阻止这个事情，要不然哪天它将成为某人的耻辱。"

他也将怀疑直接告知J博士，但收效甚微。J博士是希拉洛斯坚定而不遗余力的鼓吹者。如果有什么不同的话，那就是他觉得沃尔格林的动作太慢了。了解到史蒂夫·伯德送伊丽莎白模型飞机的事情之后，他向翠西抱怨，沃尔格林需要向伊丽莎白表露更多的爱慕。令亨特惊讶的是，他甚至不再问伊丽莎白和桑尼关于启动派对检测的结果的事情。他显然愿意纵容希拉洛斯不给出结果的行为。

J博士有一个强有力的同盟，即韦德·米克隆。韦德衣着时髦，喜欢昂贵的服装和设计师专款眼镜，他喜欢交际，在沃尔格林很受欢迎。然而，

《芝加哥论坛报》（*Chicago Tribune*）发表了一篇报道，揭露他那年秋天因为一年多来第二次酒后开车而被捕，之后许多同事开始质疑他的判断力。他本来完全不应出现在方向盘后面：他的驾照仍因上次的被捕而处于吊销状态。让事情变得更糟糕的是，他拒绝接受酒精检测，没有通过现场的清醒测试。这次事件为他在沃尔格林总部的办公室中赢得了一个新绰号：米凯罗（Michelob）[1]。

韦德的酒后开车，以及J博士为希拉洛斯的盲目叫好，让人很难相信贝塔计划是由最好的人执掌。但那不是亨特的权限范围。他关注的是自己能够控制的方面：继续在每周的视频会议上提出尖锐问题。直到2011年初的一天，利平斯基告诉他，伊丽莎白和桑尼不想在视频会议或是两家公司之间的会议上再看到他。她说，他们觉得他制造了太多的麻烦，干扰了工作的进行。她接着说，沃尔格林公司别无选择，只能服从，否则希拉洛斯公司就会走人。

亨特试图说服她拒绝那要求。沃尔格林每个月付给他的公司25000美元，是为了守护公司的最佳利益，如果要让他保持距离，要为他的工作设置障碍，何苦如此呢？这样毫无意义。他的抗议被礼貌地扔在一边，伊丽莎白和桑尼得逞了。亨特继续与创新团队一起工作，在需要的时候贡献自己的专业知识，但被排除在后续的视频会议和会谈之外，他被边缘化了，这限制了他的作用。

同时，沃尔格林继续推动项目。作为试点准备工作的一部分，亨特与创新团队一起进行实地考察，前往距迪尔菲尔德几英里远的一个工业园区，在那里有一座无名仓库。公司在仓库里建造了一个完全尺寸的药店复制品。它设置了一个血液检测实验室，其中安装有特别设计的架子，大小可以放得下希拉洛斯那黑白两色的阅读器。

亨特看着模拟药店和其中的小小实验室，恍然之间发现它是那么真实。他不安地想，很快，真正的病人就会在这些小实验室中做抽血检测了。

1　美国著名啤酒品牌。

第八章　迷你实验室

随着沃尔格林和西夫韦作为零售合作伙伴的引入，伊丽莎白突然遇到了一个她自己造成的问题：她跟两家公司都说，她的技术可以基于少量血液样本开展数百项检测。事实是，爱迪生系统只能做免疫测定，即一种使用抗体测量血液中物质含量的检测。免疫测定包括某些经常用到的实验室检测，如维生素 D 的测量、前列腺癌检测等。但其他许多血常规检测，包括从胆固醇到血糖的测定，都需要完全不同的实验室技术。

伊丽莎白需要一种新的设备，一种可以开展不止一种检测的设备。2010 年 11 月，她雇用了一个名叫肯特·弗兰克维奇（Kent Frankovich）的年轻工程师，让他负责设计这种设备。肯特刚刚从斯坦福大学获得机械工程硕士学位。在此之前，他有两年的时间是为美国航空航天局（NASA）在帕萨迪纳（Pasadena）的喷气推进实验室（Jet Propulsion Laboratory）工作，在那里他帮助建造了火星探测车好奇号（Curiosity）。肯特随后招募了他在美国航空航天局工作时认识的朋友格雷格·巴尼（Greg Baney），此人后来为埃隆·马斯克（Elon Musk）的火箭公司 SpaceX——总部在洛杉矶——工作过。格雷格身高 6 英尺 5 英寸，体重 260 磅[1]，体型像职业橄榄球联赛（NFL）的前锋，但这样的体格之下蕴藏着非凡的才智和敏锐的洞察力。

1　磅，重量单位，1 磅约等于 0.45 公斤，此处约 117 公斤。（编者注）

有那么几个月的时间，肯特和格雷格成为伊丽莎白最喜欢的员工。她参加他们的头脑风暴会议，为他们正考虑使用的机器人系统出谋划策。她把公司的信用卡给他们，让他们购买想要的任何设备和物资。

伊丽莎白给要求他们制造的机器取了个名字，叫作“迷你实验室”（miniLab）。如名称所示，她最重要的关注点是其大小：她仍旧抱持着那种愿景，希望有一天把它放在人们家中，想要它可以放置在桌上或架子上。这带来了工程学上的挑战，因为，为了运行所有她想要的检测，迷你实验室需要比爱迪生设备多得多的部件。除了爱迪生的光电倍增管以外，新的设备还需要在狭小的空间中塞下其他三套不同的实验设备：一个分光光度计、一个血细胞计数器，以及一个等温放大器。

所有这些都不是新的发明。第一个商业化的分光光度计是在 1941 年由美国化学家阿诺德·贝克曼（Arnold Beckman）开发的，他是实验设备制造商贝克曼 – 柯尔特（Beckman-Coulter）的创始人。其原理是用有色光照射穿透血液样本，测量样本吸收多少光线。从光线被吸收的程度，可以推断某种微粒在血液中的浓度。分光光度计可以用来测量像胆固醇、葡萄糖和血红蛋白这样的物质。血细胞计数器是一种计算血细胞的方法，发明于 19 世纪。它被用来从其他的身体失调中诊断贫血症和血癌。

全世界各地的实验室使用这些设备已经有数十年时间。换句话说，希拉洛斯没有开辟出任何检测血液的新方法。不如说，迷你实验室的价值在于现有实验室技术的微缩化。尽管那也许算不上什么突破性的技术，但在伊丽莎白的愿景范围内，它仍然是有意义的：将血液检测从中央实验室解放出来，进入药店、超市，以及最终进入人们家中。

可以肯定，市场上已经存在有便携式的血液检测设备。其中一种设备看上去像一台小型的 ATM 取款机，叫作 Piccolo Xpress，可以进行 31 项不同的血液检测，在只有十二分钟的时间内得出结果。对于六七种经常被用到的检测，它的一个检测盘只需要三到四滴血。不过，Piccolo 或者其他已有的便携式分析仪都没法从事全范围的实验室检测。在伊丽莎白的脑海中，那将是迷你实验室的卖点所在。

格雷格花了很多时间研究检测设备供应商制造的商用设备，将它们反向还原，让它们变得更小。他从一家名叫海洋光学（Ocean Optics）的公司订了一台分光光度计，将它拆解，探究它是如何工作的。这种做法相当有趣，但使得他怀疑自己所采用的路径。

与其从头开始制造新的设备来满足伊丽莎白任意划定的尺寸，格雷格觉得不如将他们正在研究的现成组件微缩化，组合在一起，测试整个系统运转如何。一旦他们有了能够工作的原型机，就可以随后再考虑怎么将它缩小。先强调系统的大小，后担心它是否能工作，是本末倒置。但伊丽莎白不肯让步。

格雷格正在和约会的洛杉矶女孩闹分手，所以他在星期六来到公司，想让自己的思绪从中摆脱出来。他发现伊丽莎白很欣赏他这样做。她将其看作是忠诚和奉献的象征。她告诉格雷格，她想看到肯特在周末也来公司，他的朋友没有来让她感到不安。于她而言，保持生活与工作的平衡完全是陌生的概念。她不管什么时候都在工作。

跟大多数人一样，格雷格第一次遇到伊丽莎白的时候，就被她深沉的声音惊到了。他很快开始怀疑，那是装出来的。加入公司后不久，一天晚上在她的办公室，当他们的一场会议结束后，她的声音忽然变得自然了,更像一个年轻女子。“我真的很高兴你在这里。”她从椅子上站起来，对他说，音调比平常高了若干个八度。在激动的时候，她似乎暂时忘记了调到男中音。格雷格仔细想这事，她的行为中有一种理所当然的逻辑：硅谷是一个完全由男性主宰的世界。风险投资人都是男人，他甚至想不起有什么著名创业公司的创始人是女性。某种程度上，她一定认为深沉的声音对于获得人们的关注、得到认真的对待是必须的。

声音事件过去几天后，格雷格发现希拉洛斯与一般工作场所不同的另外一个情况。他与加里·弗伦泽尔关系很好。尽管加里看上去像一个懒汉——体重 300 磅[1]，穿着松松垮垮的牛仔裤、过大的 T 恤衫和洞洞鞋在公司里走来走去——但格雷格发现他是全公司最聪明的人。加里有一个糟糕的情况，患有睡眠呼吸暂停症，在开会的时候，格雷格不止一次

1　约 135 公斤。（编者注）

发现他在打盹，但他会一下子突然清醒过来，反驳某人提出来的愚蠢主意，提出明智的可选办法。

有一天，他们一起下班，加里放低声音，以一种告密似的语调告诉格雷格一件令他震惊的事情：伊丽莎白和桑尼在谈恋爱。格雷格傻了眼。他觉得一家公司的 CEO 和公司的二号人物睡在一起是不合适的，但更令他困扰的是，他们在隐藏此事。这是一条极为重要的信息，他觉得应该向所有新进来的员工披露。对于格雷格而言，这一揭露将希拉洛斯的一切置身于新的灯光之下：如果伊丽莎白对这件事情都不能坦率，会不会对其他东西也说谎？

2011 年的春天，希拉洛斯的裙带关系出现了一个新的动向：伊丽莎白雇用了她的弟弟克里斯蒂安，担任产品生产的助理董事。克里斯蒂安·霍姆斯从大学出来两年了，没有任何清晰的证据表明他有资格在一家血液检测公司工作，但伊丽莎白并不看重这个问题。伊丽莎白更加看重的是，弟弟是她可以信任的人。

克里斯蒂安是一个英俊的年轻人，眼睛与姐姐一样呈现深蓝色，但那就是两人之间所有的相似之处了。克里斯蒂安完全没有姐姐的抱负和冲劲；他是一名普通的年轻人，喜欢看体育比赛，追女孩子，跟朋友一起开派对。2009 年从杜克大学毕业以后，他在一家华盛顿的公司做分析师，为公司提供最佳决策建议。

刚到公司的时候，克里斯蒂安没有多少工作可做，所以他花了一些时间阅读体育方面的文章。他从 ESPN 的网站上剪切和粘贴文章，藏在空的电子邮件里面，这样从远处看，他好像是在接收与工作相关的通信。克里斯蒂安很快就招了四个他的好兄弟过来，都来自杜克大学：杰夫·布利克曼（Jeff Blickman）、尼克·孟切尔（Nick Menchel）、丹·埃德林（Dan Edlin）和萨尼·哈季阿赫梅托维奇（Sani Hadziahmetovic）。麦克斯·福斯克（Max Fosque）是第五个来自杜克大学的朋友，也在稍后加入进来。他们一起在帕洛阿尔托乡村俱乐部附近租了一所房子，在希拉洛斯内部很快就以“兄弟派”而闻名。与克里斯蒂安一样，杜克的这些男孩子都没有任何与血液检测或医学设备相关的经验或训练，但他们与伊丽莎白弟弟的友情，足以令他们在公司的等级体系中凌驾于绝大多数员工之上。

那个时候，格雷格已经说服了几个自己的朋友加入希拉洛斯公司。其中有两人是他在乔治亚理工大学（Georgia Tech）念本科时的好友：乔丹·卡尔（Jordan Carr）和泰德·帕斯科（Ted Pasco）。第三位是他在帕萨迪纳为美国国家航空航天局工作时结识的朋友，名叫特雷·霍华德（Trey Howard）。巧的是，特雷上大学也是在杜克大学，比兄弟派早了几年。

乔丹、特雷和泰德都被分配在产品管理组，与克里斯蒂安及其朋友们在一起，但他们没有同样获取敏感信息的级别权限。伊丽莎白和桑尼举行的许多极其秘密的会议——涉及沃尔格林和西夫韦的伙伴关系战略等——都不对他们开放，但克里斯蒂安和他的朋友们则被邀请参与。

兄弟派长时间加班工作，深得桑尼和伊丽莎白的钟爱。桑尼一直质疑员工对公司的付出，他的最终衡量标准，是一个人投入在办公室的工作时数，不管其有没有在做建设性的工作。有的时候，他会坐在玻璃大会议室里，盯着成排的工作小隔间，想找出谁在偷懒。

他们在办公室度过无数个深夜，没有时间去锻炼，所以克里斯蒂安和他的朋友在白天溜出去做健身。为了避开桑尼警觉的目光，他们在不同的时间从不同的出口悄悄溜出去。他们也很小心，从不会同时或者一起回来。泰德·帕斯科是辞掉了华尔街的一份工作，来到硅谷碰运气的，但在希拉洛斯的头几个月，他没有任何明确的职责，所以他拿计算出去和进来的时间给自己找乐子。

有一天，兄弟派的几位成员与格雷格、两位来自工程部的同事一起在俯瞰停车场的大阳台上吃午餐。他们在讨论一些世界上顶级足球运动员的低智商，引发了一场争论：你是宁愿聪明而贫穷，还是呆傻而富有？三个工程师都选择聪明而贫穷，而兄弟派的成员一致赞成呆傻而富有。格雷格对这两个群体之间的界线如此清晰而感到震惊。他们全都是二十五六不到三十岁的年龄，接受了良好的教育，但他们珍视的东西完全不同。

克里斯蒂安和他的朋友总是准备着去执行伊丽莎白和桑尼下达的指令。他们急于取悦两人，2011 年 10 月 5 日晚上，当史蒂夫·乔布斯逝世的消息传出时，这种取悦的迫切展露无遗。伊丽莎白和桑尼要向乔布斯致敬，想在山景大道的办公楼前面挂上苹果公司的旗帜，下半旗致哀。第二天早晨，杰夫·布利克曼自愿接受了这个任务，他是个红头发的高个子，在杜克大学打过棒球队的校队。由于找不到地方买合适的苹果公司旗帜，于是布利克曼去定制了一面乙烯基制作的旗帜。旗帜的背景是黑色的，上面有苹果公司著名的白色标志。他去的那家店需要一段时间来制作。布利克曼那天直到很晚才带着旗帜回来。同时，公司的工作处于停顿状态，伊丽莎白和桑尼无精打采地在公司里转来转去，费尽心力寻找苹果公司的旗帜。

格雷格知道伊丽莎白对乔布斯的迷恋。她说到他的时候，用的称呼是“史蒂夫”，好像他们是亲近的朋友一般。有一次，她曾跟他说，如果“史蒂夫”不相信“9·11”阴谋论，讲述该阴谋论的纪录片就不会出现在苹果商店。格雷格觉得这种想法很愚蠢。他非常确定乔布斯不会亲自过目苹果商店里销售或出租的所有影片。伊丽莎白似乎有一种过于夸张的想象，认为他是全知全能的人。

乔布斯死后一两个月，格雷格在工程师团队的一些同事发现，伊丽莎白正在从沃尔特·艾萨克森（Walter Isaacson）[1] 撰写的这位已故苹果公司创始人的传记中借用其中所描述的行为和管理技巧。他们当时也都在阅读这本书，能准确地指出她所模仿的行为是哪一章节，所描写的是基于乔布斯的哪一段职业生涯。伊丽莎白甚至给了迷你实验室一个乔布斯式的代码名称：4S。这是用了苹果手机 iPhone 4S 的名称，而这款手机恰巧是在乔布斯逝世的前一天发布的。

格雷格与希拉洛斯的蜜月期走到尽头，是在他妹妹向公司申请工作之后。2011 年 4 月她与伊丽莎白和桑尼都做了面谈，次月收到加入产品管理团队工作的邀请，但她决定拒绝，留在原来的东家——会计师事务所普华永道（PwC）。第二天是个周六，格雷格留在办公室工作。伊丽

1 乔布斯传记的作者。

莎白也在公司，但没有过来感谢他的付出，这让他觉得奇怪，因为她一般都会这样做，尤其是在周末的时候。接下来的一个星期，格雷格不再被邀请参加她和肯特的头脑风暴会议。这让他明白，她把他妹妹的决定看成了私人事务，现在他得为此付出代价。

过了没多久，肯特自己与伊丽莎白的关系也遭遇寒潮。从任何方面来看，肯特都是迷你实验室的主设计师。作为一名热爱制造东西、卓有天赋的工程师，他也在业余时间涉足一个附带项目：一种能够既照亮车轮也照亮道路的自行车车灯，可以在晚上为骑行者改善能见度和安全性。他把这个主意放到 Kickstarter 平台上，令他非常惊讶的是，竟然在四十五天内筹集了 21 万 5 千美元，这是这家众筹平台当年募集金额排名第七位的项目。原本不过是一个爱好，突然间像是可以成为一门养家糊口的生意。

肯特将他在 Kickstarter 上的成功告诉了伊丽莎白，以为她不会介意。但他的判断完全错误：伊丽莎白和桑尼都极为愤怒。他们将这看成一桩重大利益冲突，要求他把自行车车灯专利转给希拉洛斯公司。他们提出，肯特加入公司时签署的书面文件赋予他们权利，任何他在受雇期间的知识产权都归属他们。肯特不同意。他是在自己的自由时间从事那小小的事业，觉得自己没有任何错误。他也无法理解一种新型的自行车灯怎么会对血液检测设备的制造商构成威胁。但伊丽莎白和桑尼不肯善罢甘休。在一个接一个的会议上，他们试图让他交出专利。他们逐渐加大压力，让希拉洛斯公司新任的高级法律顾问大卫·多伊尔（David Doyle）参加其中部分会议。

在目睹这一对峙逐渐发展的过程中，格雷格开始相信，事情跟专利本身没有多大关系，而是为了惩罚肯特所谓的不忠诚。伊丽莎白期望她的员工将一切付出给希拉洛斯，尤其是像肯特这样她给予信任、赋予重任的人。肯特不仅没有付出自己的一切，还花费时间和精力去做其他的工程项目。这解释了他为什么没有像她期望的那样在周末来公司。在她看来，肯特背叛了她。最后，双方达成了一项脆弱的妥协：肯特将休假，去尝试一下他的自行车灯事业。到他不再沉迷于自己的小项目的时候，他们再讨论他是否回归，在什么条件下回归。

肯特的离开让伊丽莎白心情恶劣。现在她指望着格雷格和其他人来收拾烂摊子。从伊丽莎白和桑尼的行为中，格雷格也感觉到一种不断加剧的迫切。他们似乎在努力压着工程师团队满足某种最后期限的要求，但却没有告诉他们最后期限是什么。他们一定是向什么人许诺了什么，他想。

随着伊丽莎白对迷你实验室的开发进度越来越失去耐心，格雷格承受着她的沮丧带来的压力。当工程师团队聚在一起开每周定期的进度会议时，她从会议开始就盯着他，沉默无言，眼睛一眨不眨，直到他礼貌地打破沉默："嗨，伊丽莎白，你今天还好吗？"他开始做详细的记录，写下每一次会议上讨论过的内容和他同意的内容，以便在后一个星期可以翻出来查阅，以此来保持情绪的稳定。

有好几次，伊丽莎白下楼来到工程师团队的工作间，在格雷格工作时待在那里不走。他彬彬有礼地感谢她，然后沉默无语地继续工作。那是某种奇怪的施压态势，他决定不让自己受到干扰。

一天下午，伊丽莎白把他叫到办公室，告诉他，她感到他散发出一种消极情绪。他沉默了很久，内心挣扎是否告诉她说得没错，但格雷格还是决定将自己越来越厉害的幻灭感藏起来，说了一个小小的谎：他之所以烦恼，是因为桑尼否决了几位职位申请者，而他觉得他们很适合，希望公司可以雇用。

伊丽莎白一定是相信了，因为她明显放松下来。"你应该告诉我们这些事情。"她说。

2011 年 12 月一个工作日的晚上，希拉洛斯包了几辆大巴车，把员工（现在已经增加到 100 多人）拉到伍德赛德（Woodside）的托马斯·福格蒂酒庄（Thomas Fogarty Winery）。这是伊丽莎白喜欢用来举行公司活动的地方。酒庄的主体建筑和毗邻的附属活动设施建在山坡上，底下有垫高的柱子，可以看到绵延起伏的葡萄园和山谷以外的壮观景色。

这次活动是公司的年度圣诞晚会。在酒庄主楼内部一个开放式的酒吧，员工们啜饮着饮料，等候正式的晚餐，此时伊丽莎白发表了讲话。

"迷你实验室是人类迄今为止制造的最重要的东西。如果你们不相信这一点，你们现在就应该离开。”她宣称，脸上的神情极为严肃，扫视她的听众，“每个人都必须尽自己身为人类的全部力量，为了完成这一目标努力工作。”

特雷——格雷格在帕萨迪纳结识并且引荐到希拉洛斯的朋友——碰了碰格雷格的脚。他们心领神会地交换了一下眼神。伊丽莎白刚才说的话，验证了他们对自己的老板所做的空想精神分析：她将自己视作一个世界性的、历史性的人物，一位现代版的玛丽亚·居里。

六个星期后，他们又回到福格蒂酒庄，这次是为了庆祝与西夫韦公司的结盟。伊丽莎白站在露天活动大厅的平台上，雾气弥漫进来，她向员工滔滔不绝地讲了四十五分钟，仿佛巴顿将军在盟军登陆前向他的部队训话。她说，眼前风涤尘清的景色正逢其时，因为希拉洛斯将成为硅谷最具统治力的公司。到了最后，她扬言：“我什么都不怕，”短暂停顿了一下，又说，“除了针头。”

到这个时候，格雷格已经完全从幻觉中清醒过来，他决定再坚持两个月，直到入职满一年，可以拿到股票期权的时候。他最近参加过在母校乔治亚理工大学举行的一场就业招聘会，面对那些停留在希拉洛斯摊位前的学生们，他发现自己无法为公司说好话。相反，他只是将自己的建议集中于在硅谷展开职业生涯的好处。

部分问题在于，伊丽莎白和桑尼似乎分不清楚，或者是不愿分清楚一个原型机和一个成熟产品之间的区别。格雷格帮助制造的迷你实验室是一个原型机，仅此而已。它需要经过周密的测试和精细的调校，这需要时间，很多很多的时间。绝大多数公司在将产品投放市场之前，需要经历三轮原型机周期。但桑尼已经下令预订可以制造 100 个迷你实验室的组件，而这个迷你实验室还是第一版的、未经测试的原型机。这就好像波音公司建造了一架飞机，然后还没有经过一次飞行测试，就对乘客说：“来，跳上来吧。”

还需要通过大量的测试来解决的困难之一，是热量问题。你把这么多的仪器安置在一个狭小的密闭空间里，会带来无法预测的温度变化，可能干扰化学过程，将整个系统的表现完全推翻。桑尼似乎觉得，只要你把所有的部件放在一个盒子里，打开开关，它就会工作。如果真是那样就太容易不过了。

有一次，他把格雷格和另外一名年纪大一些的工程师汤姆·布鲁米特（Tom Brumett）拉到那个玻璃大会议室，质疑他们的工作热情。格雷格一向以自己从不失去冷静而自豪，但这次，他发火了。他凶狠地探身越过办公桌，肌肉结实的庞大身躯耸立在桑尼的头顶。

“去他妈的，我们已经拼了命在工作！”

桑尼软了下来，向他们道歉。

桑尼是个暴君。他炒人犹如家常便饭，以至于在楼下的库房形成了一套常规动作。和蔼的供应链经理约翰·方齐奥（John Fanzio）在这里工作，员工们把这儿当成一个可信赖的地方，来这儿发泄情绪或者说说八卦。每隔几天，希拉洛斯的安保部门主管埃德加·巴斯（Edgar Paz）就会下来，脸上一副坏笑，手里藏着一副工号牌。一看到他，约翰和后勤供应团队就会激动地聚集过来，想知道会发生什么。巴斯走近的时候，他会转动工号牌，从挂绳开始，直到露出正面的那张脸，引发一阵惊叹。那是桑尼最新的一位受害者。

约翰与格雷格、乔丹、特雷以及泰德成了好朋友。五个人共同形成了公司里小小一组还算清醒的群体。在湾区，约翰可能是唯一在离卸货区冰冷的卷闸门只有几英尺远的地方工作的战略供应链经理，但他喜欢，因为这样可以远离桑尼的监视和他那对人们工作小时数的过度关注。

不幸的是，恰恰是库房的这份工作最终带来了约翰自己的被逐。2012年2月的一天早晨，一个跟约翰一起工作的收货员开了一辆崭新锃亮的讴歌（Acura）来上班。他骄傲地跟约翰炫耀车子，约翰夸了他的车。不过，第二天，这辆车的车身上出现了一个很大的凹痕。一定是有人在公司的停车场撞了它。约翰检查停车场上的其他车子，寻找撞击的痕迹，找到了罪魁祸首。它属于桑尼带过来帮忙做软件开发的一名印度顾问。

车主跟朋友到外面抽烟休息的时候，约翰找到他，跟他对质。约翰用卷尺来比较讴歌车上凹痕的大小，和他车上擦痕的大小，这一招是从警匪片里学来的，即使如此，车主依然予以否认。约翰建议他的库房同事将事故报警，给警察看证据。事态由此升级。印度软件顾问上楼，向桑尼抱怨此事，桑尼怒气大发，冲下楼来，两手明显因为愤怒而颤抖。

“噢，是真的吗，你想做警察?”桑尼朝约翰怒吼，声音里透着嘲讽，“去做你的警察!”

然后他转向一名站在附近的保安，指着约翰，说：“带他出去!”在之前一整年看着埃德加·巴斯恶作剧般地公布被桑尼解雇的数不清的员工的身份之后，这下轮到约翰自己被炒鱿鱼了。

朋友的被解雇，令格雷格如坐针毡，也坚定了他离开公司的决心。一个月后，一位与他一起工作的年轻工程师一时疏忽，烧焦了部分迷你实验室的电路板。桑尼将格雷格和汤姆·布鲁米特召到办公室，生气地要求他们告诉他，谁该为此负责。他们拒绝说出来，他们很清楚，如果给他名字，桑尼一定会开除那个年轻人。

这事发生的时候，格雷格刚好拿到了股票期权。那天晚些时候，他再度来到桑尼的办公室，把辞职信交给他。桑尼平静地接受了，但格雷格一离开，他就把特雷、乔丹和泰德一个接一个地召到办公室，考量他们的动向。三个人全都向他保证，格雷格的决定不会对他们造成影响，自己仍会留在希拉洛斯长期工作，他们知道这正是桑尼想听到的。

在离职通知期内的最后一个星期六，格雷格继续来公司工作。桑尼表示了感谢，并且邀请他参加伊丽莎白在次周的星期一举行的一次会议，地点在旧金山海湾对面与帕洛阿尔托恰好相对的一个小城，纽瓦克（Newark）。希拉洛斯刚刚在那里签约租下了一个规模巨大的厂房，用来大批量生产迷你实验室。伊丽莎白在员工面前为这个洞穴一般的空旷空间揭幕。讲话的时候，她在观众中发现了格雷格，目光紧紧盯住他。

“如果这儿有人不相信你是在为人类有史以来所制造的最好的东西工作，或者你太消极悲观，那么你应当离开。”她重弹上次圣诞演讲的老调。然后，她仍然继续直直地盯着格雷格，同时她单独对特雷、乔丹和泰德点名给予特别赞扬。与会的大约有150名员工，她可以叫出其中所有人的名字，但她选择夸奖她明知道是他朋友的那三个人。这是最后的公开报复。

在格雷格离开后的几个月，希拉洛斯的旋转门继续以疯狂的节奏转动。一个更加离奇的事件涉及一名身材魁梧的软件工程师戴尔·巴恩维尔（Del Barnwell）。人们都叫他大戴尔，他以前是一名海军陆战队的直升机飞行员。桑尼认为他的工作时数不够长。他太过分了，竟然去调保安的记录，跟踪大戴尔的来来去去，在他的办公室当面责问大戴尔，声称记录表明他一天只工作八个小时。“我要修理你。”桑尼对大戴尔说，好像他是个被损坏的玩具一样。

但大戴尔不想被修理。会谈过后没多久，他给伊丽莎白的助理发了一封辞职的电子邮件。他没有得到任何回音，在最后两个星期的通知期内，他尽职尽责地工作。然后，在星期五的下午 4 点，大戴尔收拾好他的东西，径直走向办公楼的出口。此时桑尼和伊丽莎白突然出现，从楼梯上跑下来去追他。他们说，不签一份保密协议，就不能离开。

大戴尔拒绝了。在入职的时候他已经签过保密协议，而且除此以外，他们本来有两个星期的时间可以为他安排离职面谈。现在他是自由的，想走就走，而且他非常想走。当他开着自己的黄色丰田陆地巡洋舰从停车位倒出来的时候，桑尼派了一名警卫跟着他，想阻止他。大戴尔无视警卫，开车扬长而去。

桑尼打电话报警。二十分钟后，一辆警察的巡逻车缓缓停在办公楼前，熄了车灯。暴怒的桑尼告诉警官，一名员工辞职，带着公司的财产跑了。警官询问他带走了什么，桑尼以他带有口音的英语脱口而出：“他在脑子里偷走了公司财产。”

第九章　健康游戏

西夫韦公司的生意惨淡。这家连锁超市刚刚公布，2011 年的最后三个月，公司利润下降了 6%，在公司的季度收益电话会议上，长年担任 CEO 的史蒂夫·伯德正疲于向数十位拨入电话参加会议的分析师解释原因。

其中一位分析师是来自瑞士信贷银行（Credit Suisse）的埃德·凯利（Ed Kelly），他正在温和地指责伯德运用股票回购来掩饰糟糕的业绩。即使公司的真实收益下降，通过回购减少所发行的股票的数量，可以人为地提高公司的每股收益——这是投资者最关注的指标。这个把戏一点都不新鲜，机敏的华尔街分析师熟悉公司常玩的各种花招，一眼就可以看穿。

恼羞成怒的伯德表示不同意。他相信西夫韦的财务状况将得到改善，因而购买自己的股票是一项明智的投资。为了证明他的乐观不无理由，他拿出了公司正致力发展的三项计划。他那些很难被取悦的听众对前两项计划不以为意，都是旧消息罢了。但当他说到第三项的时候，分析师的耳朵竖了起来。

“我们正在考虑一项重大的……啊，我想把它叫作健康游戏。”他故作神秘地说。

这是伯德第一次在公开场合提及此事。他没有详细说明，但分析师得到的信息是，这家 97 岁高龄、臃肿的连锁百货公司有一项秘密计划，可以让其疲软的生意实现跳跃式发展。在西夫韦内部，这项秘密计划的代号是“霸王龙计划”（Project T-Rex）。它指的不会是其他项目，只可能是与希拉洛斯的伙伴关系，到现在——2012 年 2 月——已经进行了两年时间。

伯德对这项冒险的期望很高。他要求西夫韦的 1700 家门店要有过半数的门店进行改建，留出空间打造高端诊所：豪华地毯、定制的实木家具、大理石台面、平板电视。按照希拉洛斯的要求，它们被称为健康中心，它们必须看上去“比美容店好得多”。尽管 3.5 亿美元的改造成本全部由西夫韦公司自己承担，但一旦新的诊所开始提供那家创业公司的全新血液检测，伯德对新诊所的期待可远远不止于收回这个成本。

收益电话会议几个星期后，伯德和他的管理团队带了一群分析师，前往西夫韦的一家门店，它位于奥克兰东部，离伯德在风景如画的圣拉蒙谷（San Ramon Valley）的家只有几英里远。分析师们看到了门店里的新健康中心，但伯德仍对其中将要提供什么样的服务讳莫如深。甚至连门店经理也蒙在鼓里。希拉洛斯坚持在真正启动之前要绝对保密。

从两家公司同意一起开展业务以来，已经很是耽误了一些时间。有一次，伊丽莎白告诉伯德，2011 年 3 月袭击日本东部的地震影响到希拉洛斯生产其设备检测盒的能力。有一些西夫韦的管理层觉得这个理由太扯了，但伯德表面看来接受了。他对那位年轻的斯坦福辍学生和她的革命性技术抱有太多幻想，因为这跟他预防性医疗保健的梦想是如此完美吻合。

伊丽莎白有一条专线直达伯德，只对他回复。在普莱森顿的公司总部建立了一间作战室，一小群秘密参加霸王龙计划的西夫韦管理层在这里每周开例会，讨论进展情况。伯德参加了所有的会议，或者是亲身参加，或者如果外出的时候通过电话会议参加。当人们提出问题和事情，需要反馈给希拉洛斯的时候，他会开始说重复过多次的话：“我会跟伊丽莎白说说这事。”拉瑞·伦达——1974 年，青少年时代的她就在西夫韦做装袋工，后来一路晋升，爬到公司管理层，成为伯德的顶级助手——和其他参与项目的高管都很惊讶，伯德居然给了那个年轻女子如此大的活动范围。他通常要求副手和公司的合作伙伴严格按期限执行，但他却任由伊丽莎白错过一个又一个最后期限。伯德的一些同事知道他有两个儿子。他们开始怀疑，他是否把伊丽莎白看作自己没有能拥有的女儿。不管怎么样，他是落入她的彀中了。

在所有这些耽搁之后，到 2012 年初的几个月，合作似乎终于要开始起步了：作为正式启动之前的试运行，两家公司同意，西夫韦在普莱森顿的公司园区开设一家员工健康诊所，由希拉洛斯承担血液检测工作。诊所是伯德控制这家超市运营商的医保成本战略的一部分，鼓励员工更多关爱自己的健康。它提供免费的检测。表现优异的员工可以在健康保险的保费方面获得折扣。诊所设在西夫韦园区邻近健身房的位置，很方便，员工包括一位医生和三位执业护士，配备了五间诊疗室。它还有一个小小的实验室。前台有一块全新的标牌写着："希拉洛斯承担检测。"

员工诊所是伦达的管理范围。她的其他职责中还包括管理西夫韦健康（Safeway Health），伯德创立的这家分支机构是为了将西夫韦在健康福利方面的专业经验推销给其他公司。从伊丽莎白第一次在普莱森顿出现，时间已经过去了两年，伦达的丈夫在与肺癌的抗争中已经败下阵来，但她仍然希望，希拉洛斯的无痛针刺检测能让其他人免遭丈夫在生命的最后几个月中反复扎针的那种折磨。

伦达刚刚雇用了西夫韦公司第一位首席医疗官。他名叫肯特·布莱德利（Kent Bradley），来自美国陆军，他上过西点军校和坐落于马里兰州波斯赛达（Bethesda）的陆军医学院，随后在美国陆军服务超过十七年。布莱德利在军方的最后一项职责是管理军队医疗保健计划（Tricare）的欧洲部分，该计划为现役和退役的军人提供医疗保险。其他职责方面，伦达要求这位说话温和的前军方医生负责监管公司园区的诊所。

在部队的时候，布莱德利在工作中接触过许多复杂的医疗技术，所以他很好奇，想见到希拉洛斯系统实际运作。不过，他惊讶地得知，希拉洛斯不打算把它的任何设备放在普莱森顿的诊所里。取而代之的是，它在诊所里安排了两位采血师，抽取血液，然后样本通过快递送到旧金山海湾对面的帕洛阿尔托进行检测。他还注意到，采血师从每一位员工身上抽血两次，一次是在食指上使用刺血针，第二次是传统的方式，即用皮下注射针头扎在手臂上。如果希拉洛斯的指尖针刺技术已经发展成熟，即将面向消费者使用，为什么还需要静脉穿刺（注射针头取血的医学术语）呢？他觉得很奇怪。

当注意到检测结果返回所需要的时间时，布莱德利的怀疑进一步加深了。他的理解一直是，这些检测应当差不多是即时的，但一些西夫韦的员工要等上两个星期才能拿到结果。而且，并不是每一项检测都是由希拉洛斯自己做。尽管这家创业公司从未表示过会将部分检测外包，但布莱德利发现，它将部分检测分包给盐湖城的一家名叫 ARUP 的大型参照实验室。

不过，真正让布莱德利敲响警钟的，是一些本来健康的员工开始来找他：他们对异常的检测结果忧心忡忡。为了以防万一，他让他们去奎斯特（Quest）或实验室集团（LabCorp）的门店作再次检测。每一次，新得到的检测结果都回归正常，说明希拉洛斯的检测是扯淡。然后，有一天，一名西夫韦的高管拿到返回的 PSA 检测结果。PSA 代表“前列腺特异性抗原”，是前列腺的细胞中产生的一种蛋白质。一个人血液中该蛋白质的浓度越高，他得前列腺癌的可能性越大。这位西夫韦高管的检测结果值非常高，几乎可以说明他肯定得了前列腺癌。但布莱德利有所怀疑。像处理其他员工一样，他让这位焦虑的同事去另一个实验室作重新检测，然后，你看，得到的结果也是回归正常。

布莱德利将所有这些差异汇总到一起，做了一个详细的分析。希拉洛斯的检测值和其他实验室的检测值之间，差异大得令人惊异。当希拉洛斯的检测值与其他实验室的检测值相符的时候，检测大多都是由 ARUP 完成的。

布莱德利将自己的疑虑告知伦达和西夫韦健康的总裁布拉德·沃尔夫森（Brad Wolfsen）。伦达的信心也在过去的两年中有所动摇，她鼓励布莱德利去找伯德谈谈，布莱德利照做了。但伯德彬彬有礼地拒绝了他，并向这位前军医保证，希拉洛斯的技术已经通过审查，是可靠的。

从普莱森顿的西夫韦员工身上取得的血液样本，被送到帕洛阿尔托的草地东环路（East Meadow Circle）的一幢平层石砌门面建筑。2012 年春季，希拉洛斯临时在这里建立了它的首个实验室，而其他正在发展的营运部门则从山景大道搬到附近一座更大的建筑——之前是被脸书公司占用的。

几个月前，实验室获得证书，证明其符合 CLIA（联邦监管临床实验室的法律）的要求，但要获得这样的证书并不难。尽管 CLIA 最终是由美国医疗保健和医疗服务中心（CMS）负责实施，但这家联邦机构将绝大多数常规实验室的审查授权给州政府。在加州，它们是由州政府卫生部所属的实验室现场服务处（Laboratory Field Services division）负责，而一项审计显示该机构的资金严重不足，很难履行其监管职责。

如果史蒂夫·伯德得到允许进入草地东环路的实验室——位于这座单层建筑中心的一圈房间——他就会注意到，其中没有任何一台希拉洛斯的专有设备。那是因为迷你实验室仍然处于开发阶段，完全还没有准备好作病人测试。实验室真正所有的，是一堆已经商业化的血液和体液分析仪器，由诸如芝加哥的雅培公司（Abbott Laboratories）、德国的西门子以及意大利的索灵公司（Diasorin）这样的企业制造。实验室由一位笨拙的病理学家阿诺德·盖尔博（Arnold Gelb）管理，人们叫他“阿尼”（Arne），他的员工包括一堆临床试验技术人员（clinical laboratory scientists），或者简称 CLS——拥有州政府执照、可以处理人类样本的实验室技术人员。尽管在这个阶段实验室用的只是商用设备，但仍然有很多事情可能出错，而且确实出现了很多错误。

最主要的问题是实验室缺乏有经验的人。实验室的 CLS 中，有一个名叫科萨尔·林（Kosal Lim）的小伙子，他粗心大意而且缺乏训练，以至于他的一位同僚戴安娜·杜普伊（Diana Dupuy）认为他危害到检测结果的准确性。杜普伊来自休斯敦，曾经在休斯敦的知名癌症中心安德森中心（MD Anderson）接受训练。她成为 CLS 已有七年时间，大部分时间是做一位输血专业人员，这让她对 CLIA 的监管有深入的了解。她严格按照章程操作，如果发现有违反的情况，会毫不犹豫地报告。

在杜普伊看来，林的莽撞是不可原谅的。其中包括：无视制造商关于如何处理试剂的要求；将已过期的试剂和未过期的试剂放在同一个冰箱里；在未经校准的实验室设备上运行病人检测；不恰当地在分析仪上运行质量控制检查；执行他未经训练的任务；污染了一瓶瑞氏色素（一种用来区分不同血细胞类型的混合染料）。杜普伊脾气急躁，当面跟林对质了好几次，告诉他自己总有一天会成为实验室巡查员，要把像他这样糟糕的实验室技术员清除出去。当他做不到符合她的标准时，她开始记录他的糟糕表现，通过电子邮件发送给盖尔博和桑尼，还常常附上照片证明她的观点。

杜普伊也对希拉洛斯驻扎在普莱森顿的两位采血师的表现感到担忧。在被检测之前，血液通常会在离心机里旋转处理，以便将其血浆和病人的血细胞分离。对于拿到的离心机，采血师没有接受过如何使用的训练，不知道病人的血液要被旋转多长时间，以什么速度旋转。血浆样本到达帕洛阿尔托的时候，常常已经被特定物质污染。她还发现，希拉洛斯使用的许多抽血管是过期的，其中的抗凝剂已经失效，损害了样本的完整性。

在有一次发出抱怨之后，没过多久，杜普伊被派到了特拉华州，去接受培训，学习如何使用希拉洛斯新购买的一台西门子新型分析仪。一个星期后，她出差归来，发现实验室已经无可指摘。桑尼似乎就在那里等着她，把她召唤到一个会议室。桑尼以一种带有威胁的语气通知她，在她离开期间，他已经在实验室转了一圈，没有发现任何一项可以证明她的抱怨的事情。然后，他提出一件事情，说在她飞往特拉华州的那天，她让男朋友进入公司帮她拿行李。这是对公司安全保密政策的严重侵犯，他已决定为此解雇她。在让她对此事消化了一会儿之后，他打电话叫盖尔博进来，问他是否将杜普伊看作实验室的一员，是否想继续留任她。盖尔博说他愿意，此时桑尼不情愿地收回成命。杜普伊最终还是留了下来。

带着震惊，她回到自己的座位上发呆。接下来她记得的事情，是一位IT部的员工拍了拍她的肩膀，要她跟着到走廊上去。他正在重新创建她的公司手机连接，需要她提供一些信息。在改变主意之前，桑尼已经下令，把她的公司电子邮箱以及与公司网络的连接全都切断。

像杜普伊这样心直口快的人，注定在希拉洛斯不会待很长时间。三个星期后，一个星期五的上午，桑尼回到草地东环路的这座房子，再次解雇了她，这次是永久性的。她被立即驱逐出这座房子，甚至没有机会收拾她的个人物品。解雇她的原因在于，她让人们注意到一件事情，由于账单未付，实验室的一家主要供货商冻结了其购买订单。

由于对自己的遭遇感到愤怒，杜普伊在那个周末向桑尼发送了一封电子邮件，坚持她有权拿回个人物品，除了实验室的书籍之外，还有一个装有她的眼镜和加利福尼亚CLS执照的化妆袋。这封电子邮件她抄送给伊丽莎白，其中强烈控诉了桑尼的管理方式和实验室的状况：

> 至少有五个人警告过我，你是一门失控的大炮。到底如何［原文如此］[1]什么让你扣动扳机发炮，完全看你自己的心情。还有人告诉我，不管什么时候什么人跟你打交道，那人从来都不会有好结果。
>
> …………
>
> 有科萨尔在做事，CLIA实验室就会有麻烦，而且没有人监督他或是阿尼。你这个平庸的实验室主管不知为何会支持一个不合格的CLS。我向你保证，将来的某一天，科萨尔肯定会犯下大错，严重影响病人的检测结果。事实上我想有几次他已经犯下了错误，但他把这归罪于试剂。正如你所说，他接触到的任何东西都造成灾难！
>
> 我仅仅只是［原文如此］希望，多少能让你明白，你创造了一个人们出于恐惧而向你隐瞒的工作环境。你不能通过恐惧

1 杜普伊的原始邮件中多了一个“how”，作者特别标注原文如此。下同。

和恐吓来管理一家公司……它只会在一段时间内得逞，但终将毁灭。

桑尼同意，派人在草地东环路办公室的门前与她见面，归还她的东西，但是警告她，公司的律师将会联系她。随后的几天，杜普伊收到许多由希拉洛斯的高级法律顾问大卫·多伊尔发来的措辞严厉的电子邮件，要求她签署一份声明，保证将受雇期间获得的所有材料归还希拉洛斯公司或是“永久销毁”，遵守她的保密义务。

杜普伊一开始拒绝了，她雇了一位奥克兰的律师，以提起非法解雇诉讼来威胁公司，但当希拉洛斯从威尔逊·桑西尼律师事务所请了一位更强有力的律师过来后，她的律师建议她让步，签署该文件。他告诉她，与硅谷最厉害的律师事务所对抗必定失败。她不情愿地听从了他的建议。

西夫韦当然对所有这些都一无所知。从2012年到2013年，它继续让希拉洛斯处理其在普莱森顿诊所的血液检测。它也在加州北部的数十家门店设置了健康中心，在其中雇用采血师作为员工。但时间一个月一个月过去，希拉洛斯仍继续推迟启动的日期。

2012年4月底，在第一季度收益电话会议上，伯德被问及西夫韦神秘的“健康游戏”的现状。他回答说，它还没有“为黄金时间做好准备”，但到公司真正启动的时候，它会对公司的财务状况产生“实质性的影响”。随后在7月份的收益电话会议上，他主动提供信息，说它“非常有可能在第四季度”真正完成。然而，第四季度来临，启动并没有到来。

到这个时候，一些西夫韦的高管开始愤怒了。他们拿不到自己的奖金，因为公司一再未能达成财务目标，而这些目标中包括了从希拉洛斯的伙伴关系中预测可以获得的额外收入和盈利。马特·奥雷尔（Matt O’Rell）是西夫韦公司财务部的一名管理人员，他负责测算健康中心带来的预计收入。按照激进的假设，即每一个健康中心每天吸引50名病人，他预测每年会带来2.5亿美元的额外收入。现在不仅是这笔收入没有实现，单单是为了建设这些中心，西夫韦已经花费了超过 1 亿美元。

尽管无事可做，但健康中心却占据了门店内有价值的不动产空间——它本来可以用作其他有利可图的用途。伦达和布莱德利厌倦了等待，一起就如何利用这些空间提出许多主意。其中之一是给健康中心配备营养学家，用来提供饮食建议。另一个主意，是将它们转变成配备完全的医疗诊所，由执业护士来运作。还有一个主意是提供远程医疗服务。他们游说伯德，请求让他们实施这些计划，但是伯德与伊丽莎白讨论之后，否决了他们的提议。他说，她不愿意放弃这些空间。

在幕后，西夫韦的董事会正逐渐失去耐心。伯德在这个职位上已经待了二十年，显然华尔街已经对他失去了信心。他担任 CEO 的头一个十年取得了巨大成功，带来了西夫韦股票价格的大幅上涨。但近些年来，他对医疗和健康的热情使他忽略了仍旧是公司核心的东西：那单调乏味的销售杂货的生意。投向健康中心的巨额投资，和未能结出硕果的无尽拖延，是最后一根稻草。

2013 年 1 月 2 日，股市收盘后不久，西夫韦公司发布了一份公告，宣布在 5 月的年度股东大会之后，伯德将会退休。公告显示，决定是伯德主动做出的，但伦达和其他管理层怀疑，是董事会要求他下台。甚至到了出局的时候，伯德对仍处于秘密状态的希拉洛斯伙伴关系的前景还抱有乐观态度。公告列出他担任 CEO 所取得的一系列成就，其中包括一项引用他本人的话，说西夫韦很快将“推出一项健康行动计划，力争实现公司转型”。

伯德离开后，与伊丽莎白的联系渠道没了。西夫韦公司的任何人想与希拉洛斯对话，必须通过桑尼或是兄弟派。无论西夫韦管理层什么时候要求了解最新情况，桑尼总是推迟，好像他的时间太过宝贵，不能浪费，而他们不了解要制造如此量级的一种创新产品到底需要多久。他的傲慢令人愤怒。不过，西夫韦仍然犹豫着，没有解除伙伴关系抽身走人。如果事实证明希拉洛斯的技术真的可以改变游戏规则，会怎么样呢？如果是那样，错失了它，也许接下来十年都会处于悔恨之中。错失的恐惧仍旧是强有力的威慑。

至于伯德，很显然他还没准备退休。离开连锁超市三个月后，他创建了一家咨询公司，向公司提供关于如何减少医保成本的建议。他将公司命名为伯德健康（Burd Health）。以健康创业公司合伙创始人的身份，他试图重新与伊丽莎白建立联系。但她再也不接他的电话了。

第十章 “谁是舒梅克中校？”

大卫·舒梅克（David Shoemaker）中校一直在有礼貌地听这位信心满满的年轻女子说话，她坐在会议桌的顶头，解释她的公司想要如何运营，但听了十五分钟后，他无法再保持沉默。

“你们的监管结构还没做好飞翔的准备。”他打断了她。

伊丽莎白恼怒地盯着这位穿军服、戴眼镜的军官，此人喋喋不休地列举了很多规定，他觉得伊丽莎白刚才讲的不符合这些规定。这不是她想听到的。舒梅克和他带领的这支军方小代表团在 2011 年 11 月的这个上午受邀来到帕洛阿尔托，他们是来为希拉洛斯将其设备部署到阿富汗战场的计划送上祝福，而不是就其监管策略提出反对意见的。

此前的那个 8 月，伊丽莎白在旧金山的海军陆战队纪念俱乐部（Marines' Memorial Club）遇到了美国中央司令部司令詹姆斯·马蒂斯（James Mattis）[1]，把希拉洛斯的设备用到战场上的想法由此而生。伊丽莎白即兴推销，说她创新的血液检测方式只需要刺一下指尖，就可以帮助更快地诊断和救治受伤的士兵，这番话在这位四星上将身上获得了认同。吉姆·“疯狗”·马蒂斯[2]极为爱护他的部下，这让他成为美军中最受人欢迎的指挥官。这位将军干劲十足，对任何可能使他的人更安全——尤其

1 美国海军陆战队退役上将，2010 年 7 月开始担任美军中央司令部司令，2013 年退役。2017 年 1 月起在特朗普政府中担任美国国防部长。

2 吉姆为詹姆斯的昵称，“疯狗”是詹姆斯·马蒂斯的绰号。

是当他们在漫长无期、伤亡惨烈的阿富汗战争中与塔利班作战时——的技术都持开放态度。与伊丽莎白碰面之后，他要求中央司令部的下属对希拉洛斯的设备开展战地现场测试。

根据军方规定，此类申请必须通过设在马里兰州德特里克堡（Fort Detrick）的美军医疗部，在那里，申请通常都会抵达舒梅克中校的办公桌。作为受控行为和服从情况处（the Division of Regulated Activities and Compliance）的副主管，舒梅克的工作是确保军队在使用医疗设备时遵守所有法律和规章。

舒梅克并非普通的军队官僚。他拥有微生物学的博士学位，花了很多年的时间研究用于脑膜炎和兔热病毒的疫苗，兔热病毒是在白尾灰兔身上发现的一种危险病毒，冷战期间被美国和苏联武器化。他还是美军中第一个在美国食品和药品管理署（FDA）完成一年研究工作的军官，使他成为军方 FDA 监管方面的常驻专家。

舒梅克身上有种温和、谦逊的风度，笑容亲切，讲话的方式是那种俄亥俄式的南方慢调子，但在觉得需要的时候，他也会对人很直接。他警告伊丽莎白，希拉洛斯的策略——试图完全绕过 FDA——是绝无可能的，尤其是如果像她言之凿凿向他保证的那样，在接下来的春天把她的设备推向全国范围的话。他告诉她，那家机构绝不会允许没有通过评估程序就让她那样做。

伊丽莎白引用希拉洛斯从其法律顾问那里获得的建议，表示强烈反对。舒梅克很快就明白，她太过防备，太倔强了，继续争论下去是浪费时间。很显然，她不想听到任何与她的观点相抵触的东西。他环顾会议桌，注意到她没有带任何法规事务的专家参加会议。他怀疑这家公司根本就没有雇用这样的人。如果他猜得没错，那是一种极为天真的运作方式。在这个国家，医疗健康是受到最严格监管的行业，理由非常充分：它对应的代价是病人的生命。

舒梅克告诉伊丽莎白，如果想要他开绿灯，允许她在军人身上使用她的机器，她需要从 FDA 获得书面形式的材料来支持她的立场。她的脸上表现出高度的不满。她继续做她的演示，但在剩下的时间里都对舒梅克冷眼相待。

在十八年的军队职业生涯中，舒梅克遇到过许许多多的人，他们想当然地认为军队可以不用受到民事法律的监管，可以自由从事自己想要的医学研究。尽管并不是说过去没有发生过此类事情，但事实完全不是这样。第二次世界大战期间，五角大楼在美军士兵身上测试过芥子毒气，20 世纪 60 年代在俘虏身上试过橙剂（Agent Orange）[1]，但军方毫无监管、随心所欲开展实验的时候已经一去不复返了。

例如，在 20 世纪 90 年代的塞尔维亚冲突中，在向派驻巴尔干地区的部队提供一种试验性的对抗蜱媒脑炎的疫苗之前，五角大楼确保先得到 FDA 的认可。而且只有愿意接受的士兵才会得到疫苗。类似地，2003 年在伊拉克，军方与该机构密切合作，为士兵提供一种临床试验性的针对肉毒杆菌毒素的疫苗。那个时候，正是对萨达姆·侯赛因储存了致命的生化武器的担忧高涨之时，所提供的疫苗是由德特里克堡的研究人员开发的，但尚未获得 FDA 的批准。

在这两个例子中，军方都向一家机构审查委员会（institutional review board, IRB）提出咨询，该委员会在军队内部对医学研究进行监管，确保其安全地、符合道德伦理地开展研究。如果 IRB 认定一项拟议中的研究没有产生明显的风险，FDA 通常允许它继续推进，前提是它必须在经委员会审核和批准后的严格协议之下执行。

适用于疫苗的要求同样也适用于医疗设备。如果希拉洛斯想在阿富汗的部队试验其血液检测机器，舒梅克肯定认为它需要配备一项由 IRB 批准的研究协议。但既然伊丽莎白如此顽固，他又在事后收到了中央司令部的劝告，舒梅克决定引入一位此前在 FDA 工作的军方律师，耶利米·凯利（Jeremiah Kelly）。他再次安排与伊丽莎白的会见，让凯利可以直接与伊丽莎白对话，提供其他意见。他们同意安排在 2011 年 12 月 9 日下午 3 点 30 分，地点在希拉洛斯的律师事务所扎克曼·施佩德

1 一种剧毒除草剂喷液。

（Zuckerman Spaeder）位于华盛顿的办公室内。

伊丽莎白单独来参加会议，带着一份只有一页纸的文件，勾画着舒梅克几周前在帕洛阿尔托已经听到她说过的同样的监管观点。他不得不说：她列出的结构很有创意。甚至可以说是狡猾。

这份文件解释，希拉洛斯的设备仅仅只是远程样本处理单位。血液分析的真正工作是在公司位于帕洛阿尔托的实验室进行，在那里计算机分析设备传输过来的数据，并由有资质的实验室人员复核、解释检测结果。因此，只有帕洛阿尔托的实验室需要获得许可。设备本身类似于"无声的"传真机，是免于监管的。

舒梅克发现还有第二个令他觉得疙疙瘩瘩、同样难以忍受的地方：希拉洛斯坚持其设备进行的血液检测是实验室开发检测，因此不在FDA的审查范围之内。

那么，希拉洛斯的立场就是，它在帕洛阿尔托的实验室的一张CLIA的许可，就足以让它在任何地方设置和使用它的设备。这是一个聪明的主意，但舒梅克并不买账。凯利也是。希拉洛斯的设备不仅仅是无言的传真机。它们是血液分析仪器，像所有市场上的其他分析仪器一样，它们最终需要经过FDA的审核和批准。到那个时候，希拉洛斯需要咨询机构审查委员会，提出一个该机构可以接受的研究协议。这样一个过程通常需要六到九个月的时间。

伊丽莎白继续表示不同意，无视军方在场的律师。她的身体语言不像在帕洛阿尔托那样富有敌意，而是更愿意进行一场讨论，但他们仍然陷入僵局之中。奇怪的是，扎克曼·施佩德律师事务所没有派人陪她待在会议室里。舒梅克希望能有几个律所的合伙人陪她一起参加，但就只有她自己在那里。她继续引用律所的法律建议，但律所没有人在那里为她作证。

会议最后以舒梅克重申他的立场结束：他需要看到来自FDA的、支持希拉洛斯所处监管地位的书面材料，才能签发在阿富汗进行试验的许可。伊丽莎白同意去取得这样的证明信。她的举动看上去煞有介事。舒梅克对此非常怀疑，不过至少现在扯清了：球是到了希拉洛斯这边。

舒梅克此后没有收到关于此事的更多消息。直到 2012 年春末，他又开始收到来自中央司令部的询问。他不由得感到恼火。希拉洛斯不仅没有提供他要求的证明信，而且从他和凯利 12 月份去华盛顿见过伊丽莎白之后，公司甚至完全无声无息。

在取得上司同意后，他决定自己与 FDA 取得联系。2012 年 6 月 14 日上午，他发了一封电子邮件给该机构微生物设备处的主管萨莉·霍瓦特（Sally Hojvat）。2003 年，舒梅克在 FDA 做访问学者期间，两人曾经共事，而且在此前一周的一个会议上刚刚见过面。舒梅克向霍瓦特描述了希拉洛斯的情况，称该公司的监管观点“相当新颖”，请求 FDA 对其予以引导。尽管他并没有打算让这封电子邮件超出非正式的咨询请求范围，但在发送之前仍再三斟酌，自己是否可以预见到它可能引发的一系列事情。

霍瓦特将他的问询转发给五位同事，包括 FDA 的试管内诊断和放射学健康办公室（Office of In Vitro Diagnostics and Radiological Health）主任阿尔伯特·古铁雷兹（Alberto Gutierrez）。古铁雷兹拥有普林斯顿的化学博士学位，他在 FDA 工作的二十年中，恰巧有一小段时间是花在思考实验室开发检测的相关问题方面。

FDA 长期以来都在考虑将 LDTs（即实验室开发检测的简称）的监管纳入自己的权限之内。然而，在实践中，它并没有这样做，因为回溯到 1976 年，在对《联邦食品、药物和化妆品法》（Federal Food, Drug, and Cosmetic Act）进行修订、从而将该机构的权限从药物扩展到医疗设备时，LDTs 还很罕见。那时只有某项不太寻常的医疗案子有需要，地方的实验室偶尔才会做一下。

到了 20 世纪 90 年代，这一情况发生了变化，实验室开始为了大众用途而做更多的复杂检测，包括基因检测。根据 FDA 自己的预测，大量有缺陷的、不可靠的检测被推向市场，使用范围包括从百日咳、莱姆病（Lyme disease）到各种癌症，给病人造成难以言说的伤害。在 FDA 内部，有一种共识越来越强烈，即它需要开始监管实验室的这一部分业务，持此观点最有力的人，就是古铁雷兹。当他看到霍瓦特转发给自己的舒梅克的邮件时，古铁雷兹难以置信地摇了摇头。其中所描述的监管方式，正是那种绕过 FDA 的监管擦边球类型，这是他想要阻止的。

古铁雷兹的观点——应当由 FDA 而不是美国医疗保险和医疗救助服务中心（CMS）来监管 LDTs——并不意味着他与 CMS 的同僚相处得不好。恰恰相反，他们有良好的工作关系，经常越过机构的界限进行联系，试图沟通因过时的法规造成的监管真空。古铁雷兹将舒梅克的电子邮件转发给朱迪斯·约斯特（Judith Yost）和彭妮·凯勒（Penny Keller）——她们是 CMS 的实验室监管处成员——并且在邮件开头加了一个说明：

> 看看这个!!! CMS 会把这个东西看作 LDT 吗？我很难看清楚，在这个案子上我们是否会行使执法自由裁量权。
>
> 阿尔伯特

在经过几轮反复之后，古铁雷兹、约斯特和凯勒都得到了同样的结论：希拉洛斯的模式不符合联邦监管规范。约斯特和凯勒认为，不妨派人去帕洛阿尔托，看看这家他们此前闻所未闻的公司在做什么，并纠正其错误理解。

这项工作落到了加里·山本（Gary Yamamoto）的头上，他是 CMS 旧金山地区分部的资深现场巡视员。两个月后，2012 年 8 月 13 日，山本未经通知，突然来到希拉洛斯在帕洛阿尔托的办公室。那个时候，公司已经完全搬入脸书公司原来那幢坐落于南加利福尼亚大道（South California Avenue）1601 号的办公楼，离之前它在山景大道的办公室不到 1 英里远。

桑尼和伊丽莎白带领山本进入会议室。山本解释说，他的机构收到了一份关于希拉洛斯的投诉，他来是为了就此进行调查。他很惊讶地发现，他们知道那投诉是来自哪里，来自何人。看来已经有人将舒梅克给 FDA 发邮件的事情暗中通知了他们。伊丽莎白很不高兴，情绪明显地反映在她阴云密布的脸上。她和桑尼声称不知道舒梅克在电子邮件中说的事情。

是的，伊丽莎白曾经与这位军官见过面，但她从未跟他说过，仅仅凭借一张 CLIA 的执照，希拉洛斯就想把它的血液检测设备到处进行配置。

那么为什么希拉洛斯已经申请了 CLIA 的执照呢？山本问道。桑尼回答，公司想了解实验室如何操作，是不是有比自己运营实验室更好的方式？山本发现这个回答很可疑，暧昧模糊，毫无意义。他要求看看他们的实验室。

他们无法像拒绝凯文·亨特一样拒绝他。这是一位联邦监管机构的代表，不是什么私人的实验室顾问，可以随意蔑视。因此，桑尼不情愿地带着巡视员来到新办公楼二楼的一个房间。杜普伊被解雇后，希拉洛斯将实验室从草地东环路的临时处所搬到了这里。

山本在房间里没有发现什么印象深刻的东西，但也没有什么大的问题：那是一个狭小的空间，有一群人穿着白色的实验服，还有一些闲置的商用诊断仪器。看上去跟别的实验室没什么两样，没有任何特别的或是创新的血液检测技术的迹象。当他指出这一点时，桑尼说希拉洛斯的设备仍处于开发之中，公司并没有不经 FDA 的许可就部署它们的计划，这与伊丽莎白不是一次而是两次对舒梅克说的话截然不同。山本不确定该相信哪一方。那位军官有什么必要捏造所有这些事情呢？

然而，对于希拉洛斯现在的运作方式，他找不到有什么明显违规的地方，所以他跟桑尼说了一大通关于实验室监管的话，然后让他过关了。他再三强调，从一个 CLIA 认证的主基地，远程遥控试验性血液分析仪运作——舒梅克在他写给萨莉·霍瓦特的电子邮件里描述的场景——是不可能的。如果希拉洛斯最终还是要把设备推广到其他地点，那些地方也需要 CLIA 的认证。除此以外，更好的情况是设备自身通过 FDA 的批准。

当感觉公司遭受攻击的时候，伊丽莎白绝不是一个坐视不理、平静接受的人。在一封写给马蒂斯将军的措辞激烈的邮件里，她抨击了那位胆敢在她的道路上安置障碍的人。她写道，舒梅克公然将关于希拉洛斯的“虚假信息”传递给 FDA 和 CMS。她随后用几个段落指责这位陆军中校，列出了据称他向那些机构所做的陈述中七项不准确的地方，而这陈述是在“我们的法律顾问的帮助下编写的”。她在邮件最后提出要求：

> 我们正迅速采取行动，去纠正这些误导性的陈述。我将非常感激您的帮助，让这信息在监管机构那里得到纠正——舒梅克中校告诉FDA，给他们的是关于“希拉洛斯在做什么”的“警告”，向FDA提供错误的信息，让人觉得我们好像是在做违法的事情。由于错误信息来自国防部内部，如果由国防部内部的合适的人对此信息正式予以纠正，将具有无比珍贵的价值。谢谢您的周到，并一如既往地感谢您付出的时间。
>
> 致以最真诚的祝愿
>
> 伊丽莎白

几个小时后，马蒂斯读到伊丽莎白的电子邮件，极为愤怒。他将邮件转发给艾林·埃德加（Erin Edgar）上校，此人是中央司令部的总军医，也是他安排负责落实希拉洛斯战地测试的助手。他附了一段话表达自己的怒气：

> 艾林：谁是舒梅克中校？到底发生了什么事情？……我想要这个设备尽可能快地在战场上测试，要合法地，合乎道德伦理，还有我要知道下面提到的会谈是否发生过，我们如何可以克服这个新的障碍……最低限度，我需要关于以下陈述之准确性的基础事实。如果我需要面见舒梅克中校和曼（Mann）中校，让他们解释我在推动不符合伦理道德或不合法的事情，请安排时间，等我回国后，让他们在坦帕（Tampa）[1] 与我会面（我可能会在战场上逗留，错过原定的返回日期）。谢谢，M

1　佛罗里达州城市，美军中央司令部所在地。

CMS 巡视员的出其不意造访，将伊丽莎白推入了战斗状态。打电话给埃德加上校时，她威胁要起诉舒梅克。埃德加将她的威胁以及 CMS 巡查的消息，一起转达给他在德特里克堡的那位同事。他还把伊丽莎白给马蒂斯的邮件以及马蒂斯的反应也转发给了舒梅克。

读完这一串邮件，舒梅克脸都白了。马蒂斯是军队中最有权势、最令人可怕的人。这位直言无忌的将军有一次著名的讲话，他对驻扎在伊拉克的海军陆战队说："你们要有礼貌，要专业，但要准备杀死遇到的每一个人。"如果你是一个低阶军官，绝不想让这样一个人站在你的对立面。

因为自己的行为引发了对这家公司的巡查，舒梅克也确实觉得很不好过。他深知这样的造访多么令人难受：他之前在陆军传染病医学研究所（the Army Medical Research Institute of Infectious Diseases）任职，担任生物安全处主管，该部门负责军队研究中所使用的生物威胁性试剂的安全，那正是在 2008 年 7 月布鲁斯·埃文斯（Bruce Ivins）自杀[1]的两周之前。埃文斯的自杀揭露，作为该研究所的一名研究人员，他很有可能是 2001 年的炭疽病毒攻击的罪魁祸首，也导致一系列各种缩写名的政府机构对该研究所开展大规模检查，持续两年之久。在每一次检查中，舒梅克都是接受检查一方的负责官员。

在埃德加上校的鼓励下，他试图平息局势，发邮件给 CMS 的官员，说他从来没有想要暗示希拉洛斯已经在实施他所描述的监管模式，它只是在考虑而已。他也表示惊讶，该机构竟然告诉希拉洛斯公司，他是要求发起巡查的人。他收到的回复带来另一个意外：CMS 没有告诉希拉洛斯公司此事；当巡视员到达的时候，该公司已经手握他与 FDA 往来通信的副本。

当他与埃德加上校质证这一信息时，埃德加胆怯地承诺，他就是那个把舒梅克与萨莉·霍瓦特的电子邮件分享给伊丽莎白的人，他把这描

1　2001 年 10 月，"9·11" 事件之后，美国发生多起通过信函传播炭疽病毒的事件，造成极大的恐慌。联邦调查局经多年调查，怀疑陆军传染病医学研究所的研究人员布鲁斯·埃文斯博士为幕后黑手。由于遭受调查的压力，2008 年 7 月 29 日，埃文斯自杀身亡。联邦调查局其后发布报告，称埃文斯就是炭疽病毒攻击的凶手，但遭到广泛质疑。

述成一种疏忽。他向舒梅克道歉，并邀请他于次周前往中央司令部位于佛罗里达州坦帕的总部，与马蒂斯梳理相关监管问题。舒梅克对面见将军感到很紧张，但他接受了邀请。他与阿尔贝托·古铁雷兹联系，看看他是否可以跟自己一同前往，觉得他的意见如果得到 FDA 高层人士的支持，会更有分量。尽管通知得相当仓促，古铁雷兹还是同意一同参加。

2012 年 8 月 23 日下午 3 点整，埃德加上校陪同两人来到马蒂斯位于坦帕的麦克迪尔空军基地（MacDill Air Force Base）的办公室。这位 61 岁的将军当面是个咄咄逼人的人物：肌肉发达，肩膀宽阔，眼睛下面的黑眼圈表明他并不看重睡眠。他的办公室里摆放着长期军旅生涯留下的各种纪念品。在一堆旗帜、奖章和钱币中，舒梅克盯着玻璃橱柜中一套漂亮的剑看了好一会儿。他们在办公室一侧镶嵌有木板的会议室落座，马蒂斯单刀直入："各位，我想把这个东西部署下去，到现在已经有一年了。进行得怎么样？"

舒梅克已经与古铁雷兹把所有一切都重新梳理了一遍，对自己理由之充分很有信心。他首先开口，简要概括了希拉洛斯技术的战场测试所引发的问题。古铁雷兹随后接手，告诉将军，他的军方同僚对法律的阐释是正确的：希拉洛斯的设备很大程度上应当归 FDA 监管。而至今 FDA 尚未审核和批准其商业用途，它只能在严格的、由一家机构审查委员会设定的条件下才能进行人体试验。其中一项条件就是受试主体给他们知情同意书——众所周知，这个东西在战区很难获得。

马蒂斯不愿意放弃。他想知道，他们是否可以提出一种推进的建议。在几个月前给伊丽莎白的一封邮件里，他相信，对于他的部下，她的发明将是"游戏规则改变者"。古铁雷兹和舒梅克提了一个解决办法：一种"有限的主体实验"，即使用去身份化的士兵残余血液样本。它可以回避对知情同意书的要求，是唯一可以按照马蒂斯的愿望尽快推行的研究方式。他们同意按照这一行动路径继续下去。进入办公室十五分钟后，舒梅克和古铁雷兹与马蒂斯握手告别。舒梅克如释重负。无论如何，马蒂斯尽管粗暴，但还是通情达理，而且达成了一种可行的妥协。

所商定的有限实验，与马蒂斯脑海中更为雄心勃勃的战地现场测试相去甚远。希拉洛斯的血液检测将不会被用来为受伤士兵的治疗提供信息。它们只会被用来检测事后剩下的样本，看它们的结果是否与军方的常规检测方法一致。但它并非毫无意义。在职业生涯早期，舒梅克有五年的时间花在监管对生物威胁性物品诊断检测的开发研究上，他曾用自己的左臂去接触来自战场上现役军人的匿名样本。从此类检测中获得的数据，在向 FDA 申请时是非常有用的。

然而，在接下来的岁月里，希拉洛斯莫名其妙地没有利用给予它的机会。当马蒂斯将军 2013 年 3 月从军中退役的时候，这项利用去身份化的剩余样本的实验尚未开始。当埃德加上校数月后获得一项新的任命，去担任陆军传染病医学研究所所长时，它仍然没有启动。希拉洛斯似乎未能一致行动。

2013 年 7 月，舒梅克中校从军队退役。在他的告别仪式上，德特里克堡的同僚赠予他一张“生存证书”，表彰他有勇气直接对抗马蒂斯，并从这对抗中全身而退。他们还送给他一件 T 恤，前面写着一个问题：“从四星将军手下逃生之后，你想做什么？”答案可以在 T 恤的背面找到：“退休，扬帆驶向落日。”[1]

1　舒梅克退役后的计划是与妻子驾驶帆船出海远航。

第十一章　燃爆富兹

2011 年 10 月 29 日，星期六，上午 10：15，比弗利山（Beverly Hills）冷水峡谷街（Coldwater Canyon Drive）1238 号的门铃响了。这座带门禁的意大利式平层别墅被棕榈树环绕，属于理查德·富兹和洛兰·富兹。为了住得离孩子们更近一些，这对夫妻两年前购买了它。两个孩子从乔治城大学毕业后，都从华盛顿搬到了洛杉矶。

理查德·富兹打开大门，一名传票送达员要递给他一沓法律文件。

“我来这里，是为了送达一项关于富兹科技的诉讼。”此人说。

富兹告诉他，他不能接受这一送达，因为这个公司尽管以他的名字命名，但已不属于他所有。十多年前他就已经卖掉了公司。他解释说，它现在属于加拿大制药企业威朗药业（Valeant Pharmaceuticals）。送达员打了一个电话，重复了一遍富兹告诉他的话。电话那边传来的回应，是有人在咆哮，说他就是在正确的地址，只要送达文件就可以了。但富兹仍然拒绝接受。送达员失去了耐心，把文件扔在他的脚边，然后走了。富兹拿出手机，把散落在人行道上的文件拍了一张照片。他对这一套非常熟悉。两天前，作为官司中的共同被告，他个人已经接到了一套类似的文件。仔细考虑了一段时间之后，他蹲下来，捡起一地杂乱。他决定不让邻居看到这些。

诉讼是由希拉洛斯向旧金山的联邦法院发起的。它指控富兹和他第一段婚姻中的两个儿子——乔·富兹和约翰·富兹——合谋从该公司窃取机密专利信息，利用它为自己申请竞争性专利。诉讼指控说，窃密是由约翰在其父亲的指使下干的，当时约翰受雇于希拉洛斯的前专利咨询顾问麦克德莫特·威尔和埃默里律师事务所。

指控书第一页的页首显示，希拉洛斯雇用了著名律师大卫·博伊斯（David Boies）为代理人。然而，即使是像博伊斯这样有名望的人，他的事务所的人还是没做好调查研究，指向了错误的公司。争议中的专利是授予理查德和乔的新公司富兹药业，而不是富兹科技。富兹拒绝接收送达文件，因为他想让博伊斯为他的错误付出代价。

富兹和他的儿子都对这个诉讼非常愤怒。但一开始他们并没有过度担忧此事。他们很有信心，知道它的指控是错误的。富兹第一次也是唯一一次向约翰提及伊丽莎白·霍姆斯的创业公司，是2006年7月他发给儿子的电子邮件中，有一个是他在专利办公室的公开数据库中发现的希拉洛斯的一项专利申请的链接。这封电子邮件，是在富兹申请自己的临时专利两个多月以后发的，询问约翰是否知道在麦克德莫特事务所是由谁处理希拉洛斯的申请。约翰回复，说麦克德莫特是一家大事务所，他不知道是谁。这笔交易与约翰毫无关联。在经过了五年多的时间之后，他已经不记得此事。就他而言，这次官司是他第一次见到或听到“希拉洛斯”这个名字。

另一方面，约翰没有任何动机对伊丽莎白或她的家人抱有恶意。在20岁出头的时候，克里斯·霍姆斯为他写了一封推荐信，帮助他进入天主教大学（Catholic University）法学院。后来，约翰的第一任妻子通过洛兰·富兹认识了诺尔·霍姆斯，跟她关系很好。当约翰的第一个儿子出生的时候，诺尔甚至去他们的家里看望，并给孩子带去了礼物。

而且，理查德和约翰·富兹并不是很亲近。约翰认为他的父亲是一个傲慢的自大狂，想把他们之间的联系尽可能保持在最低限度。2004年，他甚至拒绝再把父亲当作麦克德莫特的顾客，因为他支付账单太不痛快、太慢。认为约翰自愿拿他的法律职业生涯冒险，为他的父亲盗取信息，这是对他们之间冰霜一般关系的根本误解。

但伊丽莎白对理查德·富兹的愤怒可以理解。他在2006年4月发起的专利申请，在 2010 年 11 月发展为美国第 7824612 号专利，现在就阻挡了她将希拉洛斯的设备送进人们家中的梦想。如果这一梦想有一天得以实现，她需要得到授权使用富兹发明的条形码机制，用来向医生警告病人的异常检测结果。富兹的专利被签发的那天，他向 info@Theranos.com 发送了一封富兹药业的公告，那个邮箱地址是希拉洛斯公司在网站上提供的，用以接受一般咨询，这无异于直接给伊丽莎白打脸。与其屈服于她视作敲诈勒索的行为，伊丽莎白决定雇用美国最好的、最令人胆寒的律师，去追击、碾压她的老邻居。

大卫·博伊斯的传奇色彩远在他之上。博伊斯在 20 世纪 90 年代取得了全国性的声望，当时美国司法部委托他处理针对微软公司的反垄断案。他在一份录像证词中击垮了这家软件巨头公司的辩护，令比尔·盖茨仿佛被在烤架上烤了二十个小时，从而在法庭上取得了轰动性的胜利。在 2000 年有争议的美国总统选举中，他代表阿尔·戈尔（Al Gore）在最高法院出庭，巩固了他作为法律界大腕的地位。最近，他成功地领导了推翻加利福尼亚州禁止同性恋婚姻的 8 号提案的诉讼。

博伊斯是一位大师级的律师，当他觉得形势需要的时候，可以变得冷酷无情。有一个案例展现了他毫无底线的风格，他将棕榈滩（Palm Beach）一家小型草坪养护公司的老板与客户之间的生意争端，升级为一场联邦法院的敲诈勒索案，指控公司老板和他的三名园丁串通、欺诈、勒索，以及最后一项同样重要的，违反反垄断法。在迈阿密州的一位法官驳回起诉后，博伊斯向设在亚特兰大的美国第十一巡回上诉法庭提起上诉。直到上诉失败后，他才放弃了这个案子。

博伊斯的律师事务所博伊斯·席勒和弗莱克斯勒（Boies, Schiller & Flexner）以其策略的激进而闻名。富兹家的人不需要多长时间就明白这是为什么了。在希拉洛斯公司提起诉讼的几个星期之前，三个人都发现了他们遭到监视的线索。理查德·富兹在开车前往凡奈斯机场（Van Nuys）、准备坐飞机去拉斯维加斯的时候，发现有一辆车尾随着他。乔住在迈阿密，他的邻居，一位自封本街区联防队长的退休警察警告他，有人在窥探他的房子。约翰和妻子发现一个男人在给他们乔治城的家拍照。现在，富兹家的人非常肯定，那些人是博伊斯雇的私家侦探。

提起诉讼后，监视仍在继续，这令理查德的妻子洛兰焦躁不安。经常有车子停在他们比弗利山房子的街对面，一个驾驶员无所事事地坐在里面。有一天，洛兰注意到，方向盘后面的人是一位金发的女性，她开始认定那是她的老朋友，诺尔·霍姆斯。富兹认为这不太可能，但还是抓起相机，从房子里面用长焦镜头拍了一张车子的照片，那是一辆灰色的丰田凯美瑞。然后他走出去，想直接去面对驾驶员。当他靠近的时候，车子迅速开走了。后来他仔细查看照片，很难清楚地分辨出那个女人的模样，也无法排除是诺尔的可能性。这让洛兰更加气恼。她越来越觉得霍姆斯家想把她们搞破产，占据她家的房子。她变得快要歇斯底里了。

博伊斯使用私家侦探，不仅仅是一种威吓策略，也是塑造了伊丽莎白和桑尼世界观的偏执狂使然。这种偏执狂的核心，是相信实验室行业的两大拥有统治地位的竞争者——奎斯特诊断公司（Quest Diagnostics）和美国实验室集团（Laboratory Corporation of America）——会不惜一切代价来打压希拉洛斯及其技术。当拉里·埃里森和另一位投资人一开始接触博伊斯，请他代理希拉洛斯的时候，那是博伊斯所了解到的他们最关注的事情。换句话说，博伊斯的任务不仅仅是起诉富兹，而是要调查他是否与奎斯特和实验室集团站在一起。实际情况是，在那个阶段，希拉洛斯还没有进入任何一家公司的视野，而尽管富兹的生平一直丰富多彩、充斥阴谋，但无论如何都与那两家公司没有任何联系。

希拉洛斯提起诉讼的两个月后，约翰·富兹雇来为自己辩护的律师事务所柯克尔和范·内斯特（Keker & Van Nest）给博伊斯发了几份文件，费了很大周折反驳希拉洛斯的指控。其中之一是麦克德莫特律师事务所的记录管理员布莱恩·麦考利（Brian McCauley）的一份证词，声明经过对律所的记录和电子邮件系统的彻底检查，表明约翰或其秘书均从未接触过希拉洛斯的文件。证词的附件详细展示了麦考利如何一步一步达成他的结论。但在五天后的一份回复中，博伊斯反驳这份文件是“自我作证”，“并非……非常具有说服力”。

理查德·富兹试图直接向希拉洛斯的董事会申诉，向董事会成员发送了几封邮件。其中一封邮件附有伊丽莎白儿童时的照片，提出两家人从前友好相处，已经认识了很久。另一封邮件中，他放了一个文件夹，其中包括他与他的专利律师来往的全部电子邮件复印件，这些电子邮件产生的结果是他在2006年4月的专利申请，他以此表明，该专利是源自他自己的工作。他还提议与董事会当面会晤。他收到的唯一回复来自博伊斯，回复说希拉洛斯“很困惑”，他怎么会认为那些电子邮件能证明什么。

尽管没有任何证据可以证明约翰·富兹有希拉洛斯指控的行为，但博伊斯计划利用约翰个人历史上的某些事情，来给法官或陪审团的脑海中播下怀疑的种子。

1992年，约翰刚从法学院毕业，他在父亲和一位大学好友之间担当联络员的角色，好友在世达律师事务所（Skadden, Arps, Slate, Meagher & Flom）工作。他给约翰一大堆世达的账单文件，准备转交给他的父亲。当时，理查德·富兹正与世达的客户、重型设备制造商特雷克斯集团（Terex Corporation）处于法律争执中，他告诉一个国会委员会，说该公司向伊拉克出售飞毛腿导弹发射器，该公司起诉他诽谤。即使这件事情已经过去了二十年，诽谤案早已尘埃落定，法院没有发现约翰有任何做错之处，但博伊斯仍然想利用它，来说明他有将窃取的信息交给父亲的历史。

博伊斯还准备利用其他更近期并且更具杀伤力的事情：麦克德莫特在2009年迫使约翰辞职，原因是他在一件无关事务中有损律所的脸面。争端的起因是，在一件国际贸易委员会（the International Trade Commission）仲裁案中，麦克德莫特律师事务所代表一家中国的国有企业，对阵美国政府不公平进口调查办公室（Office of Unfair Import Investigations），约翰坚持要求律所撤回一份作为证据的伪造文件。麦克德莫特的领导层同意撤回该文件，但这一举措严重损害了中方客户的辩护效力，激怒了律所的高级合伙人。律所随后要求约翰离开，列出其他说明约翰的行为不符合一个合伙人身份的事件。当时，律所拒绝告诉约翰是哪一个客户，投诉是关于何事，但现在他明白，一定是伊丽莎白在2008年9月向查克·沃克投诉关于他父亲专利的事情。

博伊斯向约翰·富兹身上泼污水的策略，在2012年6月遭受挫折，法官审视案子后，驳回了所有针对约翰的指控，理由是对于法律职业过失，加州的诉讼时效为一年，已经过期。博伊斯迂回包抄，在华盛顿特区的州法院起诉麦克德莫特，但这一诉讼很快被驳回，法院裁定希拉洛斯针对约翰和律所的指控完全是猜测。法官写道："仅仅因为该律师事务所的律师有渠道接触（希拉洛斯公司的文件），并不意味着该律师事务所没有遵守保密义务。"

然而，博伊斯仍然在活动：尽管针对约翰的指控被驳回，加州案子的法官仍然让许多针对理查德·富兹和乔·富兹的指控处于待定状态，案子继续进行审理。约翰也许不再是被告，但博伊斯仍然可以利用父子合谋的同一论述，来对付理查德和乔的案子。

随着案子被拖入秋天，约翰最初对案子的烦恼转变成对伊丽莎白的满腔怒火。在离开麦克德莫特之后，他创建了自己的律所，而希拉洛斯的案子和相关指控令他损失了好几个客户。在他的两个案子中，对方律师也翻出那些事情来给他抹黑。到2013年春天，在博伊斯·席勒的律师质证他的时候，另外一重压力来源令他的怒气火上浇油：他的妻子阿曼达（Amanda）被诊断出患有血管前置，这是一种妊娠并发症，胎儿的血管外露，有破裂的危险。她和约翰一直处于焦虑状态，直到胎儿长到三十四周，医生才给她接生，将婴儿送到新生儿重症监护室。

即使在正常的时候，约翰也是个性情暴躁的人。在成长的过程中，他经常与其他男孩子打架。那天，在回答博伊斯一位同事的问题时，他变得好斗而执拗，爆粗口，大发脾气。在六个半小时的质证快要结束的时候，他发出一个威胁，这正中博伊斯的下怀。他父亲的一个律师问他，案件是否损害了他的声誉，以及如果是，是否对他在质证中的行为产生了影响，他回答：

> 绝对是这样，我对这些人已经出离愤怒。如果案子结束，我一定要报仇，控告这些狗娘养的，我向你保证，我不会让伊

丽莎白·霍姆斯有生之年还能有第二家狗娘养的公司。我要用我的能力去申请专利，跟她干到底，直到她死，绝对地。

尽管约翰·富兹怒火沸腾，但他的父亲和弟弟越来越担忧打官司的昂贵成本。他们雇用洛杉矶的肯达尔·布里尔和克雷格（Kendall Brill & Klieger）律师事务所代理他们，费用是每个月 15 万美元。负责处理他们案子的合伙人劳拉·布里尔（Laura Brill），想发起一项反－反公众参与策略诉讼（anti-SLAPP）[1] 的动议，试图令希拉洛斯的诉讼因轻率而被否决，这需要 50 万美元的额外费用，而且不保证能够成功。他们决定，转投另一家规模较小、费用更低的北加利福尼亚律师事务所巴尼和石本（Banie & Ishimoto），并且请乔治·华盛顿大学法学院教授斯蒂芬·萨尔茨堡（Stephen Saltzburg）监督他们的工作，教授过去曾为富兹做过法律方面的工作。

另一方面，他们知道，他们对抗的是世界上最昂贵的律师。博伊斯对客户每小时的收费超过 1000 美元，据称年收入超过 1000 万美元。然而，他们不知道的是，在这个案子中，他同意以股票代替日常收费。伊丽莎白赠予他的律师事务所 30 万股希拉洛斯公司的股票，每股价格 15 美元，也就是说，为博伊斯的服务付出的代价是 450 万美元。

博伊斯不是第一次与客户做出替代性的费用安排，也不是第一次接受股票作为费用。在互联网泡沫期，他曾接受过股票代理 WebMD 公司，一家向消费者提供医疗信息的网站。博伊斯对案子有一种风险资本家的处理方式，通过股权收取费用，为他和自己的律所赚取多得多的金钱。但这也意味着，他在希拉洛斯有既得财务利益，让他不仅只是一个法律顾问的角色。这也有助于解释为什么到了 2013 年初，博伊斯开始参加公司所有的董事会会议。

1 反公众参与策略诉讼（Strategic Lawsuit Against Public Participation，SLAPP），美国法律界常见的一种诉讼手法，即当企业或政治人物在面临批评时，利用自身在财力、地位上的优势，对批评者提起诉讼，企图通过旷日持久的诉讼程序和高昂的诉讼成本令批评者放弃批评或做出妥协，发起诉讼方一般并无足够证据，也不期待胜诉。

尽管所有希拉洛斯公司的专利都冠以伊丽莎白的名字，理查德·富兹仍然高度怀疑，一名毫无医学和科学训练的大学辍学生真的做出了这么多发明。他觉得，更有可能是公司其他拥有高级学位的员工做了她获得专利的那些工作。

在双方为庭审做准备的过程中，富兹注意到有一个名字在许多伊丽莎白的专利中作为合作发明者出现：伊恩·吉本斯（Ian Gibbons）。稍稍做了一点调查后，他了解到一些关于这个人的基本情况。吉本斯是一个英国人，拥有剑桥大学的生物化学博士学位。他拥有发明家的声誉，是大约 50 项美国专利的发明者，其中有 19 项来自他于 20 世纪 80 年代和 90 年代在一家名叫生物轨迹实验室（Biotrack Laboratories）的公司所做的工作。

富兹相信吉本斯是一个正规的科学家，像大多数科学家一样，他应当是一个诚实的人。如果他能够让他宣誓承认，在他的专利中没有任何东西借鉴或类似伊丽莎白的早期专利申请，将会给希拉洛斯重重一击。他和乔还注意到，吉本斯的生物轨迹公司的一些专利和希拉洛斯的很类似，从而有理由指控希拉洛斯公司不恰当地再利用了他过去的工作。他们将吉本斯的名字加入他们想要质证的证人名单中。但随后发生了奇怪的事情：在随后的五个星期内，博伊斯·席勒的律师们一直对他们安排吉本斯作证的要求置之不理。富兹一家满腹疑虑，要求他们的律师去施加压力。

第十二章　伊恩·吉本斯

伊恩·吉本斯是伊丽莎白在创建希拉洛斯后，雇用的第一位经验丰富的科学家。他的到来是因为伊丽莎白在斯坦福的导师钱宁·罗伯特森的推荐。20 世纪 80 年代，伊恩和罗伯特森在生物轨迹公司相识，在那里他们发明了一种稀释和混合液体标本的新机制，并申请了专利。

从 2005 年到 2010 年，伊恩与加里·弗伦泽尔一起领导希拉洛斯公司在化学方面的工作。伊恩加入这家创业公司在先，最初职位比加里高。但伊丽莎白很快就转换了两个人的位置，因为加里拥有更好的人际关系技巧，这让他成为一名更有效的管理者。他们两个人对比极为鲜明：伊恩，拥有一种怪异幽默感的保守英国人；加里，带有德州腔调的喋喋不休的前牛仔。但他们关系良好，有作为科学家对彼此的一种尊重，开会时偶尔互相嘲讽。

伊恩完全是那种古板的、书呆子式的科学家。他蓄胡子，戴眼镜，裤子高高地提到腰部以上的位置。他可以一天到晚地分析数据，写下大量的笔记，记录工作时所做的一切。这种细致也带到了他的业余时间：他是一位狂热的读书人，对读过的每一本书列出清单。其中包括马塞尔·普鲁斯特（Marcel Proust）的七卷本作品《追忆逝水年华》（*Remembrance of Things Past*），他重读过不止一遍。

伊恩和他的妻子罗谢尔（Rochelle）是 20 世纪 70 年代在加州大学伯克利分校认识的。他从英国来，在该校的分子生物学系做博士后研究，而罗谢尔则在研究生阶段。他们一直没有生孩子，但伊恩非常宠爱他们的狗克洛伊（Chloe）和露西（Lucy），以及一只名叫莉薇娅（Livia）的猫——他用罗马皇帝奥古斯都的妻子的名字为猫咪命名。

除了阅读以外，伊恩的另外两个爱好是去歌剧院以及摄影。他和罗谢尔常常去旧金山的战争纪念歌剧院（War Memorial Opera House），在夏天则飞到新墨西哥州，去看圣达菲歌剧院（Santa Fe Opera）在黄昏时候的露天演出。他喜欢修改照片，博取一乐。在许多改过的照片中，有一张把他改成一位戴手套、打着领结的疯狂科学家，正在配置蓝色和紫色的魔药。另一张照片中，他把自己安插在一张英国皇室家族合影的最前面。

作为一名生物化学家，伊恩的特长是免疫测定，这是希拉洛斯早期极力聚焦于这一检测类别的主要原因。他对血液检测学相当痴迷，很喜欢讲授这门学问。在公司发展的早期，他有时候会搞些小讲座，给其他员工讲解生物化学最基本的东西。他也会展示如何生成不同的血液检测结果，这些结果将会记录和存储在公司的服务器。

伊恩和希拉洛斯公司的工程师们一再出现不和，原因之一是他坚持要求，他和其他化学家设计的血液检测，在希拉洛斯的设备内的表现，要和在实验室环境下一样准确。他收集的数据表明，这种情况少之又少，令他觉得非常失望。在开发爱迪生时，他和托尼·纽金特在这个问题上互不相让。尽管伊恩的严苛标准令人钦佩，但托尼觉得他做的一切只是抱怨，从来没有提供任何解决办法。

伊恩对伊丽莎白的管理也有微词，尤其是她竖井式地把各个团队互相隔开，而且不鼓励他们之间交流。她和桑尼采用这种运作方式的理由，是希拉洛斯还处在“隐形模式”，但这对伊恩毫无意义。在他工作过的其他诊断设备公司，总是有跨职能的团队，拥有来自化学、工程、制造、质量控制、合规部门的代表，大家一起为了一个共同的目标而工作。那是让每个人达成共识、解决问题、在期限内完成的做法。

伊丽莎白对事实的漠不关心是另一个争议的焦点。伊恩不止一次听到她彻头彻尾地说谎，而在共事五年之后，他已经不再相信她说的任何话了，尤其是当她向员工或是外部人士介绍公司技术多么成熟的时候。

2010 年秋天，伊恩的沮丧情绪达到顶点，当时希拉洛斯公司正在紧锣密鼓地寻求与沃尔格林公司的合作。他向老朋友钱宁·罗伯特森发牢骚。伊恩以为罗伯特森会对他们之间的谈话保密，但他把伊恩说的一切都报告给了伊丽莎白。那个星期五的晚上，伊恩很晚才回到他们在波托拉山谷（Portola Valley）的家，罗谢尔已经上床了。他告诉妻子，罗伯特森背叛了他的信任，伊丽莎白解雇了他。

令他们惊讶的是，桑尼第二天打了电话过来。伊恩不知道，在短暂的几个小时里，有多名他的同事去劝说伊丽莎白重新考虑。桑尼给伊恩回来工作的机会，但不再承担原有的职务。伊丽莎白解雇伊恩的时候，他是通用化学团队的主管，负责在他们为爱迪生已经开发的免疫测定法之外，开发新的血液检测方法。他被允许回来担任该团队的技术顾问，但团队的领导权则给予保罗·帕特尔（Paul Patel），此人是一位生物化学家，两个月前在伊恩的推荐下进入公司。

伊恩是一个很有自尊的人，很难接受自己的降职。十八个月后，当公司搬到脸书公司曾用过的办公楼时，他失去了自己在山景大道总部曾拥有的私人办公室，这令他的羞辱感进一步加剧。可以肯定，那时他并不是唯一被边缘化的人：加里·弗伦泽尔和托尼·纽金特也被伊丽莎白和桑尼晾在一边，他们招募了新的人，提拔新来者超越他们。公司的旧人们——那些帮助伊丽莎白走到今天的人们——仿佛都被束之高阁了。

搬家前的几个月，托尼在伊恩的办公室跟他说话的时候，注意到有一张《恋爱中的女人》（*Women in Love*）的电影海报。这部 1969 年的电影是根据 D.H. 劳伦斯的同名小说改编，讲述第一次世界大战期间，英国一个煤矿小镇上两姐妹和两位男性之间关系的故事。伊恩提到，当这部电影出来的时候，他曾周游爱尔兰，恰好同时托尼仍是个住在那里的孩子。由此引发了其他的话题。托尼了解到，伊恩的父亲在第二次世界大战中曾经在北非被俘，起初他被关押在意大利的战俘营，后来穿越欧洲，被押解到波兰的另一个战俘营，直到战争结束才得到解救。

谈话最后又回到了此时此地，回到了希拉洛斯身上。托尼像伊恩一样不再得宠于伊丽莎白，并且被排除在迷你实验室的开发之外，他忽然冒出个想法，公司也许只是伊丽莎白和桑尼谈恋爱的一个工具，他们并不真的关心任何工作。

伊恩点头同意。“他们是一对二联性精神病[1]。”他说。

托尼对法语一窍不通，所以他离开后，去翻词典查找这个说法。他找到的定义令他觉得非常恰当：“在彼此关系紧密的两个人身上出现同样的或类似的妄想。”

搬到脸书原来的办公楼后，伊恩变得越来越消沉。他被安排跟普通员工坐同样的办公桌，背后是一面墙。这是他已经多么无足轻重的一个象征。

一天，工程师汤姆·布鲁米特（Tom Brumett）在埃尔卡米诺路的一家海鲜餐馆鱼市场（Fish Market）会见朋友，在那里碰到伊恩。因为他们在排队等位子，伊恩问自己能不能跟他们一起。汤姆和伊恩都是 65 岁左右，彼此关系不错。他们的第一次互动是在 2010 年，汤姆来到希拉洛斯工作之后不久。在一次关于应当雇用什么样的工程师来协助他的讨论中，桑尼和其他经理不同意汤姆的意见，汤姆非常气恼，从会议室出来，萌生了辞职的念头。伊恩追了出来，安慰他，说他的意见确实很重要——这一姿态令汤姆非常感动。

在过去的两年里，汤姆注意到伊恩日渐消沉。他们坐下来在鱼市场吃午餐，汤姆很怀疑伊恩是不是跟踪他来到这里的。希拉洛斯的大部分员工都在公司吃伊丽莎白和桑尼提供的午餐，整天不离开公司。更重要的是，这家餐馆离公司不近，而伊恩进来的时间只比他晚一两分钟。汤姆觉得，伊恩可能想单独逮住他。他似乎急于找人倾诉。但汤姆到那里是为了与一位朋友重会，那是一个为日本芯片制造商工作的销售员。他们竭力让伊恩加入谈话之中，但他在一开始的互致问候之后就保持沉默。事后重新回想这幕场景，汤姆意识到他忽略了这位同事的无声呼救。

1　原文为法语，folie à deux。

汤姆最后一次遇到伊恩，是2013年初，在公司的餐厅。到那个时候，他看上去非常沮丧。汤姆试着让他振作精神，安慰他现在的薪水相当可观，劝他不要把工作上的困境看得太认真。毕竟，那只是一份工作而已。但伊恩就是盯着餐盘，闷闷不乐。

伊恩的降职不是唯一消耗精力的事情。尽管现在只是当一名内部顾问，但他还是跟接替他工作的保罗·帕特尔紧密合作。保罗对作为科学家的伊恩有极大的尊重。他还在英国读研究生的时候，已经读过伊恩于80年代在一家叫作西瓦（Syva）的公司所做的开创性的免疫测定。

在获得升职后，保罗继续平等对待伊恩，所有事情都征询他的意见。但他们在一个关键方面存在分别：保罗不喜欢争执，与伊恩相比，他更愿意和制造迷你实验室的工程师妥协。伊恩则寸步不让，当他觉得自己被要求降低标准的时候，会变得非常愤怒。保罗有无数个夜晚跟他通电话，想让他平静下来。在讨论的过程中，伊恩告诉保罗要坚持他的信念，永远不要忽视对病人的关注。

“保罗，必须做正确的事情。”伊恩会说。

桑尼安排了一个名叫萨玛撒·阿内卡尔（Samartha Anekal）的人负责将迷你实验室的各个部分整合到一起，此人拥有化学工程博士学位，但没有业务经验。一些同事认为萨姆（Sam）[1]就是个执行桑尼指令的应声虫。在整个2012年，伊恩和保罗多次与萨姆剑拔弩张。其中有一次，萨姆告诉他们，迷你实验室的分光光度计还不能满足某些伊恩认为不容商量的特定标准，伊恩为此摔门而去。萨姆之前是同意他们的意见的，但现在说他需要更多的时间。伊恩回到自己的办公桌，心烦意乱。

在周末的时候，伊恩和罗谢尔经常带着他们的两只美国爱斯基摩犬克洛伊和露西，去环绕波托拉山谷的群山散步。有一次散步的时候，伊恩告诉罗谢尔，在希拉洛斯没有一件事情顺利，但他没有说到任何细节。严格的保密协议禁止他讨论任何与公司有关的特定信息，即使是面对自

1　萨玛撒的昵称。

己的妻子。他也为自己职业生涯的转折扼腕叹息，觉得自己就像一件被扔进仓库的老旧家具。伊丽莎白和桑尼早就不听他的意见了。

2013 年的头几个月，伊恩大部分日子没有去公司上班，而是在家里工作。六年前，他已被查出患有直肠癌，在接受了手术和化疗后，他有一段时间没有工作。同事们以为他癌症复发了。但实情并非如此。他还在癌症的缓解期，身体的健康状况良好。问题在于他的精神健康：他正在忍受未确诊的深度临床忧郁症带来的痛苦。

4 月，希拉洛斯通知伊恩，他被传唤，要在富兹一案中作证。将要接受质询一事使他变得精神紧张。他和罗谢尔多次讨论这个诉讼案。罗谢尔曾做过专利律师，所以伊恩叫她核查一下希拉洛斯的专利布局，冀望她能给自己一些建议。在这个过程中，她注意到，公司所有的专利上都有伊丽莎白的名字，常常在发明者清单中列在首位。伊恩告诉她，伊丽莎白的科学贡献可以忽略不计。罗谢尔警告伊恩，如果这一情况曝光，这些专利可能会被宣告无效。这只让他变得更加焦虑不安。

当伊恩把富兹的专利和希拉洛斯公司早期的专利申请放在一起研读的时候，他找不到伊丽莎白的剽窃指控有任何依据。但他可以肯定一件事情：他不想卷入此案。而且他担心自己的工作将取决于这个案子。他开始在晚上喝很多酒。他告诉罗谢尔，觉得自己再也不能在希拉洛斯恢复正常的工作时间。他说，回到公司工作的想法令他恶心。罗谢尔说，如果这份工作让他如此痛苦，那么他应当辞职。但辞职似乎并不是他的可选项。在 67 岁的年龄，他觉得自己没法找到另一份工作。他还抱有自己还能帮助公司解决问题的想法。

5 月 15 日，伊恩联系伊丽莎白的助理，要求安排与她的会面，希望能讨论出某种替代性的工作安排。但当助理回电确定第二天会面时，伊恩变得焦躁起来。他告诉罗谢尔，担心伊丽莎白会利用这次会面把他炒掉。同一天，他接到希拉洛斯的律师大卫·多伊尔的电话。富兹家的律师已经花了好几个星期的时间，要求博伊斯·席勒的律师安排时间对伊恩进行质证，他们丧失了耐心，发出通知，要求他必须于 5 月 17 日上午 9 点出现在他们位于加州坎贝尔（Campbell）的办公室。

那就是多伊尔打电话来的原因。离限定他出现的期限只有不到两天时间，律师鼓动伊恩以健康问题为由逃避质证，并且用电子邮件发了一个医生证明给他，要他去找医生签字。伊恩将电子邮件转发到自己的个人谷歌邮箱，从那里发送到妻子的电子邮箱，让她打印出来。他的焦虑似乎达到了一个新的高度。

罗谢尔早已知道伊恩的状态不好，但在她的心中还有其他操心的事情：她正在为自己刚刚过世的母亲感到悲痛，母亲留给她一项复杂的不动产需要整理，而且她刚刚跟一个助理一起创建了一家新的律师事务所。在这段充满压力的时期，她有一点怨恨没能从婚姻中获得她需要的支持。但伊恩那天极度痛苦的状态，使她意识到，他的精神状况已经变得多么恶劣。她设法让他同意去寻求帮助，预约第二天上午去看他的家庭医生。

5 月 16 日，罗谢尔在 7 点半左右起床，她看到卫生间的灯是亮的，但门关着。她以为伊恩在为去看医生做准备。但过了一会儿他并没有从里面出来，也没有回答她的呼叫，于是她推开了卫生间的门。她发现丈夫在一张椅子上蜷缩成一团，没有知觉，几乎失去了呼吸。她在恐慌中拨打了报警电话。

伊恩在斯坦福医院的呼吸机上耗过了接下来的八天时间。他服下的扑热息痛——泰诺（Tylenol）这样的止痛药中的有效成分——的量足以杀死一匹马。药物再加上他喝的酒，摧毁了他的肝脏。5 月 23 日，他被宣布死亡。作为一名专业化学家，伊恩清楚地知道他在做什么。罗谢尔后来发现了一份署名遗嘱，是他在几个星期前在保罗 · 帕特尔和另一个同事的见证下所立。

罗谢尔沉浸在悲痛之中，但她勉力支撑，给伊丽莎白的办公室打电话，留下消息给她的助理，通知她伊恩的死讯。伊丽莎白没有回电。相反，那天晚些时候，罗谢尔接到一封希拉洛斯律师的电子邮件，要求她立即归还伊恩的公司笔记本电脑、手机和任何他有可能保存的其他机密信息。

在希拉洛斯公司内部，伊恩的死亡以同样冷漠、公事公办的方式处理。大多数同事甚至没有被告知此事。伊丽莎白只是在一封简短的电子邮件中告知一小群公司的资深员工，含含糊糊地提到要为他举行一个纪念仪式。但她从未再提此事，也没有举行任何仪式。与伊恩长期共事的同事，比如安加丽·拉哈里（Anjali Laghari）——一位化学家，与伊恩在希拉洛斯亲密合作了八年，此前还有两年曾在另一家生物科技公司共事——只能猜测发生了什么事情。大多数人认为他死于癌症。

托尼·纽金特非常不满公司没有做任何事情去纪念他已故的同事。他和伊恩走得并不亲近。事实上，在开发爱迪生的过程中，他们之间时不时会来一场猫狗大战。但他恼火的是，对于把将近十年的生命奉献给公司的人，公司没有表现出任何同情。在希拉洛斯工作，仿佛就是要逐渐把人们的人性剥离殆尽。托尼下定决心要呈现自己仍然身为人类的一面，仍然对同僚抱有悲悯之心，他从专利办公室的在线数据库下载了一份伊恩的专利清单，将它们复制粘贴在一封电子邮件中。在清单之上，他嵌入一张伊恩的照片，然后将邮件群发给他能想到的曾与伊恩共事的20多位同事，并特别抄送给伊丽莎白。这不算什么，但至少给人们一点纪念他的东西，托尼想。

第十三章　李岱艾

“你是领袖。”咔、咔、咔。“强大，有力。”咔、咔。“想想你的使命。”咔、咔、咔、咔。

著名人物摄影师马丁·舍勒（Martin Schoeller）用他浓重的德国口音正在轻声指导伊丽莎白，激发她做出许多表情，好给她拍照。她穿了一件修身的黑色高领毛衣，涂了红色的口红，头发往后梳了一个松散的发髻，垂下来盖住耳朵。在她坐的椅子两侧，设置了两个直立灯，直接照射在她瘦削的脸上，在瞳孔中放射出白光效果，这是舍勒摄影作品的标志。

选择舍勒，是李岱艾（TBWA\Chiat\Day）广告公司洛杉矶分公司的创意总监帕特里克·奥尼尔（Patrick O'Neill）的主意。李岱艾正在为希拉洛斯发起一场秘密营销活动。这场活动要抢在沃尔格林和西夫韦的门店启动其血液检测设备的商业运作之前，任务范围包括从创造新的品牌身份，到建设一个新的网站、开发新的手机 App 等等。

伊丽莎白选择李岱艾，原因是该公司曾经为苹果公司服务多年，为其打造了 1984 年标志性的麦金托什（Macintosh）电脑广告，以及后来在 90 年代的“非同凡想”（Think Different）运动。她甚至想说服那些广告背后的创意天才李·克劳（Lee Clow）从退休状态中复出，来为她工作。克劳有礼貌地将她推回给广告公司，在那儿她立即与帕特里克建立了联系。

帕特里克是个英俊非凡的男人，拥有金色的头发，蓝色的眼睛，以及通过严格的锻炼才能塑造出来的雕塑一般的身材。第一次遇到伊丽莎白，他就被迷住了。他的倾慕并不是那种爱情式的：他是一名同性恋。毋宁说，他是被她的魅力所吸引，被她想要改变世界的非凡驱动力所吸引。他在李岱艾工作了十五年，为像维萨信用卡（Visa）或宜家这样的大客户提供创意。这些工作很有趣，但都没有像伊丽莎白第一次到来时给他带来的激情，当时伊丽莎白来到这家公司在普拉亚德雷（Playa del Rey）的仓库改建的办公室，给他们描述了希拉洛斯为人们提供无痛、低成本健康保障的使命。在广告业内，为真正有可能让世界变得更好的东西工作的机会是不多见的。对希拉洛斯在绝对保密上的执着，帕特里克并不感到惊讶，也没有因此而退缩。苹果也是采取这样的方式。他明白科技公司需要保护他们珍贵的知识产权。无论如何，这家公司都会走出伊丽莎白所称的"隐形模式"，到那时就是他出场的时候了：他的工作就是让它的商业启动尽可能地具有影响力。

重新设计希拉洛斯公司的网站，是其中很大的一块。舍勒拍摄的照片将是网站的重要内容。不光是给伊丽莎白拍的那些照片，这位摄影师在卡尔弗城（Culver City）的一家工作室拍摄了两天，大部分时间是拍摄扮作病人的模特。他们有不同的年龄、性别、种族：不到 5 岁的孩子，5 岁到 10 岁的孩子，年轻的男人和女人，中年农民，老人。有些是白人，有些是黑人，还有西班牙裔和亚裔。传递的信息是，希拉洛斯的血液检测技术可以帮助每一个人。

伊丽莎白和帕特里克花了很长时间，从中挑选可以使用的病人照片。伊丽莎白想让网站上展示的图片能使人产生同情。她动情地谈论当人们发现挚爱之人重病、想做什么却为时已晚时感到的那种悲哀。她说，通过在死亡判决下达之前尽早发现疾病，希拉洛斯的血液检测技术将改变一切。

在整个 2012 年的秋天、冬天，一直到第二年的春天，帕特里克和一组李岱艾的同事每周飞到帕洛阿尔托一次，与伊丽莎白、桑尼以及伊丽莎白的弟弟克里斯蒂安一起头脑风暴。这正是伊恩·吉本斯陷入抑郁之中的时候，而史蒂夫·伯德在西夫韦则度过了他当 CEO 的最后几个月。伊丽莎白将每周一次的会议安排在星期三，她知道苹果公司与李岱艾的创意会议也总是安排在这个时候。她告诉帕特里克，她崇拜苹果品牌的简朴，想要模仿它。

在李岱艾内部，希拉洛斯的业务以“斯坦福计划”命名。跟帕特里克一起每周到帕洛阿尔托的人有：洛杉矶办事处总经理卡瑞沙·比安奇（Carisa Bianchi）、公司策略部主管洛兰·克奇（Lorraine Ketch）、财务监管斯坦·菲奥里托（Stan Fiorito），以及文案策划迈克·八木（Mike Yagi）。一开始，李岱艾的团队认为，对于希拉洛斯的创新，最佳的视觉表现形式是该公司制造的用于从指尖取血的微型瓶子。伊丽莎白称它为“纳米容器”。它之所以合适，是因为它真的非常小巧，只有 1.29 公分，比一个垂直竖立的一角硬币还要短。帕特里克想给它拍摄照片，把它的大小传递给医生和病人。但伊丽莎白和桑尼非常担心，如果让任何外界人士在发布之前看到它，可能会走漏消息。因此他们同意让李岱艾公司为其拍摄室内照片，地点在其位于普莱雅德雷仓库办公室的小型摄影室内。

在指定的那一天，丹·艾德林，克里斯蒂安的杜克大学朋友之一，带着一个装有十二只纳米容器的特制塑料箱飞抵洛杉矶。将其装包登机是不可能的，所以在整个飞行过程中，这个箱子一直在他的行李中。抵达仓库以后，丹盯着这些小小的容器，绝不容它们离开自己的视线。除了帕特里克，李岱艾公司的其他人都不允许接触它们。帕特里克拿起一个看了一下，惊讶于它是如此之小。

真正的血液暴露在空气中不久，就会变成紫色，所以他们在一个纳米容器中注入万圣节用的假血，放置在白色的背景前拍摄照片。随后帕特里克做了一张拼版照片，呈现纳米容器稳稳立在指尖上的画面。如他所预料，它产生了醒目的视觉效果。迈克·八木尝试了许多不同的广告语，最终定格在两个伊丽莎白喜欢的用语：“小小一滴，改变一切”以及“重塑实验室检测”。他们将图片放大，做成一张刊登在《华尔街日报》上的假广告。用广告行业的术语，这被称作“插页”（tip-in）。伊丽莎白喜欢这种形式，要求多做了十几个不同的版本。她并没有说要拿它们做什么，但斯坦·菲奥里托得到消息，她在董事会会议上使用它们为自己寻求支持。

帕特里克还与伊丽莎白一道设计公司的新标志。伊丽莎白相信生命之花（the Flower of Life），那是一种几何图形，由一个大圆圈内加上交叉的小圆圈构成，异教徒从前将它视作贯穿所有知觉造物的生命视觉表现形式。后来在 20 世纪 70 年代，新时代运动（New Age movement）采用它作为“神圣几何”，用来为那些耗费时间研究它的人们提供灵感。

因此，这个圆圈成为希拉洛斯品牌的主导图形。希拉洛斯的字母“o”的内部被填成绿色，以便突出。病人面庞的照片，还有指尖上纳米容器的照片也被圆圈框起。帕特里克还为网站设计了一种脱胎于赫维提卡字体（Helvetica）的新字体和新的营销元素，其中字母“i”和字母“j”上的点，以及句子末尾处的句号，都是圆形而非方形。伊丽莎白对结果似乎很满意。

当帕特里克还在为伊丽莎白着迷的时候，斯坦·菲奥里托则谨慎得多。斯坦拥有发红的金发，长有雀斑，是广告行业资深人士，而且交游广阔。他觉得桑尼有点不大对劲。在他们每周定期的会议上，桑尼使用了太多软件工程方面的术语，这对于他们的营销讨论无论如何都不适用。斯坦想让他说清楚如何才能实现看上去似乎遥不可及的销售目标，桑尼给出的是含含糊糊、自吹自擂的答案。一般来说，公司需要进行研究，找出它们营销所针对的受众群体的规模，然后测算在这一群体中，有多大比率真正有希望转化为顾客。但桑尼似乎完全没有这样的基础概念。斯坦试着在网上搜寻他，但是一无所获。他觉得很奇怪，像他这样一个在网站热潮中卖掉一家公司、挣了许多钱的科技创业家，居然在网上没有留下痕迹。他怀疑桑尼找人把这些痕迹清洗掉了。

另外，一家前景不明朗的创业公司雇用李岱艾这样的大广告公司，也是极不寻常的。按照大广告公司的开销和人员配备，其价格非常昂贵。李岱艾向希拉洛斯收取的酬金是每年 600 万美元。这家名不见经传的公司从哪里得到钱来支付各种费用？伊丽莎白曾在多个场合声称，军方正在阿富汗的战场上使用他们的技术，拯救士兵的生命。斯坦想知道，希拉洛斯是否获得了五角大楼的资助？

这一点有助于解释保密的程度。根据桑尼的指令，希拉洛斯向李岱艾提供的任何材料都必须编号，登记，保存在上锁的房间内，只有指定为这个项目工作的团队才可以进入。任何打印工作都必须通过房间内的一台专用打印机完成。废弃的文件不能一扔了事，它们必须粉碎。计算机文件必须存储在一台独立的服务器内，只能通过一个专用的内部局域网在团队之间分享。在任何情况下，他们都不能将希拉洛斯的相关信息与李岱艾洛杉矶分公司，或该公司更大范围内未曾签署过保密协议的人分享。

除了迈克·八木以外，斯坦还负责管理其他两名为希拉洛斯的项目全程工作的李岱艾员工，即凯特·沃尔夫（Kate Wolff）和迈克·佩蒂托（Mike Peditto）。凯特负责建设网站，而迈克负责制作店内宣传手册、标志以及用在 iPad 上的一个互动销售工具——希拉洛斯计划用它来向医生推销。

几个月过去，凯特和迈克[1]也开始对他们古怪而挑剔的客户产生了疑虑。两人都来自东海岸，对自己的工作秉承一丝不苟的态度。凯特 28 岁，在马萨诸塞州的林肯（Lincoln）长大，在波士顿大学的时候打过冰球。她那小城镇的正派教养赋予她强烈的道德取向。她对医药业也略知一二：她的父亲和她的妻子[2]都是医生。迈克 32 岁，是来自费城的意大利裔美国人，个性愤世嫉俗，在大学和研究生院时跑田径赛和越野赛。在他成长的地方，人们不会空口乱说，而是怀着善意认真行事。

伊丽莎白想在网站和其他各种营销材料中，突出一些大胆的、肯定性的说法。其中之一是，希拉洛斯可以在一滴血上运行“超过 800 项测试”。另一个说法是，其技术远比实验室检测准确得多。她还想说，希拉洛斯

1 本章中有两个同名的迈克，即迈克·佩蒂托和迈克·八木，单独使用“迈克”一名时，均指的是迈克·佩蒂托。

2 原文如此。

的检测结果可以在 30 分钟内完成，以及，其检测“获得 FDA 的批准”，“得到重要的医学中心的认可”，如梅约医学中心（Mayo Clinic）和加利福尼亚大学旧金山医学院（the University of California, San Francisco's medical school），并使用 FDA、梅约医学中心和加州大学旧金山医学院的标识。

凯特询问希拉洛斯高度准确性的说法的依据在哪里，得到的回答是，它是从一项研究中推断出来的，该研究断定，93% 的实验室错误是人为的失误。希拉洛斯认定，由于其检测过程是在其设备之内完全自动化进行，已经足以说明它的检测比其他实验室都更为准确。凯特觉得这个逻辑的跳跃性太大了，她表达了这个想法。毕竟，还存在反误导性广告的法律。

迈克有同样的感觉。在写给凯特的一封电子邮件中，他列出了需要经过法律评估的项目，其中包括“自动化让我们更准确”，在旁边他用括弧写着“这听上去像夸大宣传”。此前，迈克从未接手过与医药行业相关的市场营销任务，他要特别谨慎。一般来说，医疗方面的营销活动，比如那些涉及制药公司的项目，是由该公司在纽约以外的一个特别分支机构李岱艾健康（TBWA\Health）负责。他很奇怪，为什么他们没有承接这一业务，或者至少找他们做做咨询。

伊丽莎白提及有一份长达几百页的报告，支持希拉洛斯在技术上的成就。凯特和迈克不断要求看看报告，但希拉洛斯不愿给。作为替代，该公司发给他们一份有密码保护的文件，据称其中包括报告中的摘要内容。文件声称，约翰·霍普金斯大学医学院对希拉洛斯的技术进行了严格评估，发现其“创新而有效”，能够“准确地”运行“一系列范围广泛的常规测试和特别测试”。

不过，那些引用语并不是来自什么详尽的报告。它们来自伊丽莎白和桑尼 2010 年 4 月与五位霍普金斯大学的官员会面时的一份两页纸的总结。在与沃尔格林的关系结束后，希拉洛斯再次利用这次会面，宣称其系统已经获得了独立的评估。但完全不是这么回事。约翰·霍普金斯大学参加 2010 年会面的三位科学家之一、约翰·霍普金斯医院临床毒物学主管比尔·克拉克（Bill Clarke）曾要求伊丽莎白运送一台设备到他的实验室，以便对它进行测试，并将其表现与他日常使用的设备做比较。她表示可以，但随后便再无下文。凯特和迈克对此一无所知，但希拉洛斯拒绝向他们出示报告，这一事实足以令他们心生疑虑。

为了获得一些向医生做推销的认知，李岱艾建议对一些医师进行集中的小组访谈。希拉洛斯同意了这个主意，但想让事情秘密进行，于是凯特把她妻子和父亲列入参与名单。

凯特的妻子特蕾西（Tracy）是洛杉矶县总医院（Los Angeles County General）的总住院医师，她在这里完成了内科和小儿科的住院医生实习期。对她的访谈是通过电话进行的，在访谈时，特蕾西问了几个问题，在电话另一头，希拉洛斯似乎没有一个人能够回答。那天晚上，特蕾西告诉凯特，她怀疑该公司是否拥有什么真的创新性技术。对于从指尖取得足够的血液进行准确测试的想法，她特别提出了质疑。特蕾西的怀疑令凯特踌躇不决。

在希拉洛斯公司，凯特和迈克的主要联系人是克里斯蒂安·霍姆斯以及他的两位杜克大学兄弟丹·艾德林和杰夫·布利克曼。迈克叫他们“希拉（Thera）兄弟”。在筹备网站的过程中，他和凯特常常通过电话或是邮件与他们进行沟通。希拉洛斯最初想在2013年4月1日启用新网站，但多次推迟这个日期。新的启动日期设在9月，但当新的期限临近时，凯特和迈克要求希拉洛斯提供实质材料以支撑伊丽莎白想要采用的说法，他们发现，其中显然有一些是夸大其词。例如，他们很费了一番周折才了解到，希拉洛斯不可能在三十分钟以内给出检测结果。凯特给这个说法打了折扣，说检测结果可以在“四个小时以内”准备好，但她对此仍然抱有疑虑。凯特和迈克也开始怀疑，希拉洛斯公司无法利用指尖抽血完成其所有的血液检测，部分是使用传统的静脉抽血方式检测它们。他们建议，在网站上增加一份免责说明，说清楚此事。但他们从克里斯蒂安和杰夫那里得到的反馈是，伊丽莎白不想要这样的免责说明。

迈克越来越担忧李岱艾公司的法律责任。他回头查阅公司与希拉洛斯签署的合同。对于李岱艾在营销材料中做出的、任何经客户书面认可的说法，合同给出了免责。他给公司的外部律师事务所戴维斯和吉尔伯特（Davis & Gilbert）的律师乔·塞纳（Joe Sena）发了一封电子邮件，询问李岱艾是否应当让希拉洛斯在书面认可中使用特定言辞。塞纳回复，并不是必需的，但提醒他将那些书面认可留存记录。

同时，就伊丽莎白想在网站上增加的一句话，凯特与克里斯蒂安、杰夫发生了争执，那句话是“把样本发给我们”。凯特询问他们，公司有什么物流体系，可以将血液样本从医生的办公室运送到公司的实验室，最终的结论是，什么都没有。“注册”该服务的医生，只是会自动生成一封电子邮件，发到杰夫的邮箱。后面会发生什么，只有天知道了。在凯特看来，希拉洛斯公司没有一个人会费心考虑此事。

网站上线之前的四十八个小时陷入了疯狂混乱中。几个月来，迈克·八木不知疲倦地反复重写网站，以满足伊丽莎白的要求。他承受着非常大的压力，焦虑症发作，只得回家休息。他离开办公室如此突然，又是在这样的状态下，同事们不知道他是否还会回来。

然后，在上线的前一天晚上，希拉洛斯传话过来，说想要召开一次紧急电话会议。凯特、迈克、帕特里克、洛兰·克奇以及填补迈克·八木空缺的文案策划克里斯蒂娜·埃尔特皮特（Kristina Altepeter），聚集在仓库办公室的“董事会议室”（之所以如此命名，是因为会议桌用冲浪板做成[1]），听伊丽莎白宣布，希拉洛斯的法律团队要做最后的文字修改。凯特和迈克感到烦躁不安。几个月来，他们一直在要求进行法律评估。为什么直到现在才搞？

电话会议拖了三个多小时，一直开到晚上 10 点半。他们一句一句地检查整个网站，伊丽莎白缓慢地口述需要做出的每一处修改。帕特里克一度打瞌睡。但凯特和迈克仍然保持着足够的警醒，注意到所用的言辞被系统性地做了弱化。“迎接实验室检测的革命”被改成“欢迎来到希拉洛斯”。“更快获得结果。更快得到答案”变成了“快速获得结果。快速

1 冲浪板的英文为 surfboard，而 board room 意为董事会议室。

得到答案”。“小小一滴，得到一切”，现在成了“小小几滴，得到一切”。

有一张图片是一个金发碧眼的孩子在蹒跚学步，边上有一段夸大其词的文字，标题是“再见，可恶的大针头”，这原本只是说指尖针刺取血的。现在，它变成了“取代巨大的针头，我们可以利用指尖的轻轻一刺，或是从静脉抽取一份小小的样本”。凯特和迈克不会搞错，这不就等同于他们之前建议过的免责声明吗？

在网站的“我们的实验室”部分，一条横幅贯穿整个页面，下面有一个纳米容器的放大照片，横幅上写着：“在希拉洛斯，我们可以基于典型抽血量千分之一的样本，进行我们所有的实验室检测。”在横幅的新版本中，“所有的”字样消失了。在同一个页面更靠下的地方，是凯特早在几个月前即提出反对的声明。在“无与伦比的准确度”的标题下，引用统计数据指出93%的实验室错误是人为引起的，并据此推论“希拉洛斯比其他任何实验室都更为准确”。果不其然，这个声明也被撤了下来。

最后关头的修订只会加强凯特和迈克的怀疑。伊丽莎白希望那些泛泛的声明是真实的，但迈克觉得，仅仅因为你极度渴望某件事情成真，并不能让它真的成真。他和凯特开始质疑希拉洛斯公司是否真的拥有任何技术。它自吹自擂的所谓“黑箱”——李岱艾的人这么称呼希拉洛斯的设备——到底存在吗？

他们将自己日渐积累的怀疑告知斯坦，而后者与桑尼的沟通也正变得越来越不开心。每个季度，斯坦都得追着桑尼要钱。桑尼总是叫他核实公司给他的账单。斯坦与他一起，花了很长时间逐项核对。桑尼会打开电话的扬声器，在办公室里踱步。当斯坦要求他靠得离电话近一些，好听清楚他说的话时，桑尼的脾气就会发作。

不过，并不是每一个李岱艾的员工都对希拉洛斯产生了厌恶之感。洛杉矶分公司的两位高层卡瑞沙和帕特里克仍然对伊丽莎白着迷。帕特里克崇拜李·克劳以及他为苹果公司施展的营销魔法。很显然，他认为希拉洛斯拥有潜力，可以为他造就属于自己的丰功伟业。在多个场合，凯特向他表达了自己的担忧，但他对此不予理会，凯特不过就是凯特。

帕特里克觉得，她有一种过于戏剧化的倾向。他的观点是，她和迈克应当停止质疑一切，只要完成叫他们做的工作即可。根据帕特里克的经验，所有的科技创业公司都是乱哄哄、神神秘秘的。他没看到什么不正常的，对此也并不担心。

第十四章　启动

艾伦·比姆（Alan Beam）正坐在办公室里检查实验室报告，伊丽莎白伸头进来，叫他跟过去，她想给他看什么东西。他们走出实验室，进入其他员工聚集的开放办公区域。在她的指令下，一名技术人员刺破一位志愿者的手指，然后用一个形似迷你火箭的塑料传输工具，收集手指上渗出来的血液。这是希拉洛斯的样本收集工具。它的尖端收集血液，然后将血液转移到火箭底部的两个小小引擎内。引擎并不是真的引擎：它们是纳米容器。为了完成血液的转移，你得把纳米容器像活塞一样推入塑料火箭的腹部。这一动作会创造出一个真空，将血液吸入。

或者说，至少想法是这样的。但这一次，事情没有按照预想的顺利进行。当技术人员将小小的双管推入设备时，“砰”地发出响亮的声音，血液四散飞溅。其中一个纳米容器爆裂了。

伊丽莎白镇定自若。“没关系，让我们再试一次。”她淡淡地说。

艾伦不知道该怎么看待这一场景。他在希拉洛斯只工作了几个星期，还在努力寻找自己的定位。他知道纳米容器是公司专有的血液检测系统的一部分，但此前他从未看到其在实际中使用过。他希望这次只是一个小意外，而并非预示着更大的问题。

这位瘦高的病理学家通往硅谷的路颇多周折。起点是在南非，他长大的地方。他在约翰内斯堡的威特沃特斯兰德大学（University of the Witwatersrand，南非人把它叫作“威茨”）主修英文，然后来到美国，参加纽约城的哥伦比亚大学的预科班。这一选择是他那保守的犹太人父母主导的结果，他们认为自己的儿子只可以从事少数几种职业：法律、商业以及医疗。

艾伦待在纽约上医学院，进入曼哈顿上东区的西奈山医学院（Mount Sinai School of Medicine），但他很快意识到，做医生在某些方面与他的脾气并不符合。他对疯狂的工作时间以及医院病房的各种乱象和气味感到厌倦，逐渐将重心转到更安静的实验科学领域，这引领他去从事病毒学的博士后研究，并在波士顿的布莱曼和女子医院（Brigham and Women's Hospital）担任临床病理学住院医师。

2012 年夏天，艾伦负责匹兹堡一家儿童医院的实验室，此时他注意到领英（LinkedIn）上的一则招聘贴，完全符合他刚刚萌生的对硅谷的憧憬：一家位于帕洛阿尔托的生物科技公司的实验室主管。他刚刚读过沃尔特·艾萨克森写的史蒂夫·乔布斯传记。他觉得这本书极为激动人心，这更增强了他想搬到旧金山湾区的渴望。

他申请了这个职位，随后被要求飞过去参加面试，时间安排在一个周五下午的 6 点。他先见到了桑尼，然后才见到伊丽莎白。他发现在桑尼身上有一种让人说不清楚的令人难受的东西，但这个印象被伊丽莎白完全抵消了，她出现的时候带有极度渴望改变医疗健康行业的意志。跟许多第一次见她的人一样，艾伦被她深沉的声音迷住了。那声音跟他之前听到的任何声音都不一样。

几天之后，艾伦就收到了入职邀请，但他并没有能马上进入希拉洛斯工作。首先，他得申请加利福尼亚州的行医执照。此事耗费了八个月的时间，使他到 2013 年 4 月才正式入职。到那时，他的前任阿诺德·盖尔博已经辞职差不多有一年的时间。在此期间，一位半退休状态的实验室主管斯宾塞·平木（Spencer Hiraki）时不时过来看看，检查实验室的报告，在报告上签字。对艾伦来说，并不存在多大问题，因为希拉洛斯的实验室每周只检测少量来自西夫韦雇员诊所的样本。

当他接手的时候，实验室的精神面貌似乎是更令人头痛的问题。实验室的工作人员都极为消沉。艾伦就职的第一周，桑尼草率地开除了一名检测人员。这个可怜的家伙在大庭广众之下，被保安抬手抬脚地拖了出去。艾伦对此留下深刻的印象，此类事情绝不是第一次发生。他想，难怪人们的精神状态低落。

艾伦所接手的实验室分成两个部分：一个在办公楼二层的房间，里面堆着商用检测设备，另外一个在它下面的房间，作研究之用。楼上的房间是经 CLIA 认证的实验室部分，由艾伦负责。桑尼和伊丽莎白将这些常规机器视作恐龙，很快就会被希拉洛斯的革命性技术消灭殆尽，所以他们把这里叫作“侏罗纪公园”。他们把楼下的房间叫作“诺曼底”，说的是第二次世界大战时的登陆日。诺曼底房间中的希拉洛斯专有设备将暴风骤雨般席卷实验室行业，就像是盟军在机关枪火力之下勇敢地登上诺曼底海滩，去解放纳粹占领下的欧洲。

还处在热忱和兴奋状态的艾伦相信了这种虚张声势。但在这次搞砸了的纳米容器试验后不久，他和保罗·帕特尔有过一次对话，令他脑海中对希拉洛斯的技术真正进展到什么地步产生了疑虑。帕特尔是生物化学家，领导希拉洛斯新设备的血液检测开发。对这个新设备，艾伦唯一所知的就是其代号——“4S”。帕特尔透露，他的团队仍然在实验台的实验盘子上进行检测开发。这令艾伦非常惊讶，他原本以为检测已经被整合到 4S 之中。当他询问为什么没有实现这一步，帕特尔回答，新的希拉洛斯盒子无法工作。

到 2013 年夏天，当李岱艾公司竭尽全力为希拉洛斯公司启动商业化而准备网站时，4S（又称迷你实验室）已经处于开发状态超过两年半时间。但这个设备仍然只是一个有待完善的产品。它存在的问题可以罗列出一长串清单。

其中最大的问题，是开发过程中功能失调的企业文化。伊丽莎白和桑尼将任何敢于提出问题或反对意见的人视作挖苦或唱反调。坚持这样做的员工常常被边缘化，或是被炒掉，而应声虫则得到提拔。桑尼将一群逢迎拍马的印度人提升到关键的职位。其中一个名叫萨姆·阿内卡尔（Sam Anekal），是负责整合迷你实验室各个部件的经理，曾经与伊恩·吉本斯发生过冲突。另一个人叫青迈·潘加卡（Chinmay Pangarkar），是位生物工程师，拥有化学工程博士学位，毕业于加州大学圣芭芭拉分校。另外还有临床化学家苏拉吉·萨克塞纳（Suraj Saksena），他在德克萨斯州农工大学（Texas A&M）取得生物化学和生物物理博士学位。从书面材料看，上述三个人都拥有非常好的教育文凭，但他们都有两个特点：他们都几乎没有行业从业经历，加入公司之前不久才完成学业；还有，他们都有一个习惯，只说伊丽莎白和桑尼想听到的话，不管是出于害怕，还是出于对晋升的渴望，抑或两者都有。

对于希拉洛斯雇用的数十名印度人而言，被炒掉的恐惧远远不止是害怕失去一张工资支票而已。大多数人持有的是 H–1B 签证，需要依靠在公司持续就业，才能够留在这个国家。有一个像桑尼这样专横的老板把他们的命运握在手里，仿佛就是签了一张卖身契。事实上，桑尼有一种在老一代印度裔商人中常见的主仆关系心理。员工都是他的奴仆。他要求他们整天整夜包括周末随时听候使唤。他每天早晨检查安保记录，看他们什么时候打卡进出。每天晚上，大约 7 点半左右，他会来到工程部，确认每个人是否还在工位上工作。

随着时间推移，一些员工对他的恐惧减弱，发明了各种对付他的方法，他们渐渐明白，自己对付的是一个古怪的成年儿童，智力有限，注意力持续的时间更加有限。阿耐夫·康纳（Arnav Khannah）是一位从事迷你实验室研发的年轻机械工程师，他发现了一个对付桑尼准保成功的办法：用超过 500 字以上的文字回复他的电子邮件。那通常会让他在几个星期内平安无事，因为桑尼没有耐心去阅读长篇电子邮件。另一个策略是每两周召集他的团队开会，邀请桑尼参加。一开始的几次会他可能会来参加，但最终会失去兴趣，或者是忘记出席。

伊丽莎白在领会工程上的概念时反应迅速，但桑尼在进行工程讨论的时候常常暴露出自己的不足。为了掩饰，他有一个习惯，常常会重复从其他人那里听来的技术用语。在一次与阿耐夫的团队开会时，他对“末端执行器”（end effector）一词产生了浓厚的兴趣，这个词指的是机器人手臂末端上的机械爪。只不过桑尼听到的不是“末端执行器”，他听成了“末端因子”（endofactor）。在这次会议剩下的时间里，他不断地提及这个虚构的末端因子。两个星期后的下一次会议上，阿耐夫的团队带来一个 PPT 演示，标题为“末端因子更新”。阿耐夫用投影仪将幻灯片投影在屏幕上时，他团队的五位成员互相偷偷地交换眼神，担心桑尼也许会发现这个恶作剧。但他连眼皮都没动一下，会议继续进行，波澜不惊。他离开会议室后，他们迸发出一阵大笑。

阿耐夫和他的团队还引诱桑尼使用含糊不清的工程术语“龟裂”（crazing）。它通常指在某种物质表面产生细小裂纹的现象，但阿耐夫和他的团队不管语境随意使用这个词，看他们是否能让桑尼重复它，他果然上当。桑尼的化学知识也不见得多好。他认为钾（potassium）的化学符号是 P（应该是 K，P 是磷 [phosphorus] 的符号）——这是绝大多数学化学的高中生都不会犯的错误。

不过，在开发迷你实验室的过程中，并不是遇到的所有障碍都要归罪于桑尼。有些是伊丽莎白缺乏理智的要求的结果。比如，她坚持迷你实验室的盒子保持某一尺寸，但不断地想在里面增加更多的检测。阿耐夫不明白，为什么盒子不能放大半英寸，因为消费者不会注意到的。在与大卫·舒梅克中校发生冲突之后，伊丽莎白放弃了将希拉洛斯的设备安放在沃尔格林的门店进行远程操控的计划，以避免遇到 FDA 监管的问题。取而代之的是，从病人指尖刺取的血液被快递到希拉洛斯在帕洛阿尔托的实验室，在那里进行检测。但她仍顽固地坚持迷你实验室是一种消费型设备的想法，像 iPhone 手机或 iPad 平板电脑一样，而且其组件必须看上去小巧精致。她仍然怀抱着有一天将它放进人们家中的雄心，如她向早期的投资者所承诺的那样。

另一个困难源自伊丽莎白坚持要求迷你实验室要能够进行四种主要类型的血液检测：免疫测定、普通化学分析、血液学测定以及基于 DNA 扩大的检测。已知可以将它们全都整合在一个台式机器中的唯一方法，是使用挥舞移液管的机器人。但这一方法有一个固有缺陷：随着时间推移，移液管的精度会出现漂移。当移液管还是全新的时候，吸取 5 微升的血液可能需要驱动移液管活塞的小马达以某一速度转动。但三个月后，完全相同的马达转速也许只能吸取4.4微升的血液，这个差异之大，足以推翻整个检测。所有依赖移液管体系的血液分析仪多少都受到移液管漂移的困扰，但在迷你实验室里，这一现象尤其显著。其移液管每隔两三个月就必须重新校正，重新校正的过程会让设备在五天之内无法使用。

凯勒·罗根（Kyle Logan）是一位年轻的化学工程师，从斯坦福毕业后立即加入希拉洛斯公司，他在斯坦福获得了以钱宁·罗伯特森命名的学术奖。他常常与萨姆·阿内卡尔就这一问题争论。他认为公司应该转向更为可靠的不依赖于移液管的系统，比如亚贝克希斯在其Piccolo Xpress分析仪中所使用的那种。萨姆回复，Piccolo只能进行一种类型的血液检测，即普通化学分析。（免疫测定是运用附着于某种物质上的抗体，来衡量该种物质在血液中的量。与此不同，普通化学分析依靠的是其他的化学原理，比如光线吸收率或电子信号的变化。）他提醒凯勒，伊丽莎白想要一种更为多样化的机器。

与其他大公司的血液分析仪相比，迷你实验室的另一个醒目缺点，在于它一次只能处理一份样本。商用机器笨重，是因为其设计为可以同时处理数百份样本。用行业术语来说，这被称为拥有“高吞吐量”。如果希拉洛斯的健康中心吸引了大量病人，迷你实验室的低吞吐量就会导致长时间的等待，从而令公司快速得出检测结果的承诺成为笑谈。

为了弥补这一缺陷，有人提出一个主意，将六个迷你实验室一个接一个堆在一起，让它们共用一个血细胞计数器，以减少体积，降低由此增加的装置成本。借用计算机行业的术语，这种科学怪人式的机器被称为“六刃”（six-blade），在计算机行业，把服务器一个摞一个堆在一起很常见，为的是节约空间和能源。在这些模块式堆积布局中，每一个服务器被看作一把“刀”。

但没人停下来想一想，这种设计在涉及一个关键变量时意味着什么，那就是温度。每一个迷你实验室的“刀”都产生热量，热量不断增加。当六把刀同时处理样本时，上方的“刀”温度升高的水平足以干扰检测。22岁的凯勒刚从学校出来，他简直不敢相信，如此基本的事情会被视而不见。

除了检测盒、移液管和温度问题以外，还有其他许多技术问题困扰着迷你实验室，这些都说明一个事实：它仍然处于非常早期的原型机阶段。要设计和完善一台复杂的医疗设备，三年不到的时间并不算多。这些问题的范围，从机器人手臂放错地方使得移液管破裂，到分光光度计严重偏离，应有尽有。有一次，一台迷你实验室里的血液旋转离心机发生了爆炸。这些都是可以修复的问题，但需要时间。公司离拥有一台可以用在病人身上的产品，还需要几年时间。

然而，在伊丽莎白看来，她没有这几年时间了。十二个月前的 2012 年 6 月 5 日，她与沃尔格林签署了一份新的合同，承诺到 2013 年 2 月 1 日，在这家药品连锁企业的部分门店启动其血液检测服务，换取 1 亿美元的“创新费”，外加 4000 万美元的贷款。

希拉洛斯错过了那个最后期限——再一次推迟，从沃尔格林方面来看，已经滞后了三年时间。随着史蒂夫·伯德的退休，与西夫韦的伙伴关系也分崩离析，如果等待更长的时间，伊丽莎白担心也会失去沃尔格林。她决心无论是地狱还是深渊，都要在 9 月份启动沃尔格林的门店服务。

由于迷你实验室完全不具备部署的条件，伊丽莎白和桑尼决定重新启用尘封的爱迪生，用这个老设备启动服务。这个决策随后引发了另一个致命的决策——弄虚作假。

6 月份，领导希拉洛斯生物数学团队的丹尼尔·杨到侏罗纪公园拜访艾伦·比姆，这位博学的麻省理工学院博士带了一位下属，名叫龚新伟（Xinwei Gong）。丹尼尔加入希拉洛斯已经有五年的时间，职位一路升迁，成为公司事实上的第三号管理层。伊丽莎白和桑尼听得进他的话，他们常常指望他去解决烦人的技术问题。

在希拉洛斯的最初几年，丹尼尔似乎完全是一个居家男人，每天下午 6 点下班，与妻子、孩子共进晚餐。这个惯例曾经被一些同事在背后取笑。但在提拔为副总裁之后，丹尼尔完全变了个人。他长时间工作，在办公室留到很晚。他在公司的聚会上喝得大醉，引起震动，因为他总是安安静静，不露声色地忙于工作。有传言说他与一位合作者调情。

丹尼尔告诉艾伦，他和龚（我们把他称作萨姆）准备修复实验室的一台商用分析仪器，即 ADVIA 1800。ADVIA 是一台重达 1320 磅的笨重机器，体积有两个办公用复印机加在一起那么大，由德国大型企业西门子的医疗产品分支机构西门子健康（Siemens Healthcare）制造。

在随后的几周里，艾伦看到萨姆花了很多时间，拆开这台机器，用他的 iPhone 摄像头拍摄内部。艾伦意识到，他正在破解这台机器，试图让它与指尖针刺取血的小规模样本兼容。这似乎印证了保罗·帕特尔告诉他的话：4S 一定还无法工作，否则为什么要采取如此走投无路的办法？艾伦知道，爱迪生只能进行免疫测定，所以丹尼尔和萨姆选择 ADVIA 才说得通，它是专门进行普通化学分析的。

医生最经常要求进行的血液检测种类之一，是被称为“化学 18”的检测项目。其构成部分包括从测量钠、钾和氯化物等电解质的检测，到监督病人的肾功能和肝功能的检测，全都是普通化学分析。在沃尔格林的门店中启动的血液检测，如果清单中不包括这些检测，将是毫无意义的。它们占据了医生要求检测的三分之二。

但 AVDIA 是设计用于处理较大样本量的血液，所需的血量远超过从指尖可取到的量。于是丹尼尔和萨姆想了一系列的步骤调整这台西门子分析仪，以便适用于更小量的样本。其中最主要的步骤，是使用一个帝肯（Tecan）[1] 的大型机器人液体处理器，将纳米容器中取得的小剂量血液样本用生理盐水进行稀释。另一个步骤，是将稀释后的血液转移到特别定制的量杯中，尺寸比通常放到 AVDIA 中的杯子小一半。

这两个步骤共同解决了一个叫作“死容积”的问题。跟许多商用分析仪一样，AVDIA 装有一个探针，向下探入样本，吸取样本血液。尽管它会将绝大多数样本吸入进去，但总是会有一些未用过的液体留在底部。减小样本杯子的尺寸，能够让其底部更接近探针的针头，而稀释血液可以产生更多液体进行工作。

艾伦对稀释这个事情持保留意见。西门子分析仪在进行检测分析时，

1 瑞士生物制药、医疗设备企业。

已经对血液样本进行了稀释。丹尼尔和萨姆所提出的方式意味着，血液将进行两次稀释，一次是在其进入机器之前，第二次是进入机器之后。任何像他这样专业的实验室主管都知道，你对血液样本的干预处理越多，带来误差的空间就越大。

而且，这种双重稀释降低了被分析物在血液样本中的浓度，其水平低于 FDA 对 AVDIA 认可的分析测量范围。换而言之，它意味着用制造者和监管者都不认可的方式使用这台机器。要获得最终的病人检测结果，人们得将稀释后获得的结果乘上血液被稀释的同等倍数，而且还不知道稀释后的结果是不是可靠。即使如此，丹尼尔和萨姆仍对他们取得的成绩沾沾自喜。本质上，他们不过是工程师，关怀病人对他们两人都是个抽象的概念。如果他们所做的调整产生负面的后果，不会是由他们个人来为此负责。在 CLIA 颁发的执照上写的是艾伦的名字,不是他们的名字。

他们的工作完成后，希拉洛斯的一位律师吉姆·福克斯（Jim Fox）来到艾伦的办公室，建议公司为他们所做的东西申请专利。在艾伦看来，这似乎是个荒唐的想法。在他心中，摆弄其他制造商的设备并不代表发明了什么新的东西，特别是如果它以后还不能工作的话。

西门子的机器被破解的消息传到泰德·帕斯科（Ted Pasco）那里——此人接替约翰·方齐奥担任供应链经理，从而也继承了公司小道消息主要接受者的角色。泰德很快就证实了他从谣言工厂听到的消息：他接到伊丽莎白和桑尼的指令，增购 6 台 AVDIA。他找西门子谈了一个批发价，但这笔单子仍然耗费超过 10 万美元。

随着时间临近 2013 年 9 月 9 日——伊丽莎白设定的启动日期，艾伦很担心希拉洛斯还没有做好准备。在破解的西门子分析仪上所做的两项检测尤其给实验室带来困扰：即钠和钾的检测。艾伦怀疑，对钾的检测出现问题，是因为一种被称为“溶血”的现象，即红血球破裂，释放出额外的钾进入血液样本。溶血是指尖针刺取血引发的著名的副作用。从手指上挤出血液，会对红血球施加压力，可能导致它们破裂。

艾伦注意到，伊丽莎白办公室的窗户上贴了一张纸，上面有一个数字。那是她的启动倒计时。看到这个，令艾伦倍觉恐慌。在启动前的几天，他去找伊丽莎白，要求她延期。伊丽莎白不再是往常一副自信的模样。她试图安抚他，说一切都会没事的，但她的声音战战兢兢，人看上去也在发抖。如果有必要，他们可以回归到常规的静脉抽血，她告诉他。这次对话让艾伦短暂地缓解了一下，但一离开她的办公室，他的焦虑便再度回归。

安加丽·拉哈里是一位化学家，与伊恩·吉本斯在希拉洛斯以及另一家生物科技公司一起工作了十年，她在印度休了三个星期的假，8 月底回到公司后，正处于沮丧之中。

安加丽领导免疫测定团队。她的团队多年来一直致力于为希拉洛斯较老的设备爱迪生开发血液检测。令她非常失望的是，对于某些检测，这个黑白两色的机器的错误率仍然很高。一年来，伊丽莎白和桑尼一直向她许诺，只要公司引入下一代设备 4S，一切都会没有问题。只不过那一天似乎从未到来。那也没什么，只要希拉洛斯仍然处于研发阶段。三个星期前，安加丽出发去印度的时候还是这样。但现在，每个人似乎都在谈论“上线”，她邮箱里的电子邮件都在谈论迫在眉睫的商业启动。

启动？用什么启动？安加丽很好奇，心中的警惕与日俱增。

她了解到，在她休假的时候，无 CLIA 实验室人员许可的员工被允许进入实验室。她不知道为什么，但她知道，当德国制造商西门子的代表上门为自己生产的机器提供服务时，实验室接到指示，隐瞒实验室中所做的一切。

样本在爱迪生上进行处理的方式也发生了变化。根据桑尼的要求，在样本被放到该设备处理之前，先要用一款帝肯的液体处理器对它们进行预先稀释。这是为了弥补这样的现实，即爱迪生基于一份指尖取血样本最多只能进行三项检测。预先稀释血液能产生更多剂量样本，从而可以运行更多的检测。但是，如果该设备在正常情况下已经有很高的错误率，额外增加的稀释环节似乎只会让情况变得更糟。安加丽对纳米容器也有担忧。在小容器中，血液可能凝结，她和同事常常无法从中抽取足够的剂量。

她想劝说伊丽莎白和丹尼尔·杨，通过电子邮件，将爱迪生设备在上一次研究中的数据发给他们，那是与一家制药公司——新基制药（Celgene）——一起开展的业务，时间要追溯到2010年。在那项研究中，希拉洛斯使用爱迪生设备追踪哮喘病人血液中的炎症标志物。数据呈现出高到无法接受的差错率，使得新基制药终止了合作。安加丽提醒他们，从那项研究失败之后，一切都没有改变。

不管是伊丽莎白还是丹尼尔都没有回复她的邮件。在公司工作了八年之后，安加丽发现自己身处一个道德伦理的十字路口。如果还处在研发模式，使用员工和他们的家人志愿提供的血液做测试，仍然致力于解决产品中存在的问题，这是一回事。但在沃尔格林的门店中上线，意味着将一项尚未获得许可的大规模研究实验公开面向普通民众。那是她无法接受的事情。她决定辞职。

伊丽莎白听到消息后，把安加丽叫到她的办公室。她想知道安加丽为什么要离开，是否有可能说服她留下。安加丽再次表达了她的担忧：爱迪生的差错率太高，而且纳米容器仍然存在问题。为什么不等到4S准备好再说？为什么现在急着启动？她问。

伊丽莎白回答："因为当我向客户承诺了一件事情，我就要做到。"

这个回答对安加丽毫无意义。沃尔格林只是一个商业合作伙伴。希拉洛斯的最终客户是来到沃尔格林门店的病人，他们要求做血液检测，是因为相信可以依靠检测来做出治疗的决策。那些才是伊丽莎白应当操心的客户。到安加丽回到自己座位的时候，她辞职的消息已经传遍，与她共事的人们都来找她道别。她得到一周的通知期，原本计划工作到通知期结束，但桑尼不喜欢这些公开告别的场景。他派人力资源部主管莫娜·拉玛莫西（Mona Ramamurthy）去告诉安加丽，叫她立即走人。

在离开的时候，安加丽将她发给伊丽莎白和丹尼尔的电子邮件打印出来。她有一种感觉，此事不会善终，她需要东西保护自己，某种可以表明她不同意启动决定的东西。将邮件转发到她的雅虎个人邮箱也许更容易，但她知道桑尼密切监控着员工的电子邮件活动。所以她将打印件藏在包里，偷偷带了出来。安加丽不是唯一抱有疑虑的人。她在免疫测定团队的副手蒂娜·诺耶斯（Tina Noyes）在希拉洛斯工作了七年多，也辞职了。

辞职激怒了伊丽莎白和桑尼。第二天，他们在公司餐厅召集员工，开全员大会。每一张椅子上放有一本保罗·柯艾略（Paulo Coelho）[1]的著名小说《牧羊少年奇幻之旅》（*The Alchemist*），这本小说写的是安达卢西亚的一位牧羊少年通过前往埃及之旅，发现自己的命运。明显仍处于愤怒之中的伊丽莎白告诉聚集在一起的员工，她正在建立的是一种宗教。如果他们中有人不相信它，就应该离开。桑尼说得更加露骨：任何人如果还没有表现出对公司的完全献身和绝对忠诚，应当“滚他妈的蛋”。

1 巴西著名作家，代表作《牧羊少年奇幻之旅》（中文版又译《炼金术士》）。

第十五章　独角兽

她不喜欢这位艺术家的插图。他把她的头画得很大，赋予她空虚的、有一双天真无邪眼睛的笑脸，一副金发女郎模样。除此以外，这篇文章没有多少不招人喜欢的地方。它占据了《华尔街日报》（*Wall Street Journal*）头版的大部分空间，并且说中了所有的要点。传统式用针头在手臂位置抽血的方法被比作是吸血，或者像作者那样，说得更文雅一点，是“布拉姆·斯托克（Bram Stoker）[1]的药”。与此相比，希拉洛斯的处理方式被描述为只需要“极为微小的血液剂量”，并且“比传统方式更快捷、更低廉、更准确”。而这个突破性革新背后的那位年轻而聪明的斯坦福辍学生，被前国务卿乔治·舒尔茨（George Shultz）和其他人戴上“下一个史蒂夫·乔布斯或比尔·盖茨”的光环，这篇文章末尾的注释说舒尔茨被许多人认为是赢得冷战的人。

伊丽莎白设法让这篇文章在2013年9月7日星期六的《华尔街日报》发表，与希拉洛斯血液检测服务的商业启动遥相呼应。一份新闻稿将在星期一早晨第一时间发布，宣布第一家希拉洛斯的健康中心在沃尔格林位于帕洛阿尔托的门店内开业，并且后续计划在全国范围内扩展合作。对于一家此前不为人知的创业公司，在全国最著名、最受人尊敬的出版物上刊登这样赞扬性的报道，是一项重大的成功。此事之所以可能，是因为伊丽莎

1　爱尔兰作家，以其所写的吸血鬼小说而闻名。

白与舒尔茨的密切关系——她在两年前建立并小心谨慎地培育这一关系。

这位前国务卿不仅制定了里根政府的外交政策，还曾在尼克松总统手下当过劳工部长和财政部长，他在 2011 年 7 月加入希拉洛斯董事会，成为伊丽莎白最大的支持者。作为胡佛研究所（Hoover Institution）——坐落于斯坦福校园内的一家智库——的杰出研究员，尽管年事已高（他已经 92 岁），但舒尔茨仍然是共和党圈子内受人尊敬、有影响力的人物。这让他成为《华尔街日报》著名的保守派社论版的朋友，时不时在那上面发表评论。

2012 年，舒尔茨造访这份报纸在曼哈顿中城的总部，与其编辑部讨论气候变化，在此期间，他提到一家神秘的、与世隔绝的硅谷创业公司，觉得其创始人将以她的技术革新医药业。受此吸引，在《华尔街日报》长期服务的社论版编辑保罗・吉格特（Paul Gigot）提出，在她觉得准备好打破沉默的时候，派他的一位作者去访问这位神秘的少年英才，向世界介绍她的发明。一年后，舒尔茨打电话过来，说伊丽莎白已经做好准备，吉格特将这个任务交给约瑟夫·拉格（Joseph Rago），此人是《华尔街日报》的编辑部成员之一，在医疗健康方面有广泛的写作经验。由此形成的文章将刊登在"周末访谈"（Weekend Interview）专栏上——它是周六《华尔街日报》言论版的一个补充。

伊丽莎白选择了一个安全的地方举办她的出场晚会。《周末访谈》由吉格特下属的员工轮流负责，并不是秉承强硬有力、基于调查的新闻主义精神。毋宁说，如其名称所指，它是一个访谈，调子通常友好，是非对抗性的。而且，她所传递的对一个老旧、低效行业带来毁灭性冲击的信息，注定契合《华尔街日报》社论版支持商业、反对监管的精神。拉格曾因其剖析奥巴马医改方案的严厉评论而获得普利策奖，他不会有任何理由怀疑伊丽莎白告诉他的事情是假的。在他造访帕洛阿尔托时，她给他看了迷你实验室和并排放置的"六刃"，他自愿参加演示，而检测结果甚至在他还没有离开这座办公楼的时候就发到了他的电子邮箱，似乎也是准确的。他不知道的是，伊丽莎白正计划利用沃尔格林的启动和他那包含她误导性说法的文章，为她启动一轮新的融资运动做公开背书，这次融资将把希拉洛斯推上硅谷的舞台最前沿。

迈克·巴桑迪（Mike Barsanti）正在塔霍湖（Lake Tahoe）度假的时候，传奇风险投资家唐纳德·L. 卢卡斯的儿子唐纳德·A. 卢卡斯给他打来电话。迈克和唐一起上的大学，那是在 20 世纪 80 年代初期的圣克拉拉大学（Santa Clara University），从那时起他们就一直保持着友谊。迈克曾在湾区一家海鲜和家禽企业担任首席财务官，现已退休，他的家族经营这家企业达六十余年，直到前一年才将其出售。

唐打电话来，是向迈克推销一项投资：希拉洛斯。这对迈克来说有些惊讶。他上次听说这家创业公司，还是七年前，他和唐一起参加了伊丽莎白在沙丘道所做的耗时二十分钟的介绍，展示她小小的血液检测机器。迈克对伊丽莎白记得很清楚：她现身的时候，像一名衣着寒酸的年轻科学家，戴着可乐瓶那么厚的眼镜，没有化妆，紧张地面对一群年龄是她两到三倍的观众发表演讲。那时候，唐经营一家名叫 RWI 资本的风险投资企业，是他跟随父亲工作了十年、学习了风险投资行业的秘诀之后，在 90 年代中期创办的。迈克曾是 RWI 的投资人之一。他被这个窘迫但显然非常聪颖的年轻女性激发了好奇心，问唐，为什么公司不下注在她身上，像他父亲那样。唐回答，在经过仔细斟酌后，他决定投反对票。伊丽莎白什么都要管，她并不专注，即使他父亲身为她的董事会主席也无法控制她，唐并不喜欢她，也不信任她，迈克记得他的朋友是这么说的。

现在，迈克得问问了："唐，发生了什么变化？"

唐激动地解释，希拉洛斯从那以后走过了一条漫长的道路。公司即将宣布在全国最大的连锁零售门店中启动其创新的指尖采血检测。而且那还不是全部，他说。希拉洛斯的设备也正在美国军方得到应用。

"你知道吗，在伊拉克，它们被放在悍马车的后面？"他问迈克。

迈克不确定他听得对不对："你说什么？"他脱口而出。

"是真的。我看到它们回来后被堆在希拉洛斯的总部。"

迈克想，如果一切属实，他们确实取得了令人瞩目的进展。

唐在 2009 年建立了一家新的公司，叫作卢卡斯风险投资集团（the

Lucas Venture Group）。伊丽莎白考虑到与他年迈的父亲——老卢卡斯因阿尔茨海默病的困扰而日渐糊涂——的长期关系，给唐一个机会，在即将发起一轮大规模融资之前，让他以其他投资者拿不到的折扣价投资她的公司。唐告诉迈克，为了抓住这个在他看来极为诱人的机会，卢卡斯风险投资集团正为两只新的基金筹集资金。一只是传统型的风险投资基金，投资于多家公司，包括希拉洛斯在内。第二只基金将专门用于投资希拉洛斯。迈克想不想加入？如果想的话，时间很紧迫。交易截止时间是 9 月底。

几个星期后，2013 年 9 月 9 日下午，迈克收到唐发来的一封电子邮件，标题是"希拉洛斯——时间紧急"，其中包含了更多细节。邮件发给迈克这样以前投资过唐的基金的人，提供了《华尔街日报》那篇文章的链接，还有那天早晨希拉洛斯的新闻稿的链接。邮件说，卢卡斯风险投资集团获得"邀请"，投资希拉洛斯公司的额度最高可达 1500 万美元。按照伊丽莎白提供给卢卡斯公司的折扣价格，给希拉洛斯的估值是 60 亿美元。

迈克倒吸了一口凉气。那可是一笔巨大的估值。他禁不住对唐有些恼怒。他悲哀地想起，七年前，他的朋友否决了他投资的提议，那个时候希拉洛斯的估值大约是 4 亿美元。

不错，这个公司现在似乎是一笔更让人放心的投资。唐的邮件说希拉洛斯已经"与超大规模的零售商、药店以及多家制药企业、健康维护组织、保险机构、医院、诊所、政府机构签署协议，建立伙伴关系"。邮件还说，公司"从 2006 年开始已经现金流转正"。

迈克和他家族的十名成员把他们的钱合在一起，放在一家有限责任公司，以便投资于这类风险性交易。在与他们商议之后，他决定开启投资模式，打给唐 79 万美元。卢卡斯风险投资集团的其他数十位投资者——用业内的说法，叫作"有限合伙人"——做了同样的决定，开出不同数额的支票。他们范围广泛，包括从旧金山一家已经倒闭的投资银行罗伯特森·斯蒂芬斯公司（Robertson Stephens & Co.）的联合创始人罗伯特·科尔曼（Robert Colman），到帕洛阿尔托一位已退休的心理医生各色人等。

到 2013 年秋天，金钱源源不断地流入硅谷的生态系统，其速度令人晕眩，以至于一个新的名词被创造出来，用来描述它所孵化的新型创业公司。2013 年 11 月 2 日，风险投资人艾琳·李（Aileen Lee）在科技新闻网站 TechCrunch 上发表一篇文章，谈到估值 10 亿美元以上的创业公司激增。她把这些公司称作"独角兽"。抛开这个绰号，这些科技独角兽并非神话：按照李的统计，它们一共有 39 家，但这个数字很快就将超过 100 家。

与 20 世纪 90 年代末期的 .com 前辈们不同，这些独角兽们没有急于冲向股票市场，而是能够私下筹集数额惊人的资金，从而规避公开上市后带来的严格监管。

独角兽的代表是优步公司，一个打车服务智能手机 App，它由冲劲十足的工程师特拉维斯·卡兰尼克（Travis Kalanick）与他人共同创立。在伊丽莎白接受《华尔街日报》访谈前的几个星期，优步以 35 亿美元的估值筹集资金 3.61 亿美元。另外还有音乐流媒体服务公司 Spotify，它在 2013 年 11 月筹得 2.5 亿美元，其每股价格对应的整个公司估值为 40 亿美元。

这些公司的估值在随后的几年内将不断增长，但现在，它们被希拉洛斯一跃超过。而其中的差距还将变得更大。

《华尔街日报》的文章引起了两位经验丰富的专业投资人的注意，克里斯托弗·詹姆斯（Christopher James）与布莱恩·格罗斯曼（Brian Grossman）在旧金山经营一家对冲基金公司，名叫伙伴基金管理公司（Partner Fund Management）。伙伴基金的总资产达到 40 亿美元，拥有成功的业绩记录，自詹姆斯在 2004 年创建公司以来，年度投资回报率达到差不多 10% 的水平。它的成功部分要归功于资产组合中有较大规模的医疗健康投资，这一块是由格罗斯曼负责管理。

他们与伊丽莎白联系，她邀请詹姆斯和格罗斯曼在 2013 年 12 月 15 日会面。他们来到希拉洛斯的总部——这是一座沿着山麓不规则伸展的褐色建筑，离斯坦福大学的校园咫尺之遥——的时候，两个人都注意到的第一件事，是安保的严密。在门口有多名保安，他们得签署一份保密协议，然后才被允许进入楼内。一旦进入后，无论走到哪里，即使上洗手间，都有保安陪伴。建筑物的部分地方必须有特别的门卡才能进入，他们是禁止入内的。

伊丽莎白和桑尼一直对安保重视有加，但随着在沃尔格林的门店中启动服务，他们的偏执程度达到了新的高度。他们自认为，奎斯特公司和实验室集团把希拉洛斯看作是对其安逸的寡头垄断地位的致命威胁，它们会采取一切可能的手段打垮新的竞争者。还有一个因素，就是约翰·富兹在出庭证词中扬言要与伊丽莎白“干到底”，直到她死。她把这个威胁看得非常严重。那一年，詹姆斯·马蒂斯从军中退役，随后加入希拉洛斯的董事会，在他的推荐下，伊丽莎白聘用了他在五角大楼的警卫队首领吉姆·里维拉（Jim Rivera）。里维拉是个头发花白的职业高手，在马蒂斯频繁前往伊拉克和阿富汗的时候负责保卫他的安全。他总是在夹克下面带着枪套，或是把它绑在脚踝上，带领一支有六个人的警卫团队，都穿黑色的制服，头戴耳麦。

严格的安保措施给詹姆斯和格罗斯曼留下了深刻的印象。它让人想起可口可乐公司保护其可乐配方秘密的程度，这向他们暗示，希拉洛斯拥有极有价值的知识产权需要保护。伊丽莎白和桑尼的介绍令他们增强了这一印象。

根据伙伴基金公司后来针对希拉洛斯公司发起诉讼时的说法，在第一次会面的时候，伊丽莎白和桑尼告诉他们的客人，联邦医保和私人健康保险公司付费委托实验室做的1300多个项目中，希拉洛斯的专有指尖针刺技术可以处理其中的1000多项。（许多血液检测涉及多个付费项目，因此，那上千个项目所对应的实际检测的数量只有几百项。）

三个星期后的第二次会谈，他们做了一个PPT演示，其中包含多个散点图，目的是拿希拉洛斯专有分析仪的检测数据，与传统实验室设备的数据进行比较。每一张图都显示，数据点紧密聚集在一条直线周围，该直线沿横坐标轴成对角线向上爬升。这表明希拉洛斯的检测结果几乎完美吻合从传统设备中获得的检测结果。换言之，它的技术跟传统检测一样准确。个中奥秘在于，图表中的大部分数据不是来自迷你实验室或者爱迪生，而是来自希拉洛斯所购买的其他商用血液分析仪器，其中一台设备由坐落于帕洛阿尔托北部、车程仅有一小时的伯乐（Bio-Rad）公司生产。

桑尼还告诉詹姆斯和格罗斯曼，希拉洛斯已经开发出三百种不同的血液检测，范围从常规性检测，如测量葡萄糖、电解质和肾功能，到深奥得多的癌症探测检测等。他吹嘘说，希拉洛斯可以基于从指尖针刺取得的小剂量血液样本，进行其中 98% 的检测项目，六个月内将能够做全部的检测项目。这三百项检测可以满足全部实验室需求的 99% 到 99.9%，而且希拉洛斯已经将每一项检测都提交到 FDA 进行核准，他说。

桑尼和伊丽莎白最厚颜无耻的吹嘘，是说希拉洛斯的系统能够基于一份指尖取血样本，同时运行 70 项不同的血液检测，而且该系统很快就能运行更多的项目。基于一两滴血液进行如此多检测的能力，仿佛是微流体领域的圣杯。自从瑞士科学家安德里斯·曼兹（Andreas Manz）表示，计算机芯片产业所开发的微制造技术可以用于制作微型通道，用来转移小剂量液体开始，全世界的高校和公司里成千上万的研究人员追求这个目标已经超过二十年。

但由于一些基本原因，它仍然遥不可及。主要原因之一是不同种类的血液检测要求极为不同的方式。一旦你使用微型血液样本进行免疫测定，通常不再会剩下足够的血液，无法做一般化学分析或血液学分析所要求的完全不同的实验室检测。另一个原因在于，尽管微流体芯片可以处理非常小剂量的样本，但还没有人知道如何避免样本转移到芯片过程中的损失问题。样本剂量大的时候，损失一点点没什么关系，但当样本本身剂量微小的时候，它就成了一个大问题。从伊丽莎白和桑尼的讲述来看，希拉洛斯已经解决了这些问题和其他困难——这些挑战曾经困扰着生物工程研究的这一整个分支领域。

除了希拉洛斯所宣称的科学成就外，打动詹姆斯和格罗斯曼的，还有公司的董事会成员。除了舒尔茨和马蒂斯之外，现在还有前国务卿亨利·基辛格（Henry Kissinger），前国防部长威廉·佩里（William Perry），前参议院军事委员会（Senate Arms Services Committee）主席山姆·纳恩（Sam Nunn）以及前海军上将盖里·罗海德（Gary Roughead）。这些杰出人士拥有传奇英雄色彩，为希拉洛斯的正当性提供背书。所有这些人的共同特性，像舒尔茨一样，在于他们都是胡佛研究所的研究员。在攀上了舒尔茨之后，伊丽莎白系统地培育与他们每个人的关系，赠予他们股份，换取他们在董事会任职。

这些前政府成员、议员和军方官员在董事会中的存在，还赋予伊丽莎白和桑尼信心，认定希拉洛斯的设备将会被美军在战场上使用。詹姆斯和格罗斯曼觉得，希拉洛斯在沃尔格林和西夫韦门店中提供的指尖采血检测可能极大地吸引消费者，攫取美国血液检测市场的大部分份额。与国防部的合同将带来另外一大笔收入。

桑尼发给这家对冲基金高管的一份带有财务预测的电子表格支持这个想法。它预测 2014 年的总收入将达到 2.61 亿美元，总利润 1.65 亿美元，2015 年的预测总收入为 16.8 亿美元，其中总利润为 10.8 亿美元。他们完全不知道，桑尼是凭空捏造了这些数据。自从伊丽莎白在 2006 年炒掉亨利·莫斯利之后，希拉洛斯就没有一个真正的首席财务官。公司最接近这个职位的人是内控官丹尼斯·任（Danise Yam）。桑尼将他的预测发送给伙伴基金的六个星期之后，任发给咨询公司 Aranca 一份截然不同的预测，目的是为员工的股票期权定价。任预测 2014 年的利润为 3500 万美元，2015 年为 1 亿美元（与桑尼对伙伴基金所做的预测相比，分别少了 1.3 亿美元和 9.8 亿美元）。收入预测的差距还要大得多：她预测的 2014 年收入为 5000 万美元，2015 年为 1.34 亿美元（分别比给到伙伴基金的预测少 2.11 亿美元和 15.5 亿美元）。事实将证明，即使任的预测数字，也是难以想象的乐观。

当然，詹姆斯和格罗斯曼绝不会知道，希拉洛斯内部的预测比给他们看的数字低五到十二倍。他们觉得，拥有一个具备如此声望的董事会，这家公司怎么可能有什么不对的事情发生。更不用说这个董事会还有一个名叫大卫·博伊斯的特别顾问，出席了所有的董事会会议。有这么一个全国顶级的律师盯着，事情怎么会错？

2014 年 2 月 4 日，伙伴基金以每股 17 美元的价格，购买了 5655294 股希拉洛斯公司的股份，比四个月前卢卡斯风险投资集团付出的价格多了 2 美元 / 股。这笔投资令希拉洛斯将 9600 万美元收入囊中，自身的估值达到了惊人的 90 亿美元。这意味着拥有公司一半多一点股份的伊丽莎白，现在的净财富几乎接近 50 亿美元。

第十六章　孙子

泰勒·舒尔茨（Tyler Shultz）站在一群新同事的中间——他们聚集在这座脸书公司过去的办公楼的餐厅里——正在听伊丽莎白富有感情地发表演讲。她谈到她的姨父因为癌症而过早去世，谈到希拉洛斯的血液检测发出的早期警告如何能预防此类事件。那就是她在过去十年来孜孜不倦地工作的目标，她说的时候满眼含泪，声音打动人心：一个人们不必过早向他们所爱之人说再见的世界。泰勒觉得这一讯息非常令人振奋。今年春天从斯坦福大学毕业后，他利用暑假的间隙背包周游欧洲，此刻刚刚开始在希拉洛斯工作还不到一个星期。在这片天地的几天时间中，他有太多东西需要吸收理解，特别是伊丽莎白这次召开全员大会所宣布的消息：公司将在沃尔格林的门店正式启用其技术。

泰勒第一次遇到伊丽莎白，是在2011年年底，他去祖父乔治在斯坦福校园附近的家里做客。那时他还是大学三年级的学生，主修机械工程。伊丽莎白基于指尖采血进行快速、无痛检测的愿景立即对他产生了共鸣。那年夏天，他在希拉洛斯实习，随后改换专业，学习生物学，并申请该公司的全职工作。

他工作的第一天充满戏剧性。一位名叫安加丽的免疫测定团队主管辞职，一群员工聚集在停车场跟她道别。传言安加丽和伊丽莎白大吵了一架。接着，三天之后，泰勒被告知，他原本被安排加入的蛋白质工程小组被解散了，所有人都被转入人手缺乏的免疫测定团队去帮忙。一切都有点混乱，有点令人困惑，但伊丽莎白激奋人心的演讲打消了他刚刚萌生的焦虑。他离开会场的时候，精力充沛，干劲十足，准备真正努力地投入工作。

入职一个月后，泰勒遇到了一位新员工，名叫艾瑞卡·张（Erika Cheung）。跟泰勒一样，艾瑞卡也是刚刚大学毕业，专业同样是生物学，但除此以外他们再无共同之处。泰勒有一头乱蓬蓬的金发，还有声名显赫的祖父，是既有体制的产物，而艾瑞卡来自一个混合种族的中产阶级家庭。她的父亲从中国香港移民美国，在 UPS 公司从包裹处理员一路做到工程经理。青少年时期的大部分时间，她是在家自学的。

尽管拥有非常不同的背景，但泰勒和艾瑞卡很快成了朋友。他们在免疫测定团队的工作，是帮助运行试验，在希拉洛斯公司的爱迪生设备部署到实验室、应用于病人身上之前，验证其血液检测的准确性。这一验证过程被称为“检测验证”（assay validation）。用于这些试验的血液样本来自员工，有时候来自他们的朋友和家人。为了鼓励员工贡献血液，希拉洛斯每管血液付给他们 10 美元。那就是说，你来一次最多可以挣 50 美元。泰勒和艾瑞卡互相竞争，看谁能先得到 600 美元——超出这个槛，公司就得将其作为报酬向美国国税局（IRS）申报。一个周末，希拉洛斯正在寻找更多的志愿者，于是泰勒推荐他的四名室友跟他一起来贡献血液。那天晚上，他们把获得的补偿都拿出来放在一起——250 美元——买了啤酒和汉堡，在几个街区之外他们租的那栋摇摇晃晃的房子里开了个派对。

令泰勒在希拉洛斯的工作热情遭受打击的第一件事，是目睹爱迪生设备的内部构造。去年夏天的实习期间，他没有被准许靠近这个设备，所以当一位名叫胡冉（Ran Hu）的华裔科学家去掉一台机器的黑白两色外壳给他做展示的时候，他的期望很高。站在泰勒旁边的是他的主管阿茹娜·阿耶尔（Aruna Ayer）。阿茹娜跟他一样好奇：她之前的角色是蛋白质工程小组的领导人，那时候她也从未亲眼见过爱迪生设备。冉做了一个简短的展示，泰勒和阿茹娜都不敢相信他们看到的东西。这个设备似乎不过就是在一个机械手臂上固定一个移液管，然后在一个台架上前后移动而已。两人都期待能看到某种复杂的微流体系统。但这个，似乎像某种中学生在车库里就能造出来的东西。

阿茹娜想保持一种开放的态度，问道："冉，你觉得这个东西酷吗？"

冉回复的语调暗示她并不这样觉得："我想你还是自己看吧。"

当外壳装回去之后，爱迪生倒是还有一个触摸屏的软件界面可以夸耀一下，但即使这个东西也令人失望。你得用力敲击屏幕的图标，才能起到作用。泰勒和团队的其他一些成员开玩笑说，如果斯蒂夫·乔布斯看到其中一台设备，也会在坟墓里睡不着觉。泰勒感到一阵失望席卷自己，但重又振作起来，告诉自己，传说中还在工作室的下一代设备 4S 可能要复杂得多。

很快就有其他的事情开始困扰泰勒。他和艾瑞卡受命要做的一项试验，涉及在爱迪生设备上反复测试血液样本，以测量所得结果的变化程度。所收集的数据用来计算每一台爱迪生设备的血液检测变异系数（coefficient of variation），或简称 CV。如果一项检测的变异系数低于 10%，则通常认定是准确的。令泰勒失望的是，未能获得足够低 CV 值的数据轮次只是被简单地抛弃，试验不断重复，直到获得想要的数据。这就好像你抛硬币，抛的次数足够多，总会得到连续 10 次头像，然后你宣布，硬币每次掉下来都是头像朝上。甚至在获得"良好"数据的试验轮次中，泰勒和艾瑞卡注意到某些数值也被认定是极端值而被删除。当艾瑞卡询问团队级别更高的科学家，他们如何定义极端值，没人能直接回答她。艾瑞卡和泰勒也许太年轻，缺乏经验，但他们都知道，采樱桃式[1]的数据绝不是好的科学。并不是只有他们对这些具体行为产生了担忧。泰勒喜欢和尊敬的阿茹娜也不同意这些做法，还有一位生性活泼、与泰勒友善的德国科学家迈克尔·亨伯特（Michael Humbert）也是如此认为。

泰勒参与的一项验证试验，涉及一种对梅毒的检测。有些检测是测量某种物质在血液中的浓度，比如胆固醇，从而判断它是否过高。其他

1　即只选择最优数据。

检测比如梅毒检测，提供的是非此即彼的答案，即病人是否患有某种特定疾病。此类检测是否准确，衡量标准是敏感性，即该项检测在多大程度上正确地标记某人对该疾病呈现阳性。在为期数天的一段期间，泰勒和几位同事在爱迪生设备上检测了 247 份血液样本，其中有 66 份已知梅毒阳性。在第一轮测试中，设备只正确地检测出 65% 的阳性样本。在第二轮测试中，它们正确地检测出 80%。然而，在其验证报告中，希拉洛斯声称其梅毒检测的敏感度达到 95%。

艾瑞卡和泰勒觉得，希拉洛斯还在爱迪生设备其他检测的准确性上有误导行为，比如一项测量维生素 D 的检测。当一份血液样本用意大利索灵公司制造的分析仪进行检测时，它可能显示维生素 D 的浓度为每毫升 20 纳克，对于一个成年人来说，这被认为是足够的。但当艾瑞卡在爱迪生设备上测试同样的样本时，结果是每毫升 10 或 12 纳克，这个值意味着维生素 D 不足。然而，爱迪生设备的维生素 D 检测仍被允许在临床实验室中用于活体病人样本，还有两种甲状腺激素检测和一种测量前列腺癌症标志物 PSA 的检测，也是如此。

2013 年 11 月，艾瑞卡被从免疫测定团队调到临床实验室，安排在诺曼底，即楼下设有爱迪生设备的房间。在感恩节假期的时候，从沃尔格林在帕洛阿尔托的门店传来一份病人的订单，要求做维生素 D 检测。按照所接受的训练，艾瑞卡在检测病人的样本之前，先在爱迪生设备上运行质量控制检查。

质量控制检查是防止不准确结果的基础性安全措施，是实验室运行的核心区域。即对一份预先保存的血浆样本进行检测，其中某项被分析物的浓度已知，然后看实验室对该物质检测的结果是否与已知的值吻合。如果所得到的结果比已知的值高出或低于两个标准方差，则通常认定质量控制检查失败。

艾瑞卡运行的第一次质量控制检查失败了，于是她运行了第二次。这一次也遭到了失败。艾瑞卡不知道怎么办才好。实验室的高级别工作人员都在休假，所以她给公司设定的紧急求助热线发送了电子邮件。萨姆·阿内卡尔、苏拉吉·萨克塞纳和丹尼尔·杨回复了她的邮件，给出多种建议，但他们的建议都没有起到作用。过了不久，一位名叫杜远（Uyen Do）的员工——来自设备研发方面——下楼来，看了看质量控制检查的读数。

按照桑尼和丹尼尔所制定的框架标准，希拉洛斯从爱迪生设备获得检测结果的方式至少可以说是非正统的。首先，指尖针刺采血的小样本用帝肯液体处理器稀释，分成三个部分。随后，三份被稀释的样本在三个不同的爱迪生设备上进行检测。每个设备上有两个移液管针头，探入被稀释的血液中，产生两个数值。因此加在一起，三个设备会产生六个数值。最终的结果，是取那六个数值的中间值。

按照这个框架，艾瑞卡在三个爱迪生设备上运行了两个质量控制样本，每一轮得到六个数值，一共获得十二个数值。杜没有劳神跟艾瑞卡解释她的原则，删除了那十二个数值中的两个，声称它们是极端异常值。然后，她继续下去，检测了病人的样本，将结果发送出去。

这不是质量控制检查反复失败的应有处理方式。通常，连续两次这样的失败会导致这些设备下线，进行重新检校。而且，杜甚至没有进入临床实验室的许可。与艾瑞卡不同，她没有 CLS 的执照，没有处理病人样本的资格。这一幕令艾瑞卡非常震动。

不到一个星期之后，在楼上的实验室侏罗纪公园，艾伦·比姆正在与一位女性巡查员紧张地争论，她来自加州公共卫生部实验室现场服务处。希拉洛斯实验室取得 CLIA 执照已经差不多两年，需要更新，这要求实验室得通过检查。联邦医疗保险机构将诸如此类的常规检查授权给州巡查员执行。

桑尼已经下过命令，在检查期间，任何员工不得进出诺曼底。通往这间楼下房间的楼梯被藏在一扇门后面，只有用一张门禁卡才能打开。艾伦和其他实验室成员明白这一命令是一个明确的信号，桑尼不想让巡查员问及这扇门后的任何事情。巡查员在实验室的楼上部分花了几个小时的时间，找出了几个相对轻微的问题，艾伦承诺会尽快修正。然后她就走了，完全不知道她忽略了实验室中配有公司专有设备的部分。艾伦不知道是该如释重负呢，还是该生气。难道他刚才不是在蒙骗一位监管者吗？为什么他陷入了这样的境地？

检查之后，桑尼下令，不仅只有在爱迪生设备上运行的那四项检测采用指尖针刺取血方式，针对希拉洛斯在沃尔格林门店中提供的数十项血液检测，都从常规的静脉抽血转到指尖针刺取血。这意味着，丹尼尔·杨和萨姆·龚（Sam Gong）[1]用西门子的 ADVIA 设备临时拼凑的系统现在将用在普通病人身上。用不了多长时间，问题就会浮出水面。

伊丽莎白和桑尼决定将凤凰城作为他们的主要启动市场，他们被亚利桑那州支持企业发展的名声所吸引，另外该州存在大量无保险的病人，他们相信这些人尤其容易接受希拉洛斯提供的低价服务。因此，除了在帕洛阿尔托已开的一家店，公司在凤凰城地区的沃尔格林门店刚刚开了两家健康中心，计划另外再开几十家。伊丽莎白计划在凤凰城设置第二家实验室，但目前，在亚利桑那州的门店中收集的指尖取血样本还需要通过联邦快递送回帕洛阿尔托进行检测。这一安排非常不理想：纳米容器是放在冷却容器中运送，但在机场的柏油路面上暴晒几个小时，冷却容器的温度会升高。这会导致小试管中的血液凝结成块。

跟启动之前测试员工的血液样本时一样，艾伦在钾的检测结果上仍然遇到了问题。纳米容器中的血液常常呈现出粉色，这是溶血的一种迹象，而稀释后的样本所产生的钾检测结果普遍过高。部分情况下高到只有死去的病人才有可能出现这样的检测值。问题实在太糟糕，以至于艾伦定下一条规则，在某一数值之上的钾检测结果不得提供给病人。他请求伊丽莎白将钾检测从希拉洛斯的检测项目清单上删除。但是，她派了丹尼尔·杨过来，想修复这个检测项目。

2014 年初，泰勒·舒尔茨从免疫测定团队被调到制作团队，该团队在楼下的诺曼底工作。这让他更接近艾瑞卡和其他临床实验室的同事，

1　即前文提到的龚新伟。

他们正在爱迪生设备和经过改装的西门子 ADVIA 上处理病人的样本。在两个团队之间没有设置物理隔断，所以泰勒可以听到实验室助手之间的窃窃私语。泰勒从艾瑞卡和其他人那里了解到：爱迪生设备经常在做质量控制检查时失败，桑尼给实验室的人施加压力，让他们忽略失败，无论如何都要在这些设备上检测病人样本。

泰勒正在斗争该如何做的时候，接到祖父的电话。乔治说他要为伊丽莎白举办 30 岁生日宴会，想让孙子来参加，为她弹奏一曲。泰勒从高中开始弹吉他，喜欢自己写歌。此前暑假旅行期间，他曾周游爱尔兰，在酒吧里或是街头拐角演奏。泰勒想用工作来作借口推脱：他在制作团队的排班是从下午 3 点到凌晨 1 点，与晚会的时间冲突。但乔治坚持己见。他已经做好了座位表，在晚餐桌上把自己孙子的座位安排在钱宁·罗伯特森和伊丽莎白之间。而且他很确定，如果泰勒为了庆祝伊丽莎白的生日而误了工作，她不会介意的。她想让他参加，他说。

几天后，泰勒与其他宾客混杂在乔治家中的起居室里，那是一幢淡蓝色木质屋顶的大房子，位于斯坦福大学校园附近的一座小山上。乔治的第二任妻子夏洛特（Charlotte）扮演宴会主人的角色。伊丽莎白的父母飞过来参加这次活动，她的弟弟克里斯蒂安也来了。另外还有钱宁·罗伯特森和希拉洛斯的董事比尔·佩里（Bill Perry）[1]，佩里曾在克林顿政府担任国防部长。

在祖父的敦促下，泰勒演唱了他匆匆写就的歌。俗套的歌词借用了希拉洛斯的口号：“小小一滴，改变一切”，泰勒唱的时候尽力不显得谄媚。令他恐惧的是，过了不多一会儿，他又得重唱一次，因为亨利·基辛格来晚了，所有人认为他应该听听。泰勒唱完以后，亨利·基辛格——跟乔治·舒尔茨一样，已经 90 岁出头了——朗诵了一首他为这个过生日的姑娘写的五行打油诗。这幕场景有一种超现实主义的感觉：他们全都坐在舒尔茨的起居室里，围成一圈，伊丽莎白在当中，陶醉在众人的目光里。仿佛她是个女王，他们都是她的追求者，亲吻着她的王冠。尽

1 即威廉·佩里，比尔（Bill）为威廉（William）的昵称。

管那晚如此尴尬，但让泰勒觉得他与伊丽莎白相处得很好，足以向她坦白自己的担忧。晚会过后不久，他发了一封电子邮件给她，问是否可以跟她面谈。

伊丽莎白邀请他去她的办公室。他们的会面很短暂，但他有时间提出一些困扰着他的问题。其中之一是希拉洛斯对其血液检测准确性所做的公开表述：公司声称其检测的变异系数低于 10%，但许多验证报告中的变异系数高出很多，他告诉她。伊丽莎白表现得很惊讶，说她觉得希拉洛斯没有做出过这样的断言。她建议两人一起去看看公司的网站，并且立即在她巨大的 iMac 电脑屏幕上把网站调出来。网站有一个叫作“我们的技术”的板块，其中用一个夺人眼球的绿白色圆形标志，确实醒目地宣传变异系数低于 10%，但伊丽莎白提醒说，在它的上面有一行较小的字，特别注明这一声称只包括希拉洛斯的维生素 D 检测。

泰勒接受了她的说法，但在心里想，要去检查维生素 D 验证的数据。随后他提出，自己计算的变异系数常常与在验证报告中找到的数据不符。按他的计算，报告中的变异系数远远低于它们实际的数据。也就是说，希拉洛斯在夸大其血液检测的准确度。

“这听起来不对劲。”伊丽莎白说。她建议他去和丹尼尔·杨谈谈。丹尼尔可以带着他看看希拉洛斯是如何进行数据分析的，帮他打消任何疑虑。在随后的几个星期里，泰勒与丹尼尔·杨碰了两次头。跟丹尼尔谈话会令人感到泄气。他的额头很长，后退的发际线更突出了这一点，证明他有一个大大的、强有力的大脑。但要想知道那个大脑里面在想什么是不可能的。他的眼睛藏在金边眼镜后面，从不泄漏任何情绪。

第一次碰头的时候，丹尼尔平静地解释为什么泰勒的变异系数计算是错误的：泰勒考虑的是六个数值，或者说在每一次爱迪生设备的检测中产生的“重复计数”，而不是取那六个数值的中位数。希拉洛斯向病人报告的最终结果是中位数，因此只有那个数值与变异系数的计算有关，他说。

技术上而言，丹尼尔也许是正确的，但泰勒已经触及了爱迪生设备的一个核心缺陷：它的移液管针头是极为不准确的。每一次检测产生六个测量结果，然后选择中位数，是对这种不准确的一种修正方式。如果针头首先稳定可靠，就没有必要这样折腾。

谈话转向梅毒检测，泰勒担忧的是其敏感度被高估了。再一次，丹尼尔已经有了准备好的解释：爱迪生设备的梅毒检测结果有部分掉入了一个模糊区域。在这个区域内的结果不应当包括在敏感度计算以内。泰勒仍然抱有疑虑。对于这个所谓的模糊区域，似乎没有任何预先界定的标准。它可以任意扩展，直到敏感度达到公司想要的目标。在梅毒检测的情况中，这个范围如此宽广，以至于被认定在模糊区域内的样本比爱迪生设备正确地发现为阳性的样本还要多。泰勒问丹尼尔，他是否认为希拉洛斯的梅毒检测真的是市场上最准确的，像公司所宣称的那样？丹尼尔回答，希拉洛斯从未声称拥有最准确的检测。

泰勒回到自己的座位上，去谷歌上搜了两篇最近在媒体上发表的关于希拉洛斯的文章，把它们发给丹尼尔。其中之一是伊丽莎白在《华尔街日报》的访谈，其中声称希拉洛斯的检测“比传统的方法更为准确”，并且称那准确性的提高是科学的进步。几天后他们再次碰面时，丹尼尔承认《华尔街日报》的那个说法太过笼统，但又争辩说，它们是作者所说的，不是伊丽莎白自己说的。泰勒觉得这个说法有点投机取巧。那个作者当然不是自己凭空说那些话的，一定是从伊丽莎白那里听来的。一抹微笑掠过丹尼尔的嘴唇。

“是，在访谈的环境中伊丽莎白有时候会有所夸大。”他说。

还有其他的事情困扰着泰勒，他刚从艾瑞卡那里听到风声的事情，他决定也提出来。所有的临床实验室都必须每年三次接受一种被称为“能力验证”的考验，这是用来排查那些检测不准确的实验室。美国病理学家学会（the College of American Pathologists）这样的认证机构会向实验室发送预制的血浆样本，要求它们对多种被分析物进行检测。

在其运作的头两年，希拉洛斯的实验室一直在商用分析仪上进行能力验证样本的检测。但既然现在开始使用爱迪生设备用于某些病人的检测，艾伦·比姆和他的新实验室副主管迫切地想看看这些设备在验证中的表现。比姆和新任副主管马克·潘多里（Mark Pandori）要求艾瑞卡和其他实验室同僚将能力验证样本一分为二，一份在爱迪生设备上运行，另一份在实验室的西门子和索灵分析仪上运行，以便进行比较。爱迪生设备的结果与西门子和索灵分析仪的结果显著不同，尤其是维生素D的检测。

当桑尼知道了他们的小试验之后，暴跳如雷。他不仅立刻终止此事，而且要求他们只上报西门子和索灵分析仪的结果。实验室中出现许多窃窃私语，认为爱迪生设备的结果才是应当上报的。泰勒查阅过CLIA法规，其中的规定似乎是：它们要求能力验证样本必须“以与患者样本相同的方式”，“使用实验室的常规方法”进行检测和分析。希拉洛斯在爱迪生设备上做维生素D、PSA和两种甲状腺激素的检测，因此这四种被分析物的能力验证结果应当来自爱迪生设备。

泰勒告诉丹尼尔，他不明白希拉洛斯的做法怎么可能是合法的。丹尼尔以一种扭曲的逻辑回应。他说评估一个实验室的能力验证结果，应当拿它们和其对等同行的结果进行比较，但在希拉洛斯的情况下，这是不可能的，因为它的技术是独一无二的，没有对等比较组。于是，作同等比较的唯一方式，就是像其他实验室那样，使用传统的方法。此外他提出，能力验证的规则是极其复杂的。泰勒尽可放宽心，没有任何法律遭到破坏。泰勒对此并不认可。

2014年3月31日，星期一，上午9点16分，泰勒整个周末都在等待的电子邮件到达他的雅虎邮箱收件箱，或者不如说科林·拉姆雷兹（Colin Ramirez）的收件箱——他为了匿名而使用的化名。邮件来自纽约州卫生部临床实验室评估项目主管，斯蒂芬妮·舒尔曼（Stephanie Shulman）。她是对泰勒上周五以虚构身份为掩护提出的一个问询做出回应。

泰勒联系纽约州卫生部，是因为它负责管理希拉洛斯参与的一项能力验证项目。他仍然怀疑公司进行能力验证的方式不恰当，想获得专家的意见。在与舒尔曼一番电子邮件往来后，泰勒得到了答案。他向舒尔曼描述了希拉洛斯的做法，她回复说这些做法构成了“某种形式的PT欺诈行为”，并且“违反了州政府和联邦政府的要求”。舒尔曼给泰勒两个选择：他可以给她违规实验室的名称，或者，他可以向纽约州实验室调查处（New York State's Laboratory Investigative Unit）发起匿名投诉。他选择了后者。

泰勒确信自己对能力验证的怀疑是正确的，他去见他的祖父。他们一起坐在乔治那幢大房子的餐厅里，泰勒试着向前国务卿解释准确性、敏感度、质量控制检查以及能力验证的意思，向他说明为什么自己认为希拉洛斯在每一个方面所用的方法都存在缺陷。他还揭露，希拉洛斯在网站上宣称正在使用其专有设备进行200多种血液检测，但实际上只有一小部分。还有，甚至在用那设备处理那些样本之前，他们还得先用一台6英尺长、2英尺半宽，耗费数万美元的第三方机器稀释样本。

乔治疑惑地听着所有这一切。泰勒能感觉到，他没有明白自己说的东西，但他要让既是他的祖父又是公司董事会成员的乔治知道，自己再也不会参与正在进行的一切。他说自己计划辞职。乔治叫他先缓一缓，再给伊丽莎白一个机会来解决所有事情。泰勒同意了，然后试着跟伊丽莎白再次安排会面，但日益增加的公共活动让她非常忙。她叫他把自己的担忧发邮件给她，以替代会面。于是他便敲了一封长长的信，概述他与丹尼尔·杨的对话，解释为什么他觉得丹尼尔的绝大多数回答不让人信服。他甚至加入图表和验证数据来说明自己的多个观点。在结尾处他写道：

> 如果觉得这封邮件无论如何带有攻击意味，深表抱歉，我无意如此，只是觉得有责任将我所看到的东西告诉你，从而可以共同找出解决办法。我非常认同本公司的长期愿景，担心我们现在的一些做法将阻碍我们达成更大的目标。

过了好些天，泰勒没有收到任何反馈。终于等到姗姗来迟的回复，却不是来自伊丽莎白，而是桑尼。而且回复非常咄咄逼人。这封针锋相对的反击邮件比泰勒的原始邮件还要长，桑尼贬斥了从他对统计学的理解到实验室科学知识的一切。整体上就是说泰勒太年轻，太嫩，不能理解他所谈的东西。桑尼从头到尾的语气都渗透着恶毒，但最尖锐的言辞留给了泰勒提出的能力验证的问题：

> 针对本公司、公司领导层及其核心成员之正直的鲁莽评论和攻击，完全是出于无知，对我而言是如此无礼，假如是其他人这样做，我们会用最强硬的方式叫他们承担责任。我花了这么多的时间，抛下工作，亲自处理这件事，唯一的原因在于你是舒尔茨先生的孙子……
>
> 我现在放下极其重要的事务，耗费大量的时间来调查你的说法——关于此事，我想从你这里收到的唯一后续邮件只能是一个道歉，我将把它转给包括丹尼尔在内的其他人。

泰勒决定，是时候离开了。他用一句话回复了桑尼的邮件，给出两周的通知期，如果他想让他早点走，也可以。几个小时后，人力资源主管莫娜召他去办公室，通知他公司已经决定，他应该当天走人。她让他签了一些新的保密单子，告诉他保安会护送他离开办公楼。但保安部没有人手来带他走，于是泰勒自己走了。

还没到车上，他的手机就响了。是母亲打来的电话，听上去她快疯了。

她恳求："停下来，不管你想做什么！"

泰勒告诉她，太晚了。他已经辞职，并且签署了离职文件。

"我不是那个意思。我刚刚挂掉你爷爷的电话。他说伊丽莎白打给他，告诉他，如果你坚持恶意反对她，你会输的。"

泰勒惊得目瞪口呆。伊丽莎白是在通过他的家庭来威胁他，利用他的祖父来传递这一信息。他感到一阵怒气蓦然升起。挂掉母亲的电话后，他调头奔往胡佛研究所。

乔治·舒尔茨的秘书领着他，来到祖父位于赫伯特·胡佛纪念大楼二楼的拐角办公室。书架上陈列着体现丰富人生的书籍。泰勒仍然对伊丽莎白的威胁余怒未消，但他平静地向乔治解释所发生的一切。他出示了自己给伊丽莎白的电子邮件以及桑尼猛烈反击的回复。乔治叫他的秘书复印了邮件，然后把它们放入办公室的保险箱。

泰勒觉得这次他应该明白了，但并不是很确定。这位老人很难猜得透。担任总统内阁高级成员的那些岁月，克服诸如冷战高潮期间苏联这样的威胁，已经把他变得像密码一样难解。他吸收信息，但很少主动透露信息。他们说好当晚在祖父的房子里再碰面，共进晚餐。他们离开的时候，乔治告诉泰勒："他们想让我相信你是个笨蛋。他们没法让我相信你是笨蛋。不过，他们能让我相信在这件事情上你是错的，我确实相信你错了。"

知道泰勒辞职后，艾瑞卡问自己，她是否也应该这样做。实验室中的事情已经失去控制。除了爱迪生设备上原有的四项测试，检测验证团队在该设备上还开发了丙型肝炎检测，用于临床用途。给患者不准确的维生素 D 检测结果是一回事，但要是检测传染性疾病，风险会高得多。

来了一份患者要求做丙型肝炎检测的单子，艾瑞卡拒绝在爱迪生设备上运行样本。马克·潘多里叫她过去说说此事，艾瑞卡在他的办公室里泪流满面。艾瑞卡与马克关系很好，艾瑞卡信任他。从几个月前刚来的时候开始，马克就在努力做正确的事情，包括在能力验证一事上。

艾瑞卡告诉马克，丙型肝炎的检测试剂过期了，爱迪生有一段时间没有重新校准，她仅仅只是不信任这个设备。于是他们定了一个计划，用市面上可以买到的肝炎检测套件 OraQuick HCV 来做患者样本检测。这支撑了一段时间，但后来实验室中的肝炎检测套件用完了。他们想下单买一批新的，可桑尼大发脾气，威胁要阻止此事。

然后，就在泰勒接到母亲丧失理智的电话的那个下午，几乎是在同时，桑尼把艾瑞卡召到办公室。他仔细检查了泰勒的电子邮件，发现是艾瑞卡将能力验证的结果发给泰勒的。他们对话开始的时候相当友善，但当她提出实验室中质量控制检查的失败问题时，桑尼严厉斥责了她。他最后留下的话是："你得告诉我是不是还想在这里工作。"

下班后，艾瑞卡去和泰勒碰面。泰勒建议她陪自己去祖父家里吃晚饭。如果乔治看到他的孙子不是唯一对希拉洛斯的运作方式抱有疑虑的员工，他也许会醒悟过来。艾瑞卡同意可以尝试一下。

然而，他们到了祖父家以后，泰勒很快就发现，祖父对希拉洛斯的信任度在间隔的几个小时中又得到了加强。在舒尔茨家族成员们的等待下，泰勒和艾瑞卡讲了一遍他们所有的担忧，但似乎只有乔治的妻子夏洛特接受了他们所说的事情。她不断地用震惊的语气叫他们重复故事中的几个地方。

另一方面，乔治则不为所动。泰勒注意到，他是多么宠爱伊丽莎白。他与她的关系似乎比和自己还要亲近。泰勒也知道，他的祖父对科学抱有多大的激情。他常常跟孙子说，科学进步将让世界变得更美好，拯救这个世界免受瘟疫和气候变化之类的威胁。这种激情似乎使得他无法放弃对希拉洛斯的指望。

乔治说，纽约的一位顶级外科医生跟他说过，这家公司将给外科领域带来革命性变革，而他的好朋友亨利·基辛格认为此人是还在世的最聪明的人。而且按照伊丽莎白的说法，希拉洛斯的设备已经用在救伤的直升机上和医院的手术室里，所以它们一定是管用的。

泰勒和艾瑞卡试着劝说他，鉴于这些设备在希拉洛斯内部都很少有管用的时候，那些说法不可能是真的。但很显然，毫无作用。乔治让他们将公司抛在身后，继续过自己的生活。他们都会有光明的未来，他跟他们说。他们沮丧地吃完晚饭离开，除了听从他的建议别无选择。

第二天上午，艾瑞卡也辞职了。她写了一封简短的辞职信，给马克·潘多里转交伊丽莎白和桑尼。信上说，她不赞成在爱迪生设备上运行患者样本，而且认为自己和公司在“病患关怀和品质上”没有共同标准。在看过辞职信后，马克把信交还给艾瑞卡，建议她悄悄地离开，无须挥手道别。

艾瑞卡想了想，觉得他可能是对的。她将辞职信折了起来，放进背包。但过了一会儿，莫娜在自己的办公室处理艾瑞卡的辞职事务时，问她有没有从办公室带走什么东西。为了表明没有，艾瑞卡打开背包，给她看里面的东西。莫娜发现了这封信，将其没收。她让艾瑞卡签署了一份新的保密协定，警告她不要在脸书、领英或其他任何论坛上写关于希拉洛斯的东西。

“我们有办法追查，”她说，“不管你在哪里发表，写些什么，我们都会看到的。”

第十七章　成名

理查德·富兹和乔·富兹警惕地坐在圣何塞（San Jose）费尔蒙酒店的大堂酒吧，桌子对面是大卫·博伊斯和他的同伴。这是3月中旬一个星期日的晚上，平时热闹的酒吧中两架三角钢琴寂静无声。让这四个人可以不用提高声音说话。博伊斯看上去很放松，打扮利落，穿一件海军蓝的西服，脚上是有自己签名的黑色运动鞋，他发起了这次会面，讨论如何解决在过去两年半中令富兹家族和希拉洛斯陷入对抗的诉讼。

理查德和乔最初决心要将官司打到底，但他们都已筋疲力竭。庭审开始于不久之前，就在这条街上的联邦法院，他们遭受攻击的范围之广终于让他们彻底醒悟过来。由于对他们的律师不满，以及官司成本不断增加，他们在几个月前选择“自行应诉”。那时看起来很明智的决定，现在看很愚蠢：作为一名从未打过官司的专利律师，乔根本无法与全国最好的诉讼律师及其所属的队伍抗衡。

伊恩·吉本斯的死亡也是一个巨大的挫折。粗看上去，要亡羊补牢，他们也许可以传唤他的遗孀罗谢尔作证。理查德成功地联系上了罗谢尔，罗谢尔告诉他，伊丽莎白曾试图恐吓伊恩不要出庭作证，还有伊恩认为她不诚实。但主审法官否决了富兹一家随后提出的传召罗谢尔出庭的动议。

不过，更加有破坏性的，是理查德·富兹自己两天前在法庭的作证。博伊斯抓住他一系列无关紧要的谎话，尽管这些谎话完全不能证明希拉洛斯的剽窃指控，但损害了他的信誉。其中一个谎言，是富兹的抗辩，说他仍然从事医药行业，诊治病人，这个说法被他自己妻子的证词所反驳。富兹拒绝收回这个说法，即使博伊斯用他妻子的证词与他质证，这除了自尊以外没有其他原因可以解释。在自己混乱的公开辩论中，富兹还声明他的专利与希拉洛斯毫无关系，鉴于他的专利申请中提到了公司的名称，并且引用了公司网站的内容，显而易见，这一说法也是荒谬的。

乔看着父亲在法庭上的糟糕表现，警惕日增。他的父亲在商业环境中曾是一位了不起的推销员，因为他极为健谈并且喜欢即兴发挥，但当你在宣誓之后遭到顶级律师的质询且不放过任何矛盾之处的时候，那种即兴的、与事实相去甚远的方法就难以奏效了。而更于事无补的是，74 岁高龄的理查德，记忆已经开始走下坡路。

乔担心弟弟约翰即将出场的作证可能演变成另一个麻烦。博伊斯知道约翰的脾气很坏，毫无疑问会在陪审团面前向他施压。他已经提到过约翰在出庭作证时曾经威胁伊丽莎白的事实。

把这一切在脑子里盘算了一遍之后，乔知道他们遇到麻烦了。法庭上的失败似乎很有可能，一个骇人的想法缠绕着他：如果他们不仅输掉官司，而且法官还要他们承担希拉洛斯打官司的费用呢？想到他们的对手在这件案子上花了多少钱，他就发抖。他担心这可能让父亲和他自己都破产。他们已经花费了超过 200 万美元来为自己辩护。

博伊斯带着迈克・昂德希尔（Mike Underhill）来参与他们的会谈，此人是博伊斯・席勒律师事务所参与此项诉讼的经手人之一。昂德希尔个子很高，身材瘦长，为了打破僵局，他问理查德是不是真的在农场长大（答案为“是”）。这让富兹和博伊斯开始讨论饲养牛群的问题，博伊斯有点经验，他在纳帕谷（Napa Valley）拥有一家牧场。谈话最终转向眼前的事务，昂德希尔说案子达成和解对双方都好。不过，如果富兹家仍然想继续打下去，他们应该知道，将要揭露出来的事情会毁了约翰・富兹。昂德希尔没有说清楚是什么事情，说的时候也不是胁迫式的。他说的时候，好像他很喜欢约翰，如果看到约翰受到伤害，自己也会感到痛苦。昂德希尔威胁要公开约翰的丑事，这很有些滑稽。两人曾经在麦克德莫特·威尔和埃默里律师事务所做过同事，用的是同一个秘书。约翰曾代表这位秘书，向律所的人力资源部提出针对昂德希尔的性骚扰投诉，之后不久昂德希尔离开了麦克德莫特。（昂德希尔否认有任何不当行为，说他从麦克德莫特离开加入博伊斯·席勒，是早已定好的事情。）

可能出现新的针对弟弟的伤害性信息，给乔长长的担忧名单上又增加了一行，但事实上他和父亲来参与会面，是准备和解的。形成一个协议没花多长时间：富兹家撤回其专利，换取希拉洛斯撤销诉讼。没有金钱的交易；双方各自负责自己打官司的成本。总体上，这是富兹一方的完败。伊丽莎白赢了。

博伊斯坚持立即在当场起草协议。他在一张纸上写下条款，交给乔，乔做了一些修改。然后昂德希尔拿到楼上，打印出来。在等昂德希尔返回的时候，理查德·富兹再次抱怨伊丽莎白的剽窃指控是错误的。扮演宽宏大量角色的博伊斯同意，情况可能确实如此，但他必须向客户负责。

富兹问博伊斯，可以为约翰做点什么。他说，他儿子的声誉遭到了不公正的诋毁。昂德希尔之前向乔提过，如果约翰签署声明，承诺不起诉伊丽莎白或公司，博伊斯·席勒可以为他介绍专利方面的工作。博伊斯重申了这个提议。他需要等待六个月，让事情平息下来，但随后他可以把工作交给约翰做。博伊斯建议他们给约翰打电话仔细讨论。

富兹拨打了约翰在华盛顿的电话，将他的手机递给博伊斯。结果，约翰完全不想接受这一好意，他一直期待着出庭作证。他把这看作是洗刷自己声名的机会。现在，和解将阻止他那样做。他愤怒地告诉博伊斯，他决不签署任何声明，除非希拉洛斯发布公告，确定他无罪。理查德和乔能看出对话进行得不顺利：博伊斯拿着电话离耳朵好几英寸远，躲开约翰在线路那头的咆哮。几分钟后，博伊斯把电话交还给富兹。他们附带的小生意完了。

但主协议依然成立。昂德希尔拿着打印版的和解协议回来，理查德和乔读过后，在上面签字。后来，理查德·富兹看来被彻底击垮了。这个骄傲的、好斗的前中情局特工崩溃了，哭了起来。

第二天早晨，富兹在宾馆的记事本上写下一张便笺，来到法院的时候，他让博伊斯转交给伊丽莎白。上面写着：

亲爱的伊丽莎白：

事情现在已经解决。我祝贺你的巨大成功，祝你的父母健康快乐。我们都会犯错。生活就是那样。务请知晓，612 号专利事实上没有任何东西来自你们的未完成品。它仅仅源自我的大脑。

诚挚祝愿

理查德·富兹

回到华盛顿，与约翰·富兹的和解进行得不顺利。他对每个人都像疯了一样，包括自己的父亲和哥哥，因为他们达成协议，给予希拉洛斯他们想要的一切，使他没有机会在法庭上陈述自己的故事。一怒之下，约翰给一位名叫朱莉娅·洛夫（Julia Love）的年轻记者——她为美国律师媒体（American Lawyer Media）写报道——发去电子邮件，告诉她博伊斯前一天晚上给他开出的交换条件，听上去像是试图贿赂他。他还发誓要起诉博伊斯，并且把父亲和哥哥加上作为被告。随后他把邮件抄送昂德希尔、理查德和乔，让他们知道，他们回复给他的任何东西都会被抄送给媒体。

几小时后，昂德希尔怒气冲冲地回复，将记者排除在回复收件人之外，但抄送给了他的老板。他否认有任何试图贿赂约翰的行为，并警告他，如果他继续做出这些指控，博伊斯·席勒会让他承担责任。为了让这个信息更加突出，几分钟后，博伊斯使用自己的 iPad 加上了一句话：上帝欲使谁灭亡，必先令其疯狂。

朱莉娅·洛夫关于和解的文章刊登在美国律师媒体的通讯杂志《诉讼日报》（*Litigation Daily*）上，引起了《财富》（*Fortune*）杂志的法律记者罗杰·帕洛夫（Roger Parloff）的注意。在做记者之前，帕洛夫曾经在曼哈顿担任白领刑事犯罪的辩护律师，总是寻觅与法律有关的传奇故事来写。

这个特别的案子让他觉得奇怪，而且以他的经验，奇怪的案子常常可以编成好的故事。大卫·博伊斯可以说是全美最著名的律师，素来只挑最具影响性的案子，为什么会亲自处理这样一件模糊不清的专利案件，而不是打发给某一个级别低得多的助理去做？还有另一个事实，律师约翰·富兹——一名被告的儿子，另一名被告的兄弟——公开威胁要起诉原告和博伊斯捏造虚假指控。

帕洛夫的办公室位于曼哈顿中城的时间人寿大厦（Time & Life Building），他拿起电话，打给长期为博伊斯担任公关代表的道恩·施耐德（Dawn Schneider）。帕洛夫的电话对施耐德而言来得恰是时候。她刚刚与兴高采烈的博伊斯讨论过这个案子，觉得应该给他找几个媒体来写写。她同意过来与这位《财富》的作者做短暂的面谈。博伊斯·席勒的办公室位于第五十一大街和莱克星敦大道，离她只有四个街区的距离。

施耐德步行穿过中城的时候，她想到的是，博伊斯在富兹一案中的胜利是一个好题材，但远远不如希拉洛斯及其杰出的年轻创始人的故事。她还从未见过伊丽莎白，但多年来一直听到博伊斯热情地谈论她。这是一个机会，在伊丽莎白的公司计划扩张到全国的时候，让大卫的这位女门徒获得全国性的关注。等她到达位于美洲大道的《财富》杂志办公室时，施耐德已经改变了调子。

帕洛夫入迷地听着。他没有看过《华尔街日报》去年秋天的文章，所以还没有听说过希拉洛斯，但从施耐德的讲述来看，那正是关键所在。这就像是在写苹果或谷歌还没有成为硅谷标志、还没进入大众视野之前的早期故事。

“罗杰，这是你从未听过的最伟大的公司，”她说，“可以把它做成一个旧派《财富》杂志的封面故事。”

过了几个星期，帕洛夫飞到帕洛阿尔托，与伊丽莎白会面，在几天的行程中，一共对她做了七个小时的访谈。在适应了她那一开始令人震惊的低沉嗓音后，他觉得她聪颖而迷人。当谈论血液检测以外的话题时，她很谦逊，近乎天真。但当谈话转到希拉洛斯时，她变得强硬而专注。她也非常注意掌控信息。她抛出了一个独家新闻：希拉洛斯从投资者那里募集了超过 4000 万美元，公司估值达 90 亿美元，使它成为硅谷最具价值的创业公司。她还给帕洛夫展示了迷你实验室（尽管她没有给它任何名字）。但她没有允许这家杂志给它拍照片，她不想要帕洛夫使用“设备”或“机器”之类的词来描述它。她更喜欢“分析仪”一词。

抛开那些怪癖不提，伊丽莎白跟帕洛夫说的她想要达成的目标似乎真的具有革新性，令人印象深刻。正如她和桑尼向伙伴基金说的那样，她告诉他，希拉洛斯的分析仪可以基于一滴小小的针刺取血进行 70 种不同的血液检测，她让他相信，其菜单中提供的 200 多项检测全都是通过指尖针刺取血，用公司的专有技术完成。由于自己没有专业知识判断她在科学上的说法，帕洛夫访问了她的董事会中的著名成员，实际上把他们当成品格信誉见证人。他谈过话的有舒尔茨、佩里、基辛格、纳恩、马蒂斯以及两位新的董事：大银行富国银行的前 CEO 理查德·科瓦塞维奇（Richard Kovacevich）和前参议院多数党领袖比尔·傅利斯（Bill Frist）。投身政治之前，傅利斯曾是一位心脏和肺移植外科医生。他们全都肯定地为伊丽莎白做出保证。舒尔茨和马蒂斯尤其满怀感情。

“你在哪里看到这位年轻的女士，哪里就有一种积极向上的纯粹，”舒尔茨跟他说，“我是说，她确实正在让世界变得更好，这就是她如何去实现的方式。”

马蒂斯以自己的方式赞美她的正直。“她可能是拥有最成熟、最完美的伦理感的人之一：包括所有我听到过能清晰说出的伦理，如个人伦理、管理伦理、商业伦理、医学伦理等。”这位退役将军由衷地说。

帕洛夫在文章中并没有引用那些话，但是他在希拉洛斯董事会的那些杰出人物一个接一个访谈中听到的响当当的保证，使他相信伊丽莎白的货真价实。他还喜欢把自己看作一个相当不错的性格评判家。毕竟，他多年来一直与不诚实的人们打交道，在法学院期间他曾在一个监狱工作过，后来详细记录了诸如地毯清洗企业家巴里·敏高（Barry Minkow）

和律师马克·德莱尔（Marc Dreier）这些骗子的事迹，两人入狱都是因为巧妙地策划了庞氏骗局。当然，在谈论公司的某些特定方面时，伊丽莎白有故作神秘的倾向，但他觉得绝大多数情况下，她都是真实、真诚的。既然他的角度不再是专利案子，就不必再费劲去联系富兹家的人了。

帕洛夫的封面故事刊登在2014年6月12日的《财富》杂志上，它让伊丽莎白一举成为明星人物。《华尔街日报》的访谈为她赢得了部分关注，在《连线》（*Wired*）杂志上也有一篇写她的文章，但都不像《财富》的杂志封面那样吸引人们的关注，尤其是当那封面展现的是一位颇具吸引力的年轻女子时：她身穿黑色高领毛衣，黑色的睫毛膏衬托出锐利的蓝色眼睛，鲜艳的口红，旁边是夺人眼球的标题："为血液而生的CEO"。

文章第一次披露了希拉洛斯的估值，以及伊丽莎白拥有公司一半多股份的事实。其中还有现已为人们所熟知的与史蒂夫·乔布斯和比尔·盖茨的比较。这一次，比较不是来自乔治·舒尔茨，而是来自她原来在斯坦福大学的教授钱宁·罗伯特森。（如果帕洛夫读过罗伯特森在富兹案中的证词，他就会知道希拉洛斯每年付给他50万美元，作为表面上的顾问。）帕洛夫还在文章中写到了伊丽莎白对针头的恐惧——这个细节将会在他的文章随后引发的报道热潮中一再重复，成为她的神话的核心。

当《福布斯》（*Forbes*）的编辑看到《财富》的文章后，他们立即安排记者去证实该公司的估值以及伊丽莎白所拥有的股份，并在下一期杂志上发表了一篇关于她的文章。标题是"神奇的血液"（Bloody Amazing），文章说她是"白手起家成为亿万富翁的最年轻的女性"。两个月后，她跻身福布斯年度美国富豪榜前400。更多赞誉性的报道出现在《今日美国》（*USA Today*）、《公司》（*Inc.*）、《快速公司》（*Fast Company*）、《魅力》（*Glamour*）等媒体上，还有国家公共广播（NPR）、福克斯商业频道（Fox Business）、美国全国广播公司财经频道（CNBC）、有线电视新闻网（CNN）以及哥伦比亚广播公司新闻频道（CBS News）的报道。与媒体的爆炸性报道相随而来的，还有数不清的会议邀请和一系列的荣誉称号。她成为霍雷肖·阿尔杰奖（Horatio Alger Award）的最年轻获得者。《时代》杂志提名她为100个世界上最有影响力的人物之一。奥巴马总统任命她为美国全球创业精神大使，哈佛医学院邀请她加入其声望卓著的研究员理事会。

尽管追求得到关注，但突然而来的声名并不完全是伊丽莎白自己的行为所带来的。她的出现迎合了公众想要看到一个女性创业家在一个历来由男性统治的科技世界取得突破的渴望。雅虎公司的玛丽莎·梅耶尔（Marissa Mayer）和脸书的雪莉·桑德伯格（Sheryl Sandberg）在硅谷已经取得了很高的声望，但她们并没有白手起家创建自己的公司。有了伊丽莎白·霍姆斯，硅谷拥有了它第一个身为技术创始人的女性亿万富翁。

尽管如此，伊丽莎白迎接聚光灯的方式仍然有些与众不同。她的举止更像是一个电影明星而不是一位企业家，陶醉在公众对她的吹捧之中。每周都有新的媒体访谈，有大会上的亮相。其他的知名创业公司创始人也会接受访谈，公开亮相，但绝不会有如此高的频率。帕洛夫兜售的那个避世隐居、清心寡欲的年轻女子形象，一夜之间让位给了无处不在的名流范儿。

伊丽莎白很快就开始拥抱声名带来的附属品。希拉洛斯的保安团队增加到20人。她现在有两位保镖，开一辆黑色的奥迪A8轿车进出。对他们来说，她的代号是“老鹰一号”。（桑尼是“老鹰二号”。）这辆奥迪没有车牌，这是对斯蒂夫·乔布斯的又一次致敬，他喜欢租用新的奔驰车，每六个月换一次，免得要上牌照。伊丽莎白也有一个私人厨师，为她准备用黄瓜、香菜、羽衣甘蓝、菠菜、生菜和芹菜做的沙拉和绿色蔬果汁。如果她要飞到哪里去，使用的是一架私人湾流喷气机。

伊丽莎白伪装出来的外表如此引人关注，部分是因为她所传递的感人讯息，即使用希拉洛斯便捷的血液检测尽早发现疾病，从而像她在一个又一个访谈中所说的：没有人再过早地告别他们挚爱的人。2014年9月，《财富》杂志的封面文章发表三个月之后，在旧金山的TEDMED大会所做的一次演讲中，她更清楚地表达了这个讯息，并为它增加了私人维度：

她第一次公开讲述了她的姨父死于癌症的故事——就是泰勒·舒尔茨刚开始在希拉洛斯工作时觉得如此激动人心的故事。

伊丽莎白的姨父罗恩·迪亚兹确实在十八个月前死于皮肤癌，死的时候癌症已经转移，扩展到大脑。但她没有披露的是，她从来没有跟姨父有多亲近。对于了解他们实际关系的家族成员来说，利用他的死来推销她的公司，令人感到虚伪，是一种炒作。当然，坐在旧金山艺术宫里的观众没人知道此事。与会的上千名观众大都觉得她的表现非常迷人。

她一身黑色打扮，一边演讲，一边环绕讲台庄重地踱步，就像是一个牧师在布道。为了获得事先设计的戏剧化效果，她中途从外套的口袋里拿出一个纳米容器，举起来，展示希拉洛斯的检测需要的血液量是多么少。她将对针头的恐惧称作"人类的基本恐惧之一，堪比对蜘蛛和高度的恐惧"，然后她讲述了其他一些令人感动的小故事。其中之一是说一个小姑娘被注射器反复困扰，因为医院的护士找不到她的静脉。另一个故事则是关于癌症病人，在治疗过程中他们需要提供的血液量足以令他们精神崩溃。

观众席中间坐着一个人静静地看着：帕特里克·奥尼尔，伊丽莎白将他从李岱艾公司挖了过来，担任希拉洛斯的首席创意官。帕特里克在塑造伊丽莎白的形象、提升她的外形方面很有帮助。他帮助她为大会做准备，此前还与《财富》的摄影师一起工作，拍摄杂志的封面照片。对于帕特里克而言，将伊丽莎白打造成希拉洛斯公司的门面具有完美的意义。她是公司最强有力的营销工具。她的故事令人迷醉。每个人都相信她，数不清的年轻女孩给她发信函和电子邮件。就帕特里克自己而言，这并不是出于市侩的算计：他自己就是她最大的信徒。他对实验室中的诡诈一无所知，也并不想假装很了解血液检测的学问。他所关心的范围只在于，这个传奇故事是真实的。

帕特里克还没有成为全职员工之前，伊丽莎白在那栋脸书公司曾经的办公楼里挂了很多激励性的语录，用小框装裱。其中之一来自迈克尔·乔丹："我的职业生涯中，投失了 9000 多个球，输掉了 300 多场比赛，26 次投丢被赋予信任的绝杀投篮。我的生活遭遇了一次又一次的失败。但那就是我之所以成功的原因。”另一段语录来自西奥多·罗斯福：“有机会努力去做值得做的事情，这是生活给我们最有价值的奖励。”

帕特里克建议，将这些语录做成与工作场所结合得更紧密的一部分：用黑字印在这座建筑的白色墙壁之上。伊丽莎白喜欢这个主意。她也喜欢他提出的一段新的语录。它来自电影《星球大战》（*Star Wars*）中的尤达（Yoda）：“要么就做，要么不做。没有尝试一说。”她把这句话用巨大的大写字体印在办公楼入口处。

为了应对膨胀的员工数量——现在已经达到500多人——希拉洛斯计划搬到一个它从斯坦福大学租来的新址，地点在几个街区外的佩奇磨坊路（Page Mill Road）。那里过去是一家破旧的印刷厂，现在已经被废弃了。帕特里克负责新办公楼的内部装修，他雇了南非设计师克莱夫·威尔金森（Clive Wilkinson）承担这项工作，此人曾为李岱艾公司设计，将洛杉矶的仓库改建为办公室。

又一次，设计的核心主题是神圣的圆形几何。圆形的玻璃会议室设在中心，由此扩展出巨大的环形排列的办公桌。地毯也遵循同样的环形模式。在办公楼的大堂，相互交织的铜环镶嵌在地面的水磨石瓷砖之内，形成生命之花的标志。伊丽莎白的新拐角办公室设计得像是椭圆形办公室。帕特里克定了一张特制的办公桌放在中央，深度与总统的一样，但有圆形的边缘。在办公桌前面，他安排了两张沙发和两张扶手椅，环绕着一张桌子，这是复制了白宫的布局。在伊丽莎白的坚持下，办公室的大窗户使用了防弹玻璃。

帕特里克不仅是伊丽莎白的风格和装饰顾问，他也是希拉洛斯市场大发展的急先锋，在亚利桑那州，公司的健康中心已经扩展到40家沃尔格林的门店。他雇用得过奥斯卡奖的纪录片制片人埃罗尔·莫里斯（Errol Morris）——也兼职商业广告的制作人和导演——制作视频广告，在凤凰城地区的电视台播放，同时放在公司网站和YouTube的频道上。其中一则广告，是伊丽莎白穿着她标志性的黑色高领毛衣的特写镜头，她盯着摄像机，谈论她所谓的人们通过血液检测获取自己健康信息的“基本人权”。她的眼睛看上去如此之大，她说得又是如此缓慢而谨慎，令这视频有种迷醉的效果。

另一则广告展示的是病人在抱怨他们如何痛恨大针头，然后开心地接受希拉洛斯的无痛指尖针刺。帕特里克认为它很有说服力，安排在女性收视率高的节目中播出，比如美国广播公司的剧集《丑闻》(*Scandal*)，因为研究显示母亲是家中做出医疗决定的决策人。但开始播出几周后，这则广告被撤了下来，因为当地的一位医生投诉，说他的一些病人去沃尔格林的门店，期待做指尖抽血，但却被告知他们的检测还是需要打针。帕特里克觉得很失望，但没有把它作为什么问题提出来，因为他知道这是个敏感话题。几个月前，他曾问过桑尼，希拉洛斯的检测有多大比例是用指尖取血，多少是用静脉抽血。桑尼没有直接给他答案，而且迅速转移了话题。

第十八章 希波克拉底誓言

艾伦·比姆，希拉洛斯的实验室主管，参加派对迟到了。

一个白色的帐篷搭在脸书旧大楼旁边的篮球场上，公司还在从这栋楼搬走的过程中。巨大的户外音箱放出高亢的音乐，灯光在临时搭建舞池的地板上投射出粉红色的巨大蜘蛛形状。帐篷后面的草地上放着南瓜和成捆的干草作为装饰。帕洛阿尔托迎来了一个小阳春，艾伦吸了几口夜晚的清冷空气，扫视各种奇装异服打扮的人群，发现了伊丽莎白。她穿一件天鹅绒长裙，镶有金边，一副大大的立领，金发收拾成一个精心编织的发髻。伊丽莎白这副女王打扮的讽刺意味没有逃过他的眼睛。按照《福布斯》在 2014 年 10 月 20 日刚刚估出的 45 亿美元的净财富，她已经成了硅谷的皇族。

伊丽莎白喜欢举办公司派对，但没有一个能与她每年为万圣节组织的派对媲美。这是希拉洛斯的传统，不惜代价。公司的高级管理人员都一起来玩。桑尼穿成阿拉伯的酋长。丹尼尔是沃尔特·怀特（Walter White），电视连续剧《绝命毒师》（*Breaking Bad*）中由高中化学老师变成的毒贩。克里斯蒂安·霍姆斯以及兄弟派装扮成昆汀·塔伦蒂诺（Quentin Tarantino）的电影《杀死比尔》（*Kill Bill*）中的角色。

伊丽莎白在办公室里通常严肃而冷漠，但在这些场合她喜欢放松。在去年的聚会上，她在一个充气房子里跳上跳下，像个激动的孩子。今年，充气房子换成了一个充气的拳击台。员工们穿着相扑服装，戴上超大的拳击手套，在里面摇摇晃晃，伊丽莎白很喜欢一位工程师的服装——装扮成巨型中性白细胞。

艾伦应该是个僵尸，他自己也觉得像。回溯过往，离开他在匹兹堡波澜不惊的生活，到希拉洛斯来工作，就像是进入他自己怪异版本的《阴阳魔界》(*Twilight Zone*)。他当实验室主管的头几个月，坚信公司将以其技术变革实验室检测。但过去一年的各种事件粉碎了所有幻觉。现在，他觉得自己像是一场与病人、投资者和监管者玩的危险游戏中的一枚棋子。有一次，他不得不说服桑尼和伊丽莎白不要基于稀释的指尖取血样本做艾滋病毒的检测。不可靠的钾和胆固醇检测结果已经够糟糕了。错误的艾滋病毒检测结果将会带来灾难。

他的副手马克·潘多里在这个职位上工作五个月后就辞职了。起因是他要求伊丽莎白在向媒体谈论希拉洛斯的检测能力之前，先跟他们进行讨论。桑尼当场拒绝了他，这促使马克就在那天递交辞呈。另一个实验室的成员一直困扰于公司的某些做法，她告诉艾伦自己晚上睡不着觉。她也辞职离去。

艾伦自己也到了能承受的极限。几个星期之前，他开始将数十封工作邮件转到他的个人 Gmail 账户。他知道转发这些邮件是个有风险的举动，因为公司监督着一切，但他想留下记录：那些他一再与桑尼和伊丽莎白谈到的担忧的记录。两天前，他又进了一步，打电话给华盛顿一家专注于代理公司内幕举报人的律师事务所，但接电话的人只是一名"客服专员"，于是他含含糊糊地解释了致电的原因，只想跟律师对话。他的确将他与桑尼的一些往来邮件发给了这家律所，但他担心，缺乏其他的背景知识，以及不熟悉临床实验室运作的话，是很难理解这些邮件的。

它们也很难证明任何事情。公司如此严格地将事情分成各个组块。为什么不再给他看到质量控制检查的数据？一个实验室主管，一位要为提供给医生和患者之检测结果的准确性做出担保的人，怎么能被拒绝知晓这一信息？另一个大的担忧是能力验证。在仔细研究了 CLIA 的规定之后，他确信希拉洛斯在操纵此事。

"艾~伦!"

丹尼尔·杨悄悄地溜到了他的身旁，打断了他的忧思。依照他在这些工作派对上的老习惯，丹尼尔已经喝醉了。酒精使得他一反常态地友好和亲切，但艾伦知道得很清楚，不能跟他说自己的担忧。丹尼尔是这个核心内幕的一部分。他们闲聊着，拿丹尼尔在康涅狄格州的上流社会出身开着玩笑。在他们谈话的时候，聚会似乎慢慢接近了尾声。一些同事掉头前往安东尼奥的坚果屋（Antonio's Nut House）——也在这条街上几个街区远的一个地下酒吧——去继续喝啤酒。艾伦和丹尼尔跟在他们后面。

他们到达酒吧的时候，艾伦看到了公司研发方面的科学家柯蒂斯·施耐德（Curtis Schneider），于是拿过一张凳子坐到他边上。柯蒂斯是艾伦在希拉洛斯认识的最聪明的人之一。此人拥有无机化学博士学位，在加州理工学院做过四年的博士后研究。他们谈论了一会儿飞蝇钓鱼，那是柯蒂斯的爱好之一。然后柯蒂斯向艾伦谈起当天早些时候与一些 FDA 的官员开的电话会议。希拉洛斯正试图让 FDA 批准某些公司专有的血液检测项目。在会议期间，FDA 的一位审核人对公司的申请提出异议，但被他的同事制止了。柯蒂斯觉得奇怪。也许这没什么，艾伦想，但这个故事加剧了他已经在积累的不安。他向柯蒂斯谈到实验室的质量控制检查数据，以及他如何不被允许接触这些数据。他还吐露了其他的事情：公司在能力验证上弄虚作假。他怕柯蒂斯没有理解他说的这些话意味着什么，自己给出了解读：希拉洛斯正在破坏法律。

抬起头，艾伦看到杨的目光穿越酒吧，正盯着他们。他的脸色苍白得像个幽灵。

三个星期后，艾伦正待在纽瓦克他的新办公室里，克里斯蒂安·霍姆斯打来电话。公司的大部分人搬到了位于帕洛阿尔托佩奇磨坊路上的新办公楼，但不包括临床实验室。实验室得搬到旧金山海湾对面的纽瓦克，希拉洛斯正在那里扩建工厂，它计划未来在这里生产成千上万台迷你实验室。

克里斯蒂安想让艾伦处理又一宗医生投诉。自从公司在去年秋天启动其检测以来，艾伦已经应付了数十起这类投诉。他被一次又一次要求，去说服那些医生，说那些他毫无信心的血液检测结果是合理的、准确的。他决定再也不能那样做。他的良心不允许他去做。

他拒绝了克里斯蒂安，发邮件给桑尼和伊丽莎白，通知他们自己要辞职，要求他们立即把他的名字从实验室的 CLIA 执照上去掉。伊丽莎白回复说她深感失望。他同意将正式离职推迟一个月，给希拉洛斯时间寻找一名新的实验室主管。在通知期的头两个星期，艾伦去度假了。他骑着摩托车来到洛杉矶，看望他弟弟，待了几天，然后飞到纽约，与父母共度感恩节。12 月中旬，他返回后，前往在帕洛阿尔托的新总部，与桑尼讨论过渡计划。

桑尼带着莫娜下来，在新办公楼的大堂与他会面。他们带他进入一间接待区外的房间，通知他已被提前解职。桑尼将一份看上去像法律文件的东西从桌面上推给他。

艾伦看到最上面粗体字的标题："**艾伦的宣誓书**"。

文件声明，根据加利福尼亚关于伪誓罪的法律，他承诺决不披露在公司就职期间知晓的任何专有或机密信息。其中包括这样一句话："我在包括个人电子邮件账户、个人笔记本电脑或台式机、回收站 / 已删除文件夹、U 盘、家中、汽车内或任何其他位置的所有物中，没有任何与希拉洛斯相关的电子或硬拷贝信息。"

艾伦还没来得及读完，就听到桑尼用冰冷的语调说："我们知道你给自己发了一堆工作邮件。你必须让莫娜进入你的 Gmail 账户，让她检查并删除它们。"

艾伦拒绝了。他告诉桑尼，公司无权侵犯他的个人隐私，他也不会签署任何多余的文件。

桑尼的脸变得通红。他那火山般的脾气正在发酵。他厌恶地摇着头，转向莫娜说："你能相信这个家伙吗?"

他转回艾伦。声音里渗透着蔑视，他提出帮他雇一名律师，加快问题的处理。

一名由希拉洛斯公司付钱的律师将会在一场与公司的争端中充分捍

卫他的利益？这样的想法令艾伦觉得荒谬。他拒绝了提议，宣布要离开了。莫娜将他的背包给他，这是他坚持要她从实验室取来的。作为交换，她要求拿回他的公司电话和笔记本电脑。他迅速将电话重置到出厂设置，以清除其中的内容，然后交给他们。然后他走了出去。

在随后的一段时间，信息堆满了他的语音信箱。有一些来自桑尼，其他的来自莫娜。他们说的都是同样一件事，只是语气越来越带有威胁性：他必须回到办公室，让莫娜删除他个人电子邮箱中的邮件，并签署宣誓书。否则公司将会起诉他。

艾伦意识到，公司不会就此罢手。他需要一名律师。与那个华盛顿的律师事务所联系已经没用了。他需要一个在本地可以当面咨询的人。他在谷歌上搜索，打电话给跳出来的列表中的第一个人：一位旧金山的医疗事故和人身伤害律师。他付了 1 万美元订金给她，她同意为他代理。

在他的新律师看来，艾伦的选择不多。希拉洛斯可以制造一起案子，说他的行为确实破坏了他的保密义务。即使这案子失败，也能将他在法庭上拖上几个月，如果不是几年的话。这是一家硅谷最有价值的私人公司，传说中的独角兽之一。它的财务资源可以说无穷无尽。官司会让他倾家荡产。他真的想要冒这样的风险吗？

他的律师正受到一位博伊斯·席勒律师事务所为希拉洛斯担任代理的合伙人的压力，显然她被吓坏了。她敦促艾伦删除邮件，签署宣誓书。她告诉他，她会给希拉洛斯发一封保留令，要求它保留原件。公司是否会遵守并无任何保证，但那是他们的最佳做法，她说。

那天晚上，艾伦郁郁地坐在他圣克拉拉公寓的电脑前，登录进入自己的 Gmail 账户。他将邮件一封一封地删除。删完以后，他计算了一下，这些邮件共有 175 封。

距离理查德·富兹与希拉洛斯签署和解协议，同意撤回其专利，已经过去了九个月，但他仍未从这件案子中摆脱出来。在和解之后的头几个星期，他差点患上精神紧张综合征。他的妻子洛兰只好打电话给儿子乔，问发生了什么事情，因为他拒绝谈论此事。

在打官司期间，富兹找到了一位友善的倾听者：他的多年好友菲丽丝·加德纳（Phyllis Gardner），是斯坦福大学医学院的教授。菲丽丝和丈夫安德鲁·佩尔曼（Andrew Perlman）在希拉洛斯公司的初创期曾短暂与其有过交集，因为伊丽莎白从斯坦福辍学时，曾就她的原始贴片创意咨询过菲丽丝。菲丽丝告诉伊丽莎白，她不认为她的想法可以通过远程实现，她将伊丽莎白推荐给安德鲁，他是一位资深生物科技行业的管理人员。安德鲁同意在希拉洛斯咨询委员会中任职，但这个短命的委员会很快就在几个月后被伊丽莎白解散。

十年前的这幕场景令菲丽丝对伊丽莎白产生了怀疑，一个可以说没有医学或科学训练的人，一个典型的不听年长和更有经验的人劝说的人，难道真的继续开发出了开创性的血液检测技术？在一次飞行旅途中，安德鲁与一位西门子的销售代表有过交谈，了解到希拉洛斯是西门子诊断设备的大买家，她的怀疑进一步加深。

富兹也开始怀疑希拉洛斯是否真的能做到它自己声称的那些事情。2013 年秋天，在一次前往帕洛阿尔托准备审前动议的时候，他曾打电话给当地的沃尔格林门店，询问是否可以去它们那儿做一个肌酸酐指尖采血检测。他的医生最近诊断他患上了醛固酮增多症（aldosteronism），一种引发高血压的激素紊乱症，要他注意自己的肌酸酐水平，防止任何肾脏损害的迹象。肌酸酐是一种常规血液检测，但接电话的女子告诉他，没有希拉洛斯公司 CEO 的特别许可，健康中心不提供此项服务。联想到公司的严格保密，以及它努力在伊恩·吉本斯死前劝阻他出庭作证，富兹感到事有蹊跷。

富兹将菲丽丝引荐给伊恩的遗孀罗谢尔，两位女子将她们对伊丽莎白的怀疑综合在一起。最终，他们三人形成了一个小小的希拉洛斯怀疑派。问题是，似乎没有其他人同意他们的怀疑。

不过，在《纽约客》杂志 2014 年 12 月 15 日号刊登了一篇伊丽莎白的介绍后，情况发生了变化。不论从哪方面来看，这篇文章只是六个月前让她声名鹊起的《财富》杂志文章的加长版。但这次的不同在于，有熟知血液检测知识的人读到了文章，并且当即产生了怀疑。

此人就是亚当·克莱帕（Adam Clapper），密苏里州哥伦比亚的一名实习病理学家，他业余时间开了一个“病理学博客”，在上面撰写关于本行业的文章。在克莱帕看来，此事听上去太过完美，不像真的，尤其是希拉洛斯据称能够从指尖刺破的一滴血进行数十项检测。

《纽约客》的文章确实激发了部分怀疑的声音。其中包括奎斯特公司的一位高级科学家的说法，他认为指尖针刺血液检测不可能是可靠的，并且提到希拉洛斯缺乏经过同行评议的、已发表的数据。在质疑声中，伊丽莎白集中反驳后面一点，她举出自己作为合作者的一篇文章，发表在医学杂志《血液学报道》（*Hematology Reports*）上。克莱帕以前从来没有听说过《血液学报道》，所以去查了查。他了解到，那是一家总部在意大利、仅仅在线出版的刊物，任何想在上面发表文章的科学家只要支付500美元即可。然后他查阅了霍姆斯和他人合著的那篇论文，震惊地发现，其中的数据只包括一次血液检测，涉及患者总数六名。

在自己博客上一篇关于《纽约客》文章的帖子中，克莱帕指出那份医学杂志的籍籍无名，以及研究的浅薄，宣称自己的怀疑：“除非我看到证据，表明希拉洛斯可以在诊断准确性方面达到它号称自己能达到的水平。”“病理学博客”的读者群并不大，但乔·富兹有一次在谷歌搜索的时候凑巧搜到帖子，转给父亲，引起了他的注意。理查德·富兹立即与克莱帕联系，告诉他自己有所了解。他促使克莱帕与菲丽丝和罗谢尔联系，鼓励他去听听她们怎么说。克莱帕被他们三人所说的东西吸引住了，尤其是伊恩·吉本斯之死的故事。但一切听上去太过离奇，远远超出了他文章中所写下的内容。他告诉富兹，他需要的是证据。

富兹感到沮丧。怎么做，才能让人们听到他的话，最终看透伊丽莎白·霍姆斯呢？

几天后，在查看电子邮件时，富兹看到一份来自领英的通知，提醒他有新的人查看了他的资料。来访者的姓名——艾伦·比姆——听上去陌生，但他的职位头衔引起了富兹的注意：希拉洛斯实验室主管。富兹通过网站的内部通讯功能给比姆发了一条信息，询问是否可以与他通电话。他觉得收到回复的概率很低，但是值得一试。第二天，他正在马里布（Malibu）用老式莱卡相机拍照，一条来自比姆的简短回复出现在他的 iPhone 收件箱中。他愿意谈谈，并附上了自己的电话号码。富兹开着他的黑色奔驰 E 级轿车回到比弗利山，在离家还有几个街区的时候，拨打了那个号码。

电话线那头传来的声音听上去战战兢兢。“富兹先生，我之所以愿意跟您交谈，是因为您是一位医生，”比姆说，“你和我都做过希波克拉底宣誓，第一条是不得伤害。希拉洛斯正在将人们推上伤害之路。”接着，艾伦给富兹讲述了希拉洛斯实验室中存在的一长串问题。富兹把车子停进车道，迅速从车上下来。一进到家里，他就抓住一个记事簿——他从巴黎的莫里斯酒店（Le Meurice）带回来的——开始做记录。艾伦说得太快，他来不及跟上他说的一切。他草草地写下：

对 CLIA 的人撒谎 / 作弊

启动的灾难

指尖针刺不准确——使用静脉抽血

从亚利桑那送到帕洛阿尔托

使用西门子设备

违反职业操守

虚假的甲状腺结果

K 结果遍布

假怀孕的错误

告诉伊莎没准备好但她坚持继续

富兹请艾伦与乔和菲丽丝对话。他想让他们自己从最直接相关人的嘴里听到这些事情。艾伦同意致电他们，将告知富兹的事情向他们各自再重复一遍。但那就是他愿意做的全部了。他不能向他们再讲更多其他的。他说，博伊斯·席勒的律师一直在骚扰他，而且他没法负担得起富兹所遭受的那种诉讼。尽管同情艾伦的窘境，但富兹不能就此放手任它去。他再度和克莱帕联系，把新认识的联系人和所了解的情况告诉他。这就是他一直想要的证据，他说。

克莱帕同意,这事令一切发生了变化。故事现在有支撑了。但他认定，自己不能独自承担此事。首先，他无法承担将要与一家 90 亿美元市值的硅谷公司抗衡的法律责任，何况这家公司由大卫·博伊斯代理，有着好战的记录。其次，他只是一名业余博客博主，没有新闻专业知识处理这样的事情。更不用说他还有一份全职的医疗职业要去做。他想，这是一位调查记者的活。从开始写“病理学博客”以来的三年中，他曾与多名记者谈过实验室行业的乱象。其中一人在他脑海中尤其印象深刻，此人为《华尔街日报》工作。

第十九章　爆料

那是2月的第二个星期一，《华尔街日报》位于曼哈顿中城的新闻编辑部，我正坐在自己乱糟糟的办公桌前，想寻找和发掘一个新的故事。我最近刚完成一个耗时一年的医保诈骗调查，不知道接下来做什么。即使在《华尔街日报》工作了十六年，我仍然没有精通一件事情：从一个调查项目迅速而高效地转移到下一个任务的艺术。

我的电话铃响了。来电的是“病理学博客”的亚当。八个月前，我曾找他帮过忙，试着去看懂复杂的实验室账单，用于我在医保系列中的一篇报道。他耐心地向我解释特定的账单项目对应的实验室流程是怎么样的，后来我用这些知识曝光了一家大型癌症诊疗中心的骗局。

亚当告诉我，他偶然发现了一个可能是个大新闻的事。人们经常给记者爆各种料。十次有九次不会有什么实质内容，但我总是花时间听他们说。世事难料。而且，在这个特别的时候，我正像狗一样在寻觅骨头。我需要一根新的骨头来细细咀嚼。

亚当问我，是否读过《纽约客》最近的一篇特稿，写的是一位名叫伊丽莎白·霍姆斯的硅谷奇才和她的公司，希拉洛斯。我确实读过。我订了《纽约客》，经常在上下班的地铁上阅读它。

既然他现在提到了这篇文章，我在读它的时候已经发现有什么事情不对劲。其中之一，是没有任何经同行评议的数据支撑该公司的在科学上的说法。过去的十年中，我大部分时间花在报道与医疗健康事务相关的事情，无法想象医学上如此重大的进步没有经过同行的审阅。我也对霍姆斯就她的秘密血液检测设备如何工作所做的简短描述感到惊讶："执行一项化学过程，由此发生一个化学反应，从化学物与样本的互动中产生一个信号，将其翻译为检测结果，然后由经过认证的实验室人员审核。"

那些话听上去像一个高中化学的学生讲的话，而不是一个高深的实验室科学家。《纽约客》的作者称这一描述"模糊得可笑"。

当我停下来仔细考虑，发现很难相信，只上过两个学期化学工程课程的一名大学辍学生能够成为前沿科技的先锋。当然，马克·扎克伯格10岁的时候就在父亲的计算机上学会了编程，但医学不一样：那不是你在家里的地下室就能自学的。你需要多年的正规训练，经过数十年的研究，才能找到价值所在。许多诺贝尔医学奖得主都是60多岁，这不是没有道理的，他们的成就到那时才能获得认可。

亚当说，对于《纽约客》的这篇文章，他有类似的感觉，他在博客上发表帖子质疑之后，有一群人联系了他。对他们的身份，尤其是与希拉洛斯的关系，他秘而不宣，但说他们拥有这家公司的信息，我也许想听。他说可以与他们联系，看看他们是否愿意与我谈谈。

同时，我对希拉洛斯作了一些初步了解，无意中发现了《华尔街日报》社论版十七个月前的文章。文章发表的时候我并没读过。这增添了一点有趣的波折，我暗自想：我的报纸在霍姆斯的流星般崛起中扮演了重要角色，成了第一家发表她所谓成就的主流媒体机构。这确实是一个尴尬的境地，但我并不是很担心这一点。《华尔街日报》的社论版和新闻版同仁之间有一堵防火墙。如果我真的在霍姆斯的橱柜中发现什么不可告人的秘密，那也不会是这家报纸的两方第一次自相矛盾。

第一次谈话的两个星期后，亚当帮我联系上了理查德·富兹、乔·富兹、菲丽丝·加德纳和罗谢尔·吉本斯。听说富兹一家跟希拉洛斯惹上了官司，我一开始感到很失望。即使他们坚持遭到了错误的指控，但官司给了他们报复的理由，令他们无法成为信息来源。

但当我听到他们与希拉洛斯刚刚离职的实验室主管有过对话，而且此人声称公司存在若干错误做法，我的耳朵便竖了起来。我还发现，伊恩·吉本斯的故事令人同情，罗谢尔所说伊恩多次坦承希拉洛斯的技术不管用，此事尤其值得探究。在法庭上，这类事情会被当作道听途说而不予采信，但它的可信赖程度足以开展进一步考察。不过，要让此事有所进展，下一步我要做的事情非常明确：我需要与艾伦·比姆对话。

头几次拨打艾伦的电话号码，我得到的反馈都是进入语音信箱。我没有留下信息，相反，决定只是继续尝试联系他。2015 年 2 月 26 日，那个星期四的下午，一个带着我不确定是哪里口音的声音终于接听了电话。在确认他真的是艾伦之后，我做了自我介绍，告诉他我知道他刚刚抱着对公司运营方式的担忧离开了希拉洛斯。

我可以感觉到他非常紧张，但他似乎也想吐露心事，卸下负担。他告诉我，他可以跟我对话，但我必须承诺为他的身份保密。希拉洛斯的律师一直在骚扰他，他很确定，如果公司知道他跟记者谈过，一定会起诉他。我同意他保持匿名。那不是个很难的决定。没有他，我所有的一切都只是二手来源和知情的推测。如果他不肯说，这个故事就不存在了。

随着我们对话的基本规则得以建立，艾伦放下戒备，我们谈了一个多小时。他说的第一件事情是，伊恩告诉罗谢尔的事情是真的：希拉洛斯的设备不管用。它们被叫作爱迪生，很容易出错。它们一直无法通过质量控制检查。而且，希拉洛斯只用它们做一小部分检测。它的大部分检测是在市场上可以买到的商用设备上运行，并且稀释血液样本。

我花了一点时间来理解稀释这件事情。他们为什么要那么做，为什么那么做是错误的？我问道。艾伦解释，那只是为了弥补爱迪生设备的缺陷，它只能做某种被称为免疫测定的检测。希拉洛斯不想让人们知道其技术有限，所以它设计了一种方法，以便在传统设备上运行小剂量的指尖采血样本。这涉及稀释指尖采血样本，让他们的剂量加大。问题在于，他说，当你稀释了那些样本以后，被分析物在血液中的浓度也被降低到传统设备不再能准确测量的水平。

他说他曾试图推迟希拉洛斯在沃尔格林的门店中启动血液检测服务，警告霍姆斯实验室的钠和钾的检测结果完全不可信赖。按照希拉洛斯的检测，完全健康的人血液中的钾含量水平会爆表。他用“疯狂”一词来形容那些检测结果。当艾伦提到某种叫作能力验证的事时，我很难让自己理解他揭露的这些情况。他非常肯定希拉洛斯违反联邦能力验证的规定。他甚至向我提到联邦监管规则的相关部分：CFR 第 42 章，493 条。我在笔记本上把它写下来，告诉自己随后再去查阅。

艾伦还说，霍姆斯虔诚地相信要革新血液检测，但她在科学和医学方面的知识基础很贫乏，这证实了我的直觉。他说她并不是那个每天管理希拉洛斯的人。一个叫作桑尼·巴尔瓦尼的男人才是。艾伦谈及桑尼完全不加掩饰：他是一个通过恐吓进行管理的虚伪的土霸王。然后，他放出又一个重磅炸弹：霍姆斯和巴尔瓦尼曾经有过恋情。我读过《纽约客》和《财富》上的文章，浏览过希拉洛斯公司的网站，知道巴尔瓦尼是公司总裁、首席运营官。如果艾伦说的是真的，这又是一重扭曲：硅谷的第一位女性亿万富翁、科技企业创始人，与她的第二号管理层睡过觉，而此人比她大了将近 20 岁。

这是一种粗糙的公司治理方式，但毕竟它还是一家私人公司。在硅谷的私人创业世界中，没有什么规则禁止那一类的事情。我觉得更有意思的，是霍姆斯似乎向她的董事会隐瞒了这层关系。除此以外，还有什么别的理由让《纽约客》将她刻画成单身，而亨利·基辛格告诉这家杂志，他和妻子试图为她安排约会呢？如果霍姆斯没有直接向董事会坦白她与巴尔瓦尼的关系，那么她还有什么原因想要保密呢？

艾伦说，有很多次，他当面或者通过电子邮件，向伊丽莎白和巴尔瓦尼提出对能力验证检测和希拉洛斯的检测结果可靠性的担忧。但巴尔瓦尼总是要么断然回绝，要么搪塞过去，在邮件往来时肯定复制一份给希拉洛斯的律师，写上“注意律师 – 客户的保密义务”。

艾伦身为实验室主管，希拉洛斯的 CLIA 执照上登记的是他的姓名，他担心如果政府进行调查，自己可能承担个人责任。为了保护自己，他将数十封与巴尔瓦尼往来的电子邮件转发到私人电子邮箱。但希拉洛斯发现此事，威胁要起诉他违反保密协议。

除了可能面对的个人责任，让他更加困扰的是患者可能承受的潜在伤害。他描述了错误的血液检测结果可能导致的两种噩梦般的场景。一个错误的阳性结果可能导致患者去做不必要的医疗检查。但一个错误的阴性结果会更加糟糕：一名情况严重的患者不去做诊断，可能导致死亡。

我挂上电话，感受到熟悉的冲动，那是每次大型报道获得突破时才有的，我得提醒自己，这只是一个漫长征程的第一步。还有许多东西要去掌握，而最重要的是，报道需要得到确证。如果只有一个匿名来源，报纸绝不会接受，不管那来源有多么好。

第二次与艾伦对话的时候，我正站在布鲁克林的展望公园（Prospect Park），尽力让自己保持暖和，同时看管我的两个儿子，一个9岁，一个11岁，他们正在与一个朋友嬉戏。那是2月份的最后一个星期六，日后这个月份将作为纽约城八十一年来最冷的2月而载入史册。

第一次对话后，我曾发短信给艾伦，询问他是否能想起可以证实他说的事情的前同事。他发了几个名字过来，我和其中的两位取得了联系。两人都极度紧张，只同意按照深层背景信息来源[1]进行交谈。其中一位是希拉洛斯的前CLS，她不愿意说太多，但她说的东西给了我信心，说明我是找对了方向：她告诉我，自己一直对公司所发生的事情非常困扰，并且担忧患者的安全。她之所以辞职，是因为不想看到自己的名字继续出现在检测结果上。另一个人是实验室的前任技术监督，说希拉洛斯是运作在一种秘密和恐惧的文化之下。

我告诉艾伦，感觉自己开始有所进展，听到这个他似乎很高兴。我问他，是否还保留着转发到自己Gmail个人邮箱的电子邮件。他回复说为了遵守公司迫使他签的宣誓书，律师让他删除了这些邮件，听到这个消息，我的心沉了下去。对于这类故事，文件证据是黄金标准。我的工作会变得困难许多。我努力抑制住自己的失望。

我们的对话转向能力验证。艾伦解释了希拉洛斯如何操纵它，他告诉我希拉洛斯使用哪些商用分析仪来进行大部分血液检测。两种都是西

1　深层背景信息来源（on deep background），即不披露个人背景信息的情况下提供消息。

门子制造的，证实了菲丽丝·加德纳的丈夫安德鲁·佩尔曼在航班上听到西门子销售代表所说的话。他还披露了其他我们第一次谈话中没有说过的事情：希拉洛斯的实验室分成两个部分。一个放置商用分析仪，另一个放爱迪生设备。一位州巡视员有一次检查实验室，给她看到的只是有商业分析仪的部分。艾伦觉得她是受骗了。

他还提到，希拉洛斯正在研制新一代的设备，其代号为“4S”，据称将替代爱迪生，可以做范围广泛得多的检测，但它根本不管用，从未部署在实验室中。稀释指尖取血的样本，在西门子的机器上运行，原本是作为临时性解决方案，但由于 4S 遭到彻底失败，变成了永久性的做法。

一切开始变得清晰了：霍姆斯和她的公司过度承诺，当无法兑现承诺时，就想投机取巧。若是做个软件或智能手机的 App，这种做法或许问题不大，但对于人们依靠其来做出重要医疗决策的产品，这样做就是泯灭良知。在第二次对话的最后，艾伦提到了我发现饶有意味的其他事情：前国务卿、希拉洛斯董事会成员乔治·舒尔茨有一个叫泰勒的孙子，他曾经在该公司工作过。艾伦不确定泰勒为什么离开，但他认为并不是那种友好的离开。我在 iPhone 手机的记事本 App 上简略地写下这些事情，并且加上泰勒的名字，作为又一个潜在的信息来源。

随后的几个星期，我又取得了一些进展，但也遭遇到一些复杂情况。在试图证实艾伦说法的过程中，我联系了 20 多位希拉洛斯的在职和离职员工。许多人不回复我的电话和邮件。少数几个通过电话成功联系上的则告诉我，他们签了非常严格的保密协议，不想冒违反协议而遭到起诉的风险。

一位前实验室高层员工确实同意与我对话，但只能是在不公开记录（off the record）的前提下。这是一个重要的新闻工作区别：艾伦及其他两个前员工同意按深层背景信息来源与我对话，就是说我可以使用他们提供的信息，但必须对他们的身份保密。不公开记录意味着我不能使用其提供的任何信息。但这种对话仍然是有用的，因为该信息来源证实了许多艾伦告诉我的事情，帮助我坚定继续调查的信心。他用一个比喻总结了在这家公司发生的事情："希拉洛斯的运作方式，就像是想要造一辆公共汽车，造的同时又在驾驶这辆公共汽车。会死人的。"

几天后，艾伦再度与我联系，带来了一些好消息。我让他打电话给他曾在秋天联系过的华盛顿那家代理揭发者的律师事务所，看看能否找回他曾发给该律所的与巴尔瓦尼的往来邮件。律所满足了他的请求。艾伦将这些邮件转发给我。那是关于能力验证的一系列邮件，共有十八封，发生在桑尼·巴尔瓦尼、丹尼尔·杨、马克·潘多里和艾伦之间。它们表明，巴尔瓦尼愤怒地指责艾伦和马克·潘多里在爱迪生设备上运行能力验证检测样本，不情愿地承认该设备"未能通过"验证。而且，无可置疑的是霍姆斯知道这个事件：绝大多数邮件都抄送给了她。

这是又一个进步，但很快紧接而来的是一个倒退。3月下旬，艾伦因为害怕而裹足不前。他还坚持所有告诉过我的事情，但不想再卷入进一步的报道。他无法承受更多的风险。他说，与我对话令他觉得心慌，无心于他的新工作。我试图让他改变主意，但他很坚决，所以我决定给他一点空间，希望他最终还会回心转意。

这是一个很大的损失，但我慢慢地转向其他战线。我想要一个中立的实验室专家，来评估希拉洛斯稀释样本的做法和它操纵能力验证检测的方式，为此我打电话给蒂莫西·哈米尔（Timothy Hamill），他是加州大学旧金山实验室医学系的副主任。蒂姆[1]向我证实，这两种做法都大有问题。他也解释了使用指尖针刺取血的缺陷。与从手臂上抽取的静脉血不同，毛细血管血会受到组织和细胞流体的污染，干扰检测，使得测量不那么准确。"如果你跟我说，他们是来自27世纪的时间旅行者，也不比说他们已经攻克了这个难题更让人惊讶。"他说。

在改变心意前，艾伦提到亚利桑那州的一名护士卡尔曼·华盛顿（Carmen Washington），她曾在沃尔格林拥有的一家诊所工作，投诉过希拉洛斯的血液检测。我花了几个星期的时间寻找她的踪迹，最后通过电话联系上了。她告诉我，她的三位患者收到的该公司的检测结果是有问

1 蒂莫西的昵称。

题的。一个是 16 岁的女孩子，拿到的钾含量检测结果极高，表明她有心脏病发作的危险。卡尔曼说，考虑到她还是个十几岁的孩子，身体健康，这个检测结果毫无意义。其他两位患者得到的检测结果显示促甲状腺激素（TSH）的水平高得不正常。卡尔曼叫他们再度来到诊所，重新抽血。这一次，他们返回的检测结果低得不正常。从此以后，卡尔曼对希拉洛斯的指尖取血检测失去了信心。这些事件符合艾伦的说法。TSH 是希拉洛斯在爱迪生设备上所做的免疫测定之一，并且没有通过能力验证。

卡尔曼·华盛顿的故事很有帮助，但我很快就有了更好的信息来源：另一位希拉洛斯的内幕揭发者。我注意到泰勒·舒尔茨在领英上浏览过我的资料，于是通过领英的站内信息功能给他留了言。我觉得他一定是从其他离职员工那里听说我正在四处打探。从我给他留言，过去了一个多月的时间，当我以为他不会回复的时候，电话响了。

电话是泰勒打来的，他似乎急于倾诉。不过，他非常担心希拉洛斯会跟踪他。他用一个无法追踪的一次性手机给我打电话。在我同意为他保密后，他大致给我讲了在希拉洛斯八个月的故事。

泰勒与我谈话的动机来自两个方面。跟艾伦一样，他担心患者拿到不准确的检测结果。他还担心他祖父的声望。尽管他觉得希拉洛斯最终会被曝光，但他想加速这个进程，给祖父机会洗刷自己的名声。乔治·舒尔茨已经 94 岁，也许无法熬那么久。

“他经历了水门事件、伊朗门丑闻，依然保持着他的正直，”泰勒告诉我，“我肯定，如果他活着，就会熬过希拉洛斯事件，重回正轨。”

在离开公司的时候，泰勒打印了他给霍姆斯的邮件以及巴尔瓦尼的回复，把它们塞在衬衣下面，偷偷带了出去。他还有自己与纽约州卫生部就能力验证讨论的往来邮件。这对我不啻天外之音。我要求他把所有东西都发给我，他很快照做了。

是时候前往帕洛阿尔托了。但在去之前，我首先还要去拜访其他地方。

我需要证明该公司正在产生不准确的检测结果。唯一的办法，是找那些收到了有问题的实验室报告的医生，让他们的患者去其他地方重新检测。要去做这样的搜寻，最佳地点是凤凰城，希拉洛斯在那里已经扩展到 40 多个网点。我的第一想法是去拜访卡尔曼·华盛顿，但她已经离开了她所工作的沃尔格林诊所——位于奥斯本道（Osborn Road）和中央大道（Central Avenue）拐角。她也没有自己谈及的三位患者的姓名。

不过，我仔细查看 Yelp[1]，寻找是否有人抱怨在希拉洛斯的糟糕体验，由此找到了另外一条线索。很显然，一个像是医生的女性用“娜塔莉亚·M（Natalie M.）”的名字曾经抱怨过。Yelp 有一个功能，可以让你发送信息给评论者，所以我发给她一条留言，留下我的联系信息。她第二天打了电话过来。娜塔莉亚·M 的真实姓名是妮科尔·桑德内（Nicole Sundene），她是凤凰城郊区喷泉山（Fountain Hills）的一名家庭医生，对希拉洛斯非常不满。去年秋天，她把自己的一位病人送到急救室，就是因为收到该公司令人惊骇的实验室检测报告，结果却发现是一场虚假的警报。我飞到凤凰城，去会见桑德内医生和她的病人。我还计划在那里不经事先通知，直接拜访其他使用过希拉洛斯的实验室检测的执业医生。我从一个业内来源那里获得了六七个他们的名字。

桑德内医生的病人莫琳·格伦兹（Maureen Glunz）同意在她家附近的星巴克与我见面。她是一位个子娇小的女性，50 来岁，是艾伦·比姆所担心的两幕景象之一的绝好展示。她从希拉洛斯得到的实验室报告结果显示，钙、蛋白质、葡萄糖和三种肝酶异常升高。由于她又抱怨有耳鸣（后来确诊是缺乏睡眠导致），桑德内医生担心她处于即将中风的关键时刻，直接给她送到医院。感恩节的晚上，格伦兹在急诊室待了四个小时，医生在她身上做了一连串的检查，包括一次 CT 扫描。直到由医院实验室做了一套新的血液检测，结果回复正常后，她才被允许离开。不过，那还不是故事的结局。为了以防万一，她在随后的一周又做了两次核磁共振（MRI）。她说直到那些检查也已恢复正常，她才最后放下心来。

格伦兹的例子很引人注目，因为它展现了由不准确的检测结果带来的健康担忧在情感和金钱上的代价。作为一名独立房地产经纪人，她自

1 美国著名商户点评网站。

己投保，有一份高自负额的健康计划。急诊室和随后的核磁共振花了3000美元——她需要从自己的口袋里拿钱出来付。

当我在桑德内医生的办公室与她会见时，我了解到格伦兹不是她发现检测结果可疑的唯一病人。她告诉我，有十几个病人检测出来的钾和钙的水平都高得可疑，她也怀疑那些检测结果的准确性。她曾给希拉洛斯写了一封信投诉，但那家公司甚至都不肯对此予以承认。

在桑德内医生的帮助下，我决定做一个小小的试验。她给我开了一张实验室检测的单子，第二天早晨，我拿着单子去了离我酒店最近的一家沃尔格林门店，尽可能快一些，以保证最准确的读数。沃尔格林门店中的希拉洛斯健康中心并没有很多可看的东西：一个小房间，比壁橱大不了多少，有一张椅子，小瓶的水。与西夫韦不同，这家连锁药店并没有花很多钱重新装修门店来打造高档诊所。我坐下来，等了一会儿，抽血员把我的单子输入一台计算机，然后通过电话与什么人说话。她挂断电话后，要求我把袖子卷起来，把压血带缠在我的手臂上。为什么不是指尖取血？我问道。她回答说我的单子中有部分检测需要静脉抽血。对此我并不怎么惊讶。艾伦·比姆向我解释过，在希拉洛斯列出的240项检测中，只有大约80项是基于小剂量的手指针刺取血样本（有12项在爱迪生设备上做，其他60–70项在被破解的西门子机器上做）。其他的，他说，需要使用霍姆斯在媒体采访中比作中世纪酷刑的技术：可怕的皮下注射针头。现在，我自己可以证实这一点了。从沃尔格林门店出来后，我开着租来的车，来到附近一家实验室集团的网点，又做了一次抽血。桑德内医生答应，两套检测结果出来后，她会都发给我的。经过仔细考虑，她说自己也都会去这两个地方做检测，从而扩大我们的比较样本范围。

在随后的几天，我登门拜访其他医生的办公室。在斯科茨代尔（Scottsdale）的一家诊所，我和阿德里安娜·斯图尔特（Adrienne Stewart）医生、劳伦·比亚兹莱（Lauren Beardsley）医生和萨曼·里扎夫（Saman Rezaie）医生作了交谈。斯图尔特医生讲述了她的一个病人，在最后一分钟推迟了计划很久的爱尔兰旅行，因为来自希拉洛斯的一份检测结果表明她可能患有深静脉血栓（deep vein thrombosis，DVT），这种情况是有血凝块形成时才会发生，通常在腿上。患有 DVT 的人不建议乘坐飞机，因为血凝块有破裂的危险，可能跟随血液流动，并停留在肺里，导致肺栓塞。后来，患者的腿部超声波结果以及来自另一个实验室的第二套血液检测结果都显示正常，斯图尔特医生便将希拉洛斯的检测结果扔到了一边。

后来希拉洛斯发给她另一位病人的实验室检测报告，显示 TSH 值异乎寻常地高，上述事件令她产生了怀疑。这位病人已经在服用甲状腺药，检测结果表明她的药量需要提高。在做出决定之前，斯图尔特医生要求病人去索诺拉·奎斯特（Sonora Quest）——奎斯特公司和班纳健康医疗集团（Banner Health）联合投资的企业——重新检测。索诺拉·奎斯特的检测结果表明是正常的。如果她相信了希拉洛斯的检测结果，增加了患者的药物用量，结果将是灾难性的，斯图尔特医生说。病人已经怀孕，增加她的给药量会使得她的甲状腺激素水平过高，置胎儿于危险中。

我还在斯科茨代尔另一个街区碰到了家庭医生盖里·贝茨（Gary Betz），在去年夏天他的一位病人经历一场糟糕的体验之后，他不再把病人送到希拉洛斯去做检测。那位病人也是女性，正在服药降低血压。这种药的副作用之一是钾含量高，因此贝茨医生经常要查看她的血液情况。希拉洛斯的检测报告显示病人的钾含量接近临界值，贝茨医生办公室的一位护士让病人回去再次检测，以确保结果的准确性。但第二次去检测的时候，抽血员三次抽血都没有成功，然后把病人打发回家。第二天，当贝茨医生知道此事以后，非常愤怒：如果原来的结果是正确的，他必须尽可能快地得到确认，才能改变对她的治疗措施。他让病人去索诺拉·奎斯特重新检测。结果出来后，表明又是一次假警报：索诺拉·奎斯特得到的钾含量数值比希拉洛斯的结果低得多，而且是在正常值范围内。贝茨医生告诉我，这一幕粉碎了他对希拉洛斯的信任。

正当我打点行装，准备结束行程的时候，收到了一封邮件，发件人自称马修·特劳布（Matthew Traub）。他为一家公关公司 DKC 工作，说他代表希拉洛斯。他知道我正在忙活关于该公司的报道，想知道是否有什么信息可以为我提供帮助。狐狸终于露出了尾巴，而且正是时候。我原本计划一回到纽约就与希拉洛斯公司联系。在《华尔街日报》，我们有一条重要的原则，叫作“不出意外”。如果没有告知报道的主角我们的报道中收集的每一条信息，并且给他们充足的时间和机会应对和回应所有一切，一篇报道是不会见报的。

我写信回复特劳布，证实我有一篇正在工作中的报道。我问他，是否可以安排与霍姆斯进行一次访谈，以及拜访希拉洛斯的总部和实验室？我告诉他计划在5月初来旧金山湾区，大约还有两个星期的时间，可以在那个时候跟她见面。他说他会查看霍姆斯的行程，然后回复我。

几天后，我已回到《华尔街日报》的办公室，收发室的一位员工递给我一个厚厚的信封。它来自桑德内医生。里面是我们来自希拉洛斯和实验室集团的实验室报告。我检视自己的检测结果，注意到许多不同之处。希拉洛斯将我的三种检测值标记为异常高值，一种为异常低值。然而根据实验室集团的报告，所有这四种指标显示都是正常的。同时，实验室集团将我的总胆固醇和低密度蛋白胆固醇（或者称为有害胆固醇）都标为过高，而希拉洛斯的报告将前者列入“合理”，将后者列入“近似最优”。

与桑德内医生在自己报告中的发现相比，那些差异属于温和的。按照希拉洛斯的结果，她的血液中的皮质醇低于1毫克/分升。如此低的数值，通常认为与艾迪生病（Addison's disease）联系在一起，这是一种由于极度疲劳和低血压导致的危险状况，如果没有得到治疗，可能导致死亡。然而，她的实验室集团报告显示的皮质醇水平为18.8毫克/分升，是在健康人的正常范围内。对于哪一个值是正确的，桑德内医生完全没有疑问。

我收到特劳布的回复，他说霍姆斯的时间表排得太满，无法在这么短的期间安排我的访谈。我决定不管如何都飞到旧金山，与泰勒·舒尔茨和罗谢尔·吉本斯当面会见。另外还有一位希拉洛斯的前员工愿意与我对话，如果我为她保密的话。

新的消息提供者与我在奥克兰大学路（College Avenue）的一家小啤酒馆特拉普供给（Trappist Provisions）碰面。她是一位年轻女子，名叫艾瑞卡·张。像每个与我对话的希拉洛斯前员工一样，她一开始非常紧张。但当我将自己已经收集的信息有多少告诉她以后，她明显放松下来，开始给我讲述她知道的事情。

作为一位曾在希拉洛斯实验室工作的人，艾瑞卡亲眼见证了 2013 年 12 月的实验室检查。跟艾伦一样，她觉得州巡视员受到了误导。她告诉我，实验室成员得到明确的命令，在检查期间不得进出诺曼底，通向诺曼底的门一直被锁着。她还告诉我她与泰勒的友谊，以及泰勒辞职的那天晚上她在乔治·舒尔兹的房子里参加的晚宴。像泰勒一样，她也对爱迪生设备的检测验证过程中科学严谨性的缺失感到惊骇。她说希拉洛斯决不应当启动对病人样本的检测。这家公司一贯对质量控制检查的失败视而不见，表现出对病人疾苦的完全冷漠，她说。最后，她说自己之所以辞职，是因为她害怕也会成为其中的一员。这些话强劲有力，很显然，从艾瑞卡所受困扰的程度，可以知道她对这些事是多么在意。

第二天，我开车来到山景城（Mountain View），这里是谷歌公司总部所在地。我与泰勒在一个叫作斯泰恩（Steins）的露天啤酒馆见面。那是傍晚时分，这个地方挤满了硅谷的年轻专业人士，享受他们的快乐时光。我们找不到座位，于是站在外面阳台上的一个木头啤酒桶旁边，拿它作桌子。灌下 1 品脱[1]冷啤酒的同时，泰勒给我更为详细地讲述了他在希拉洛斯度过的时间，包括离职那天接到母亲转述霍姆斯威胁的疯狂电话，以及当天晚上他和艾瑞卡试图说动乔治·舒尔茨。他努力想遵从父母的建议，将整件事情抛在脑后，但发现自己做不到。

我问他，是否认为祖父仍然忠于霍姆斯。是的，泰勒心中对此几乎没有疑问，他仍然忠于她。当我问他，是什么让他这样认为，他披露了一条新的秘闻。舒尔茨家族的传统，是在这位前国务卿的家里庆祝感恩节。那天，当泰勒、泰勒的弟弟和父母来到祖父的家里时，迎面遇到霍姆斯和她的父母。乔治也邀请了他们。泰勒辞职仅仅过去七个月时间，创伤依然新鲜，但他被迫装成什么事情都没有发生一样。这次尴尬的晚宴对话，话题从加利福尼亚的干旱漂移到希拉洛斯新总部的防弹玻璃。对于泰勒

1　品脱，容量单位，1 品脱约等于 0.57 升。（编者注）

而言，最煎熬的时刻，是霍姆斯站起来祝酒，向舒尔茨家族的每一个成员表达她的爱和感激。他说他差点没能控制自己。

泰勒和艾瑞卡都很年轻，当时都是希拉洛斯的初级职员，但我发现他们可以作为可信赖的信息来源，因为他们对我说的事情与艾伦·比姆的说法互相佐证。我也被他们的道德良知所打动。他们强烈地感到所见证的事情是错误的，愿意冒着风险告诉我，想纠正那错误。

我下一个见到的是斯坦福医学院教授菲丽丝·加德纳，霍姆斯十二年前辍学时，曾经拿自己最初的贴片想法向她咨询过。菲丽丝领着我游览斯坦福大学的校园和周边的环境。我们开着她的车闲逛，我惊讶于帕洛阿尔托是多么的狭小和孤立。菲丽丝的家就在乔治·舒尔茨那座盖木瓦的大房子的山脚下，两者的土地都属于斯坦福。菲丽丝遛狗的时候，经常会碰到钱宁·罗伯特森。胡佛研究所就在斯坦福大学校园的正当中，乔治·舒尔茨和其他希拉洛斯董事会成员在那里拥有办公室。佩奇磨坊路上的希拉洛斯新总部只有不到两英里远，所在的土地也是斯坦福所有。然后是一个奇妙的转折，菲丽丝告诉我，那个地方以前是《华尔街日报》的印刷厂。

旅程的最后一天，我与罗谢尔·吉本斯会面，在帕洛阿尔托的一家缅甸餐馆仰光红宝石（Rangoon Ruby）吃午餐。伊恩去世已有两年，但罗谢尔仍旧悲痛不已，极力忍住泪花。她谴责希拉洛斯要为他的死负责，只愿他不曾在那里工作。她提供了一份医生诊断单的复印件，希拉洛斯的一位律师鼓动伊恩利用这个单子，规避在富兹一案中作证。律师邮件的时间戳显示，发送时间正是在伊恩自杀之前的几个小时。尽管罗谢尔从丈夫那里继承的希拉洛斯股票期权可能价值数百万美元，但她仍然公开发出声音。她不在意金钱，她说，而且不管怎样，她不相信这些股份真的值什么钱。

第二天，我飞回纽约，相信自己已经得到了报道所需的主要关键资料，过不了多久就可以发表。但这是低估了我正在对抗的人。

第二十章　伏击

泰勒·舒尔茨与五位室友一起租的房子位于洛斯阿尔托斯山（Los Altos Hills），距离他父母在洛斯加托斯（Los Gatos）的家只有二十五分钟的车程，所以他每隔一周会去与他们共进晚餐。2015 年 5 月 27 日傍晚时分，泰勒将他的小丰田普锐斯 C 型车停进父母的车库，穿过厨房走进房子里。他一看到父亲，立刻感觉到有什么事情不对劲，父亲的脸上满是焦虑和惊慌。

"你是不是跟一个调查记者说过希拉洛斯的事情?"他父亲责难地问道。

"是的。"泰勒回复。

"你不是在跟我开玩笑吧？怎么能这么蠢呢？好了，他们知道了。"

泰勒了解到，他祖父刚刚打电话来，说希拉洛斯知道他与一位《华尔街日报》的记者有联系。如果他想摆脱乔治所说的"麻烦世界"，他必须第二天与公司的律师见面并签署什么东西。

泰勒给祖父回电，问他们两个是否可以在当天晚些时候见面，不要任何律师在场。乔治说他和夏洛特正在外面吃晚餐，但 9 点应该会到家，泰勒可以在那个时间来。泰勒坐下来，跟父母草草吃了一顿晚餐，然后开车回家，以便好好考虑如何跟祖父开展对话。出门的时候，父母给了他一个大大的拥抱。

到家以后，泰勒给我打了个电话。从他的语调来看，他似乎紧张得不行。他问，我是否将我们的交流泄露给了希拉洛斯。我回答说绝对没有，并告诉他我对自己向信息提供者承诺的保密义务是极其严肃的。我们努力想找出是哪里出了问题。

从我们在山景城的露天啤酒馆会面，已经过去了三个星期。回到纽约后，马修·特劳布继续推后我要求的对霍姆斯的访谈，并要求我发给他问卷作为替代。我发了一封电子邮件给他，列出了我想和希拉洛斯讨论的七个方面，包括从伊恩·吉本斯到能力验证等事项。

我将这封邮件转发给泰勒，我们通话的同时他浏览了邮件。在关于检测验证的部分，我将爱迪生设备一项血液检测的变异系数列在里面，没有意识到那是泰勒自己计算出来的数字。邮件里没有其他任何东西可以指向泰勒，所以他认定这正是他们锁定他的原因所在。他似乎放松了下来。他说，他可以很容易解释清楚那个数字。它可能来自任何人。

泰勒没有告诉我他马上要去见祖父，只告诉我希拉洛斯要他第二天去办公室会见其律师。我建议他不要去。他不再为公司工作，没有义务服从那个要求。我警告他，如果他去了，他们会想方设法哄他说出来。泰勒说他会仔细考虑清楚。我们同意第二天再交换相关情况。

泰勒在晚上 8 点 45 分到达祖父的家。乔治和夏洛特还没有回来，所以他在外面的街上等着，直到看到他们的车子停进车道。他给了他们几分钟收拾时间，然后走进房子，发现他们正坐在起居室里。

“你有没有跟任何一个记者谈论过希拉洛斯？”乔治问道。

“没有，”泰勒撒了个谎，“我不知道他们为什么会那样认为。”

“伊丽莎白知道你正跟《华尔街日报》对话。她说这个记者用的正是你的电子邮件中的措辞。”

夏洛特纠正丈夫：“我想她说的是一个数字。”

是不是一个跟能力验证有关的数字？泰勒问道。很多人都看过那个数据，他说。《华尔街日报》可以从其他许多离职员工那里得到它。

“伊丽莎白说它只可能是你提供的。”乔治严厉地说。

泰勒坚持自己的说法。他说不知道记者是如何得到他的信息的。

“我们这是为了你好，”乔治说，“伊丽莎白说，如果那篇文章发表，你的职业生涯就完了。”

泰勒没有承认任何事情，他再次尝试说服他的祖父，希拉洛斯在误导他。他又一次重复了所有的事情，都是一年前他告诉祖父的，包括这家公司在其专有的爱迪生设备上只能开展很小一部分的血液检测。乔治还是没有被说服。他告诉泰勒，希拉洛斯给他准备了一份单页的文件签字，确保他往后会遵守保密职责。他解释说，《华尔街日报》将要发表希拉洛斯的商业秘密，如果公司不显示已经采取措施保卫它们，那些商业秘密将会进入公开领域。泰勒找不到要签这样的文件的理由，但表示他愿意考虑一下，如果那意味着公司将不再骚扰他的话。

“很好，楼上有两位希拉洛斯的律师，”乔治说，“我可以让他们下来吗？”

泰勒吃了一惊，有一种遭到背叛的感觉。他特别要求在他们会面时不要有律师。但是如果他现在抬脚走人，会增加人们的怀疑，他是不是真的隐藏了什么，于是他听到自己说了一声：“可以。”

乔治上楼的时候，夏洛特告诉泰勒，她开始怀疑希拉洛斯的“盒子”是不是真的。“亨利也是，”她说，指的是亨利·基辛格，“而且他曾说过想退出。”

夏洛特没有时间说更多话，一男一女出现了，咄咄逼人地向泰勒走来。他们的名字是迈克·布里耶（Mike Brille）和梅瑞迪斯·迪尔伯恩（Meredith Dearborn）。他们都是博伊斯·席勒和弗莱克斯勒律师事务所的合伙人。布里耶对泰勒说，他被要求找出谁是《华尔街日报》的信息来源，并在大约五分钟内确定了是他。他递给他三份文件：一份临时限制令，一份两天后出庭的通知，还有一封声明信，说希拉洛斯有理由相信泰勒违反了他的保密义务，并准备对他提起诉讼。

泰勒再一次否认曾与记者有过谈话。

布里耶说知道他在撒谎，并且逼迫他承认，但泰勒并不屈服。这位律师不肯善罢甘休。他就像一只斗犬，继续纠缠泰勒，仿佛要无休无止地继续下去。泰勒一度转而看着自己的继祖母，问她是否跟自己一样感到不舒服。夏洛特怒目盯着布里耶，看上去像是准备给他来一记右勾拳。

“这次谈话必须结束。”泰勒最后说道。

乔治过来帮孙子。他大声叫道：“我了解这孩子，他不会说谎。如果他说没有跟记者谈话，那么他就是没有跟记者说过话！”前国务卿将两位律师赶出了自己的房子。他们走了以后，他打电话给霍姆斯，说这不是他们说好的。她派来的是审判官，而不是愿意进行文明对话的人。泰勒准备好第二天上法庭了，他警告她。

泰勒看到夏洛特从乔治的手里拿过电话，听到她说：“伊丽莎白，泰勒没有那样说！”他感到心跳加速，握紧了拳头。

乔治拿回电话，达成了一个妥协：第二天上午，他们将在这所房子里再次会面，希拉洛斯将会按照他们最初的约定带来那份一页纸的文件，重申泰勒将会遵守他的保密义务。挂电话之前，他恳求霍姆斯这次派其他律师来。

第二天上午，泰勒早早地来到祖父的房子里，在餐厅等着。看到还是布里耶现身，他一点都不惊讶。霍姆斯将他的祖父玩弄于股掌之中。

律师带来了一套新的文件。其中之一是一份宣誓书，声明泰勒从未与任何第三方谈及希拉洛斯，并且承诺提供他所知的曾与《华尔街日报》谈过话的任何在职员工和离职员工。布里耶要求泰勒签署宣誓书。泰勒拒绝了。

“泰勒不是告密者。找出谁与《华尔街日报》谈过话是希拉洛斯的问题，跟他无关。”乔治说。

布里耶对前国务卿视而不见，继续施压，要求泰勒签署这份文件，说出那份报纸的信息来源。他恳求他们从自己的角度来看待事情：为了尽责，必须从他那里拿到信息。但泰勒不肯让步。

在这令人难堪的对峙持续了很长时间之后，乔治将布里耶拉到另一个房间，回来单独和泰勒对话。他要什么条件才能签那份文件？他问自己的孙子。泰勒回答，希拉洛斯必须加上一个条款，承诺不得起诉他。

乔治抓起一支铅笔，在宣誓书上潦草地写下一行字，大意是希拉洛斯承诺两年内不起诉泰勒。泰勒愣了一刹那，怀疑祖父是不是把自己当成了白痴。

“那对我没用，”他说，“必须说他们永远不起诉我。”

“我只是想提出希拉洛斯会同意的条件。”乔治抗议道。

但这位老人似乎也意识到他刚才提议的荒谬。他划去“两年”，用“永远”替代。然后他走出餐厅，去和布里耶谈。过了一会儿两人一起返回，布里耶显然已经同意了泰勒的条件。

然而，这个短暂的间隔给了泰勒时间思考，而他决定不签署任何东西。布里耶那天上午带来的另一份文件是他与希拉洛斯原来的保密协议。泰勒假装重新仔细阅读那份协议，同时琢磨如何以最佳的方式表示他不会签宣誓书。经过一段长时间的尴尬沉默，他找到了如何表达拒绝的办法。

“希拉洛斯的律师基于希拉洛斯的最优利益而起草了这个东西，”他说，“我想我也需要一名律师，基于**我的**最优利益来审视这份东西。”

他的祖父和布里耶看上去都非常恼怒。乔治问，如果他的地产律师鲍勃·安德斯（Bob Anders）审核这个文件，说签了它没有问题，泰勒会不会签。泰勒说他会的，于是乔治上楼，将修改后的宣誓书发给安德斯。泰勒知道他上楼和鼓捣传真机需要一点儿时间，于是去到厨房，开始查找祖父的电话簿，寻找地产律师的号码。他想先跟他联系上。正当他急切地翻阅电话簿的时候，夏洛特递给他一张纸，上面有电话号码。“打给他。”她说。

泰勒在后院拨打了电话。他迅速向安德斯解释情况。律师一边消化所有这些信息，一边问是谁在代表希拉洛斯。泰勒手上有布里耶头一天晚上威胁要起诉他的信。他告诉安德斯，信件的签名是一位“大卫·博伊－兹”，他把这位著名律师的姓给读错了。

“天啊！你知道他是谁吗？”

安德斯解释，博伊斯是美国最有权势、最著名的律师之一。他说形势非常严峻。他建议泰勒当天下午到旧金山他的办公室来当面谈。

泰勒听了他的建议，开车去城里。安德斯的办公室在罗斯大厦（Russ Building）的第十七层，那是坐落于金融区的一座新哥特风格塔楼，过去曾经是旧金山最高的建筑。泰勒与安德斯以及他的一名合伙人会面，在与两位律师商议过后，泰勒决定不签这份文件。他们同意代表他将这一消息传递给希拉洛斯，但最终他们必须给他推荐其他律师，以避免利益冲突。他们的律师事务所法雷拉·布罗恩和马特尔（Farella Braun + Martel）也代理霍姆斯的不动产。

当安德斯通知迈克·布里耶，泰勒不会签署那份宣誓书时，布里耶警告说希拉洛斯别无选择，只得起诉他。泰勒回到家里，等待着第二天被传唤出庭，但那天晚上，布里耶给安德斯发来一封邮件，说希拉洛斯决定暂时搁置法律诉讼，以便给双方更多时间找到解决方法。泰勒得到消息后，长长地舒了一口气。

安德斯给泰勒推荐了一名叫斯蒂芬·泰勒（Stephen Taylor）的律师，他在旧金山主持一家精英律师事务所，擅长处理复杂的商务纠纷。接下来的几个星期，布里耶和泰勒就宣誓书交换了四个不同的版本。

泰勒试图尽力达成一桩协议，以表现出调和姿态，在该文件的新版本中承认曾经和《华尔街日报》有过谈话。希拉洛斯给他选择，说他太年轻、太天真，以至于被记者欺骗了，但泰勒拒绝了这个提议。他很清楚自己在做什么，年轻与此毫无关系。就算到了40、45岁，他希望自己仍然还会做出同样的选择。为了安抚希拉洛斯，泰勒同意被说成是低级职员，职责如此低下，以至于当谈论类似能力验证、检测验证和实验室运作的话题时，不知道自己到底在谈什么。

但谈判在两个问题上陷入僵局。希拉洛斯仍然想要泰勒说出《华尔街日报》的其他信息来源，而泰勒坚决予以拒绝。而公司也没有把他的父母和继承人包括在不起诉名单中，只愿意对泰勒不起诉。随着僵局相持不下，博伊斯·席勒诉诸其臭名昭著的赤膊战略。布里耶扬言，如果泰勒不签宣誓书，说出《华尔街日报》的信息来源，当把他送上法庭的时候，博伊斯·席勒一定要让他的整个家族倾家荡产。泰勒还收到提醒，他正受到私人侦探的监视。他的律师试图淡化此事。

“那不是什么大事，”他说，“只要不去你不该去的任何地方，去上班的时候记着跟你屋子外面灌木丛中的人微笑挥手致意就可以了。”

一天晚上，泰勒的父母接到来自他祖父的电话。乔治说，霍姆斯告诉他，泰勒要为《华尔街日报》所得到的大部分信息负责，说他已经完全失去理智。泰勒的父母让他坐在厨房里，恳求他，下一次希拉洛斯给他机会签字，无论他们想要什么，都要签字。否则，他们只有卖掉自己的房子来支付他打官司的成本。没那么简单，泰勒回复道，但不能说太多。他非常想向他们解释发生的事情，但他被要求不得与任何人讨论与希拉洛斯的谈判。

为了让泰勒能告知父母事情进展如何，斯蒂芬·泰勒为其父母安排了单独的法律咨询。通过这种方式，泰勒可以通过律师与他们沟通，而那些谈话受到律师－客户特权的保护。这一安排还发生了一次事件，让泰勒和他的父母都极为慌乱。在父母与他们的新律师第一次会面几个小时后，律师的汽车被破窗而入，偷走了一个装有这次会面谈话记录的手提箱。尽管这很可能是一次随机的盗窃行为，但泰勒无法排除他的怀疑：是希拉洛斯让谁做了这件事情。

我对所发生的这一切一无所知。泰勒在那个与父母共进晚餐的夜晚打来那个焦虑的电话之后，我试图重新与他取得联系。我给他的科林·拉姆雷兹邮箱发去邮件——他坚持我们使用这种方式以保护他，并且也打电话给他的一次性手机。但我的邮件石沉大海，手机也显然是关机了，也没有语音留言信箱。好几个星期的时间，我继续尝试发电子邮件和打电话，但一无所获。泰勒消失了。

我怀疑希拉洛斯正在对他套上枷锁，但我无法与该公司对质，因为他是匿名信息来源。我希望他不要在压力之下屈服，感到欣慰的是，他已经把向霍姆斯质疑希拉洛斯做法的邮件和他发给纽约州的投诉转发给了我。再加上我从艾伦·比姆那里获得的关于能力验证的内部往来邮件，足以构成证据确凿的文件链条。

我继续推进自己的报道，致电纽约州卫生部，查询泰勒的匿名投诉是如何处理的。我被告知，它被转到联邦医疗保险和医疗救助服务中心（CMS）去调查。但当我打电话给 CMS 时，了解到在那里无法查到该投诉的任何踪迹。一定是在混乱中不知道怎么弄丢了。值得赞扬的是，负责该机构实验室监管处的人既然知道了它的存在，现在似乎很认真地在跟进。他们让我将那投诉发给他们，保证这次不会再漏掉。

同时，马修·特劳布继续在跟我兜圈子。仿佛我是唯一一名霍姆斯不给访谈机会的美国记者。她最近出现在CBS的早间新闻节目中，出现在CNN的法里德·扎卡里亚（Fareed Zakaria）的节目里，还上了CNBC吉姆·克莱默（Jim Cramer）的“疯狂财富”（Mad Money）节目。雪上加霜的是6月初的一个晚上，我从自己的电脑屏幕上挪开视线，瞟了一眼编辑部里的电视机，在那儿，她穿着黑色的高领毛衣，出现在“查理·罗斯”（*Charlie Rose*）[1]节目中。第二天，在一通激烈的电话对话中，我告诉特劳布，希拉洛斯不能无限期地把我拒之门外。我一边在布鲁克林我的门廊前来回踱步，一边大喊：如果不是霍姆斯，公司得有其他人与我会面，解决我提出的问题，而且要尽快安排。

过了几天，特劳布回复我，建议我和希拉洛斯的一名代表在博伊斯·席勒位于曼哈顿的办公室会面。我一开始同意了，但随后想到了更好的办法。他们的建议无异于让我直接深入虎穴。我回电给他，告诉他希拉洛斯的代表——以及我相信会陪着他来的整队律师——必须来找我。会面安排在6月23日，星期二，下午1点，地点在美洲大道1211号（Avenue of the Americas），《华尔街日报》的总部。

1　查理·罗斯，美国知名节目主持人，以其姓名冠名的访谈节目在美国公共广播公司和彭博播出。

第二十一章　商业秘密

来到《华尔街日报》总部的希拉洛斯代表团主要由律师组成。领头的是大卫·博伊斯。他的左右有迈克·布里耶、梅瑞迪斯·迪尔伯恩以及希瑟·金（Heather King）——前博伊斯·席勒的合伙人，希拉里·克林顿的助理，不到两个月前出任希拉洛斯的法律总顾问。团队的其他成员有马修·特劳布和《华尔街日报》前记者、华盛顿一家对手研究公司的创始人彼得·弗里奇（Peter Fritsch）。唯一来自希拉洛斯的管理层是丹尼尔·杨。

预料到会有硝烟战火，我请来我的主编迈克·西克诺尔菲（Mike Siconolfi），他是调查团队的主管；还有《华尔街日报》母公司的副法律总顾问杰伊·孔蒂（Jay Conti），他与新闻编辑部在敏感新闻题材上密切合作。我一直与他们俩沟通自己的报道，让他们知道我的秘密信息来源是谁。

我们在《华尔街日报》新闻编辑部五楼的一个会议室里坐定。会谈一开始就被定了调，金和迪尔伯恩拿出两个小型磁带录音机，一边一个，放在会议桌的两头。传递的信息很明显：他们将把这次会面作为未来法律诉讼的证词。

应特劳布的要求，两个星期前，我发了一套新的有八十个问题的问卷给他们，以便作为我们讨论的基础。金首先开始，说他们来是为了反驳在那些问题中潜藏的“错误预设”。然后她抛出了第一枚导弹。

“在我们看来，很显然，你们的关键信息源之一肯定是一个叫泰勒·舒尔茨的年轻人。”她一边说，一边直直地盯着我，很显然是预先排练过的开场白，想把我的阵脚打乱。我神色不变，面无表情，什么也不说。如果他们愿意，尽可以怀疑泰勒，但我决不会泄漏他的信息，给他们确认他们正在钓鱼的事情。她继续说下去，诋毁泰勒，说他过于年轻，不称职，然后断定其他的信息源都是心怀不满的前员工，同样不可信赖。迈克打断了她的诋毁。他彬彬有礼但却非常坚决地说，我们不会披露我们的匿名来源是谁，希拉洛斯公司也不应当假装知道他们的身份。

博伊斯第一次插话，扮演与金的坏警察对应的好警察形象。“我们确实只是想一步一步讨论这件事情，让你们看到这儿真的没有什么故事。”这位 74 岁的超级律师温和地说。他眉毛浓密，稀疏的灰白头发，让人觉得像是一位正在调停争吵孩童的祖父。

我建议开始讨论我发过去的那些问题，但还没来得及读第一个问题，金的举止再度变得咄咄逼人，并且发出一个严厉的警告：“我们不同意你们发表我们的商业秘密。”

进入会议室已经有一阵子了，在我看来，显然她的主要策略就是试图威吓我们，所以我决定，是时候告诉她那一套没用了。

“我们不同意放弃我们的新闻特权。”我反击道。

我的反驳似乎起到了想要的效果。她变得缓和一点，我们开始一个一个审视我的那些问题，觉得作为希拉洛斯在场的唯一代表，丹尼尔·杨将回答这些问题。不过，我们很快又发生了争执。

杨承认希拉洛斯拥有商用血液分析仪，他声称公司只是将其用于比较，而不是用来得出患者的检测结果，我问其中之一是不是西门子的 ADVIA。他拒绝评论，说那是商业秘密。然后我问，希拉洛斯是否以一种特定的稀释标准，在西门子的 ADVIA 设备上检测小剂量指尖针刺取血样本。他再次援引商业秘密逃避回答问题，但争辩说，稀释血液样本在实验室行业是普遍行为。

从这里讨论开始绕圈子。我说这些问题是我的报道的核心。如果他们还没有准备好回答这些问题，我们的会谈还有什么意义？博伊斯回答，他们正在努力提供帮助，但他们不会披露希拉洛斯所使用的方法，除非我们签署保密协议。他声称，那些是奎斯特公司和实验室集团公司可能竭尽全力、采取任何手段包括使用工业间谍想要获得的秘密。

我继续施加压力，要求更实质性的回答，博伊斯开始生气了。突然之间，他不再是那个和蔼可亲的祖父形象。他咆哮着，亮出牙齿，像一头老灰熊。这是那个在法庭上令对手恐惧的大卫·博伊斯，我对自己说。他猛烈抨击我的报道方式，说我找一些医生问了大量损害希拉洛斯的问题。我们之间由此引发一阵紧张。隔着桌子怒视对方。

杰伊·孔蒂跳出来缓解局势，但很快与金和布里耶对练上了。他们的争端就像是一场闹剧。

金说："这就好像为了让你相信可口可乐中不包含砒霜，你想要我们给你可口可乐的配方。"

杰伊恼怒地回答："没有人找你要可口可乐的配方！"

随之发生的更具争议的问题是什么东西才构成正当的商业秘密。我问，一个由第三方制造的商用分析仪，所有与其有关的事情如何都被认定是希拉洛斯的商业秘密？布里耶说，区别不是我说的那么简单，这一回答无法令人信服。

我们转向与爱迪生设备有关的问题。有多少种血液检测希拉洛斯是放在这种设备上做的？那也是一项商业秘密，他们说。我感觉正在看一出活生生的荒诞戏剧。

希拉洛斯真的有什么新的技术吗？我挑衅地问。

博伊斯的脾气再次爆发。他愤怒地说，在实验室行业，以前是没有人能够用微小剂量的指尖针刺取血样本做检测的。"希拉洛斯正在做这件事，而且，它要不是魔法，就是一项新技术！"

"听上去像是《绿野仙踪》。"杰伊讽刺地说。

我们继续绕着各种圈子，关于希拉洛斯有多少检测是在爱迪生设备上做，有多少在商用分析仪上做，从未得到过直截了当的回答。这令人失望，但也说明我是走在正确的道路上。如果他们没有东西可以隐瞒，就不会设置种种阻碍。

会谈以这种拉锯的方式持续了四个多小时。当我们继续审视我那清单上的问题时，杨确实回答了部分问题而没有援引商业秘密的借口。他承认希拉洛斯的钾含量检测的问题，但声称问题迅速得到了解决，而且没有将任何错误的检测报告交到病人手中。艾伦·比姆告诉我的不是这样，所以我怀疑杨在撒谎。杨也证实希拉洛斯执行能力验证的方式不同于大多数实验室，但提出按照其技术的唯一性来看，这是合理的。他也证实，在巡视期间，CLIA 的巡视员没有见到希拉洛斯实验室的诺曼底部分，但声称已经告知了巡视员这个部分的存在。

他的一个回答让我觉得奇怪。当我提出霍姆斯作为合著者发表在《病理学报告》的研究时，杨立即否定了它，声称其是过时的。他说，它是以较老的希拉洛斯技术做的研究，数据太老了，可以追溯到 2008 年。我觉得奇怪，那么为什么霍姆斯向《纽约客》提到它呢？ 希拉洛斯现在似乎想要划清界限，也许因为它意识到了那项研究的浅薄。

我问到伊恩·吉本斯。杨承认伊恩是公司早年做出重要贡献的一个人，但说他的行为在其生命的最后时刻变得很古怪，暗示他在那个阶段不再知道内情。金突然插嘴，诋毁吉本斯是个酒鬼。同时，博伊斯攻击罗谢尔·吉本斯的信誉，指出她在富兹一案中未能提供宣誓声明，导致法官裁定在庭审中不予采信她的证词。

我告诉他，她是否在富兹案中提供宣誓声明，是另外一回事。我认为她是一个可以信赖的信息来源，她与我的交流是公开身份的。

“她对我宣过誓。”我说。

最后，我们转向我在报道过程中搜集的有问题的检测结果案例。金说，为了能回应我的特定患者案例，希拉洛斯需要获得每位患者的签名弃权书，放弃他或她的患者隐私权。她要求我从患者那里协助收集弃权书。我同意了。

会见最终结束的时候，已经是将近下午 6 点，金看上去像是要在我的胸口插上一刀。

三天后，艾瑞卡 · 张在她的新东家、一家叫作抗体解决（Antibody

Solutions）的生物科技公司的实验室中加班，一位同事过来，告诉她有个男人要求见她。同事说，这个人在停车场上他的车里已经等了很久。

艾瑞卡立刻警觉起来。白天的时候，希拉洛斯的人力资源部主管莫娜·拉玛莫西已经在她的手机语音信箱留了几条信息，说有紧急的事情需要与她谈。艾瑞卡没有给她回电，现在又有什么神秘的男人等在外面要跟她说话。她怀疑两者之间有关联。

这是星期五的下午 6 点，还留在抗体解决位于桑尼韦尔（Sunnyvale）办公室中的人寥寥无几。安全起见，艾瑞卡请求同事与自己一起，去找自己的车。她们走出办公楼的时候，一名年轻男子钻出他的 SUV，迅速向她们走来，手上拿着一个信封。他将信封递给艾瑞卡，然后转身离去。

看到信封上写的地址，艾瑞卡的心脏几乎停止跳动。

> 通过人工递送
>
> 艾瑞卡·张小姐
>
> 莫顿环路 926 号
>
> 东帕洛阿尔托，加利福尼亚 94303

唯一知道她住在这个地址的人，是她的同事朱莉娅（Julia）。两周前，艾瑞卡在奥克兰的公寓租约到期，她临时搬到朱莉娅那里，计划在秋天移居中国。她只有工作日的晚上待在那里，在周末则出去露营或者旅行。连她的母亲都不知道这个地址。唯一知道它的方式，是跟踪她。

信封里的信印着博伊斯·席勒的信头。艾瑞卡读着信，恐惧感越来越厉害：

> 亲爱的张小姐：
>
> 本事务所代表希拉洛斯有限公司（简称“希拉洛斯”或者“公司”）。我们有理由相信你未经许可披露了公司的某些商业秘密和其他机密信息。我们也有理由相信你出于损害公司经营的目的而做出虚假的和诋毁性的陈述。我们要求你立即停止和

放弃这些行为。除非本事端在2015年7月3日下午5点（太平洋夏令时）之前按照本信函中阐明的条款予以解决，否则希拉洛斯将考虑采取一切正当的措施，包括发起针对你的诉讼。

信件接着说，如果艾瑞卡想避免引发诉讼，她必须接受与博伊斯·席勒的律师面谈，并说出她披露了希拉洛斯的什么信息，是对谁披露的。信件由大卫·博伊斯签字。艾瑞卡开车回到朱莉娅的房子，整个周末都待在那里，关着百叶窗，害怕得不敢踏足屋外。

回到东海岸，我意识到事情正在升级。同样是在那个星期五的晚上，我收到艾伦·比姆发来的短信。这是差不多两个月以来我第一次收到他的消息。

“希拉洛斯又一次威胁我，”他写道，“他们的律师说他们怀疑我在违反我的宣誓书。”

我们通了电话，我将几天前在《华尔街日报》与希拉洛斯代表团的马拉松会谈讲给他听。但不像我担心的这件事可能会吓到他，艾伦觉得这一新发展饶有趣味。他咨询过了一位新的律师，此人是前联邦检察官，曾与医疗欺诈打击小组（Medicare Fraud Strike Force）合作过。因此艾伦对希拉洛斯的恐吓策略没那么害怕了。事实上，他似乎改变了主意，想重新帮助我把故事报道出来。

那天晚上很晚的时候，我的邮箱收到一封来自梅瑞迪斯·迪尔伯恩的邮件。邮件附有一封来自大卫·博伊斯的正式信函，发给杰伊·孔蒂，他是邮件的主收件人。在引用了几条加州的法律后，信函严厉要求《华尔街日报》“销毁或归还”全部希拉洛斯的商业秘密和其所拥有的机密信息。博伊斯一定知道我们照做的机会是零，即使如此，它仍然是一种警告。

如果对希拉洛斯是否会发动激进反击我还抱有一点残存怀疑，那么在随后那个星期一的早晨它也烟消云散。当时我正坐在停着的车里听收音机，等待清扫车经过——布鲁克林生活中不那么令人愉快的一个方面——我的手机响了。我调低车载收音机的音量，接通电话。

是艾瑞卡，她似乎非常惊骇。她告诉我 SUV 上的男人，信封上的地址，来自博伊斯的最后通牒。我试图安抚她，让她平静下来。我承认，确实，她非常有可能处于监视之下。但我很肯定，这是最近开始的，希拉洛斯没有证据证明她是我的信息来源之一。这是一种想把她吓出来的尝试，我说。他们是在虚张声势。我鼓励她，不要理会那封信，跟往常一样做自己的工作。从她犹豫的声音，我能分辨出她仍然在那里手足无措，但她同意听从我的建议。

第二天，我接到凤凰城桑德内医生的电子邮件。一名希拉洛斯的销售代表去过她的办公室，告诉她公司总裁桑尼·巴尔瓦尼在城里，想单独与她碰面。她拒绝了这个邀请，随后此人变得充满敌意，并说她的拒绝将带来负面影响。我简直不敢相信。搜寻我的秘密信息来源是一回事，但威胁一位以公开身份与我谈过话的医生，则是完全无法接受的。我给希瑟·金发去一封电子邮件，让她知道我已经知晓销售代表对桑德内医生办公室的造访，而且，如果我知道更多此类事件，我会认为它们具有新闻价值，将包括在我的报道内予以揭露。金否认销售代表做了任何不对的事情。

希拉洛斯远没有收手，而是进一步变本加厉。下半周，博伊斯给《华尔街日报》发来第二封信函。跟只有两页纸的第一封不同，这次有二十三页之多，露骨地威胁，如果我们发表任何中伤希拉洛斯或披露任何商业秘密的报道，将会提起诉讼。信函的大部分是在猛烈地抨击我的新闻工作伦理。博伊斯写道，在我报道的过程中，我“极度缺乏公正、客观和中立”，相反表现出顽固地“形成预先决定的（并且是错误的）叙述”。

他支持这一观点的主要证据，是希拉洛斯获得的来自与我谈过话的两位医生的签字声明，声称我篡改了他们所说的话，并且没有清楚告知他们，我可能在公开发表的文章中使用他们的信息。两位医生是劳伦·比亚兹莱和萨曼·里扎夫，我是在斯科茨代尔诊所遇到的他们。

事实是，我根本没计划用比亚兹莱医生和里扎夫医生告诉我的患者病例，因为这是二手的陈述。所讨论的患者是由他们诊所的另外一位医生治疗的，此人拒绝与我交谈。不过，尽管他们的签字声明绝不会削弱我的报道，但他们屈服于那家公司压力的可能性令我担忧。

我注意到没有来自阿德里安娜·斯图尔特的签字声明，她是我在该诊所访问的第三位医生。这是件好事，因为我计划使用她跟我讨论过的两个患者病例中的一个，或者两者都用。我通过电话联系上她，她说正在印第安纳州与家人相聚，所以希拉洛斯的代表来诊所的时候不在。我把她的同事的签字声明告诉她，警告她，这家公司可能会在她回来后采用同样高压的手段对付她。

几天之后，斯图尔特医生发电子邮件过来，让我知晓，她一回到亚利桑那，巴尔瓦尼和其他两个人就真的前来拜访，要跟她说话。前台接待告诉他们，她正在忙于诊治病人，但他们拒绝离开，在接待室等了几个小时，直到最后她才出来与他们握手。他们使得她同意在两天之后的周五上午与他们会面。对这个会面我有种不好的感觉，但自己什么都不能做。斯图尔特医生答应我，不会向任何压力屈服。她觉得重要的是要站在患者的立场上，秉承实验室检测的诚信正直。

周五的时候，我多次在上午试图与斯图尔特医生取得联系，但联系不上。她在傍晚的时候打了过来，当时我正开车去长岛东部，与我妻子和三个孩子度周末。她听上去心慌意乱。她告诉我，巴尔瓦尼试图让她签她的同事所签的类似声明，但她礼貌地拒绝了。他勃然大怒，威胁说，如果她出现在《华尔街日报》关于希拉洛斯的任何文章中，他要令她名誉扫地。她的声音发抖，恳求我不要再使用她的名字。我努力安抚她，说那只是一个空洞的威胁，此时，我突然明白，绝不能让这些人阻止我，不能让他们扼杀我的报道。

第二十二章　拉马坦萨

2015年7月初，希拉洛斯有两条好消息传来。一是FDA批准了该公司专有的指尖针刺检测单纯疱疹病毒1（HSV-1）——单纯疱疹的两种病毒之一。二是亚利桑那州通过了一项新的法律，允许居民不需要医生开诊断单即可进行血液检测，这项法案事实上是由希拉洛斯自己草拟的，并为此开展了大量的游说活动，法案即将生效。

为庆祝所取得的重大成就，公司在佩奇磨坊道上的新总部举办国庆日派对。首先在公司的餐厅举行宴会，霍姆斯和巴尔瓦尼发表激情洋溢的演讲，然后转移到办公楼外面的院子里，员工们在这里享受露天酒吧、自助餐和电子音乐。

希拉洛斯将疱疹病毒检测的获批看作其技术取得成功的证明，但我仍然抱有深度怀疑。用实验室的说法，疱疹病毒检测是一种定性检测。这种检测提供单一的是或否的答案，回答病人是不是得了某种疾病。相比用来测量血液中某种被分析物的精确数量的定量检测，从技术上来说，它要获得正确的结果容易得多。大多数常规血液检测是定量检测。

我打电话给我的一位信息来源提供者，他是FDA医疗设备处的高层。他证实了我的想法。他说疱疹病毒检测的审批是一次性的许可，绝不是对希拉洛斯技术的全面认可。事实上，该公司提交给FDA的许多其他指尖针刺检测的临床数据很单薄，不符合要求，他补充说。接着我告诉他在调查过程中了解到的事情，包括希拉洛斯在商用分析仪上运行经过稀释的手指针刺检测样本，以及操纵能力验证，还有部分医生和病人收到的有问题的检测报告，他感觉到很困惑。

部分问题在于，在希拉洛斯与现已退役的大卫·舒梅克中校发生冲突三年后，希拉洛斯继续在监管的空白地带运作。通过只在自己的实验室内使用其专有设备，并不寻求将它们商业化，从而得以继续规避 FDA 的严密监管。同时，通过公开支持 FDA 监管实验室开发检测（LDTs），以及自愿向 FDA 提交自己的部分 LDTs（如疱疹检测）寻求审批，公司表面上与 FDA 在合作。

我的信息来源说，对一家将自己包装成世界上对 FDA 监管的最大支持者的公司，FDA 很难采取负面行动，尤其是像希拉洛斯这样拥有广泛政治人脉的公司。一开始我以为他指的是公司的董事会，但他对此完全不担心。他指出霍姆斯与奥巴马政府的关系多么密切。年初的时候，他曾在总统的精准医疗动议启动仪式上见过她，近几个月来她在白宫多次亮相。最新的一次是在欢迎日本首相的国宴上，她被拍到身穿紧身的黑色晚礼服，挽着她的弟弟。不过，他最后结束的话让我觉得，希拉洛斯应该不会愚弄 FDA 太久了："我很担心，不知道他们在做什么。"

在《财富》杂志那边，罗杰·帕洛夫对疱疹测试的获批有与我不同的观点。在一篇发表于该公司网站的文章中，他将其当作对希拉洛斯方法的"完整性的强有力支持"。

为了写第二篇文章，霍姆斯让帕洛夫对她进行电话采访，帕洛夫问到希拉洛斯正在开发中的埃博拉病毒检测。几个月前的一次会议上，乔治·舒尔茨顺便提到了此事。鉴于埃博拉在西非已经肆虐了一年多，帕洛夫觉得一种可以快捷查出这种致命病毒的指尖针刺取血检测将对公共卫生当局具有重大意义，所以很有兴趣把它写到文章中去。霍姆斯说她期待能尽快获得这项检测的紧急使用许可，并邀请他去博伊斯·席勒在曼哈顿的办公室参观现场展示。

过了几天，帕洛夫来到那家律师事务所，丹·埃德林在那里迎接他，丹是克里斯蒂安·霍姆斯的杜克大学兄弟派成员之一。埃德林带他来到一间会议室，有两个希拉洛斯的黑色设备并排放在那儿（它们是迷你实验室，不是爱迪生）。出于帕洛夫不明白的原因，霍姆斯想在展示中把钾含量检测也加入进来（无疑是因为我对这种检测提出了非常尖锐的问题）。所以埃德林从帕洛夫的手指上取了两次血。他解释说，一台机器进行埃博拉病毒检测，另一台做钾含量的检测。帕洛夫闪过一个念头，为什么一台机器不能基于同一份样本同时进行两种检测呢？但他还是决定不纠缠这个问题。

帕洛夫和埃德林闲聊着等待检测结果。过了大约二十五分钟，检测依然没有完成。埃德林说这是因为机器刚刚安装好，需要热身。检测的进度显示在电子屏幕上，一个圆圈的边缘进度条逐渐变化，就像是在iPhone上下载应用程序一样。在圆圈里面有一个百分比数字，告诉用户检测已经完成了多少。从圆圈边缘进度条的变化缓慢程度来看，帕洛夫觉得可能还得需要几个小时才能完成。他等不了那么久。他跟埃德林说，他得掉头回去工作。

帕洛夫离开后，凯勒·罗根——那位曾经获得斯坦福大学以钱宁·罗伯特森命名的学术奖的年轻化学工程师——进入了会议室。他是那天早晨和埃德林一起乘坐红眼航班，从旧金山过来提供技术支持的。注意到运行钾含量检测的迷你实验室卡在70%的完成进度，他将检测盒取出来，重新启动机器。他相当有把握是发生了什么事情。

巴尔瓦尼曾经派任务给一名叫作迈克尔·克莱格（Michael Craig）的软件工程师，为迷你实验室的软件写一个程序，用来掩盖检测的故障。当机器内部有什么东西出错的时候，这个程序就会启动，防止出错的信息出现在数字显示屏上。作为替代，屏幕显示检测进度在缓慢地爬升。

这正是帕洛夫的钾含量检测碰到的问题。幸运的是，故障发生之前，已经进行了足够的检测，可以让凯勒从机器中恢复检测结果。崩溃是发生在设备对样品的控制部分运行第二次检测的时候。通常来说，第一次的结果应当得到控制部分检测的确认，检测结果才是可取的，但丹尼尔·杨通过电话告诉凯勒，在这个案例中不需要确认也是可以的。

在真实的验证数据缺乏的情况下，霍姆斯使用这些演示来说服董事会成员、潜在投资者以及新闻记者，说迷你实验室是一个已完成的、有效的产品。迈克尔·克莱格的程序并不是唯一维持幻觉的伎俩。在总部做演示时，员工会假装把来访贵宾的指尖针刺取血样本放到迷你实验室中，等到来访者一离开房间，就拿着样本出去，交给一名实验室助理，此人会在经改造的商用分析仪上运行该样本。

至于帕洛夫，他完全不知道自己被愚弄了。那天晚上，他收到希拉洛斯发过来的邮件，其中有一份带密码保护的附件，里面是他的检测结果。他打开附件，开心地看到他的埃博拉病毒测试为阴性，钾含量值处于正常范围内。

回到加利福尼亚，霍姆斯和巴尔瓦尼正在为一场更大的展示和宣讲做准备。霍姆斯邀请美国副总统乔·拜登（Joe Biden）来参观希拉洛斯在纽瓦克的工厂，现在这里是希拉洛斯的临床实验室和迷你实验室设备制造生产的总部。

考虑到自从2014年12月艾伦·比姆离开后，实验室一直是在缺少主管的情况下运作，这一举动可以说相当大胆。为了掩饰这一事实，巴尔瓦尼招募了一名皮肤科医生苏尼尔·达万（Sunil Dhawan），取代比姆出现在实验室的CLIA执照上。尽管达万没有任何病理学方面的学位或是学会证书，但从技术上来说他符合州和联邦的要求，因为他是一名医生，还曾管理一家附属于他的皮肤科诊所的小实验室，用来分析皮肤样本。然而，实际上他没有能力管理一个完备的临床实验室。这并不重要。巴尔瓦尼只是想让他做个名义上的头头。纽瓦克的一些实验室员工从未在这栋楼里见过达万。

除了实验室无人领导的状态外，其中的职业操守也跌至谷底。两个月前，巴尔瓦尼曾恐吓其成员，因为在“玻璃门”（Glassdoor）——一家在职员工和离职员工可以匿名评论其公司的网站——上出现了一篇严厉批评希拉洛斯的评论。评论的标题是“成堆的公关谎言”，其中有部分是这样写的：

超级高的流动率意味着你永远不会对工作感到厌烦。如果你是个内向的人，无所谓，因为每一次换班都缺乏人手。尤其是如果你上小夜班或大夜班，对公司来说你基本上是不存在的人。

为什么纠结于实验服和防护眼镜呢？你根本不需要使用个人防护设备。就算你感染了艾滋病或梅毒一类的东西，谁会管你？这家公司肯定不会！

会拍马屁，或者拥有一个棕色的鼻子[1]，会让你走得更远。

如何在希拉洛斯挣钱：

1、对风险投资家撒谎；

2、对病人、患者、FDA、CDC、政府撒谎。同时也要从事极不道德、不讲伦理的（并且可能是非法的）行为。

玻璃门网站上的负面评论没什么大惊小怪的。巴尔瓦尼命令人力资源管理部的人，在网站上不断地写虚假的正面评论，确保那些负面评论被抵消掉。但这一特别的评论令巴尔瓦尼暴怒。在让玻璃门网站删除该评论之后，他在纽瓦克发起了猎巫行动，对他怀疑写了评论的员工进行审问。他对其中一位名叫布鲁克·比文思（Brooke Bivens）的女性非常刻薄，以至于她被搞得哭了起来。真凶他一直没能找到。

最近，巴尔瓦尼解雇了丽娜·卡斯特罗（Lina Castro），她是微生物学团队一名受人爱戴、令人尊敬的成员。丽娜的罪过是推动公司制定实验室的环境健康和安全防护标准。在她被解雇的第二天早晨，巴尔瓦尼对她团队中的其他成员吹嘘，说他身家亿万，每天来工作只是因为自己想来。他说其他所有人都应该有同样的感受，意思是说卡斯特罗太过消极，没有对希拉洛斯的使命付出足够的奉献。

跟在帕洛阿尔托的脸书老办公楼里一样，实验室在纽瓦克的运作也分成两个部分：侏罗纪公园和诺曼底。新的侏罗纪公园占据了一间大屋子，

1 a brown nose，棕色的鼻子，即马屁精之意。

有霓虹灯和乙烯基地板。实验室成员的桌子集中在一个角落，上方有一个巨大的平板显示器，展示不断滚动的激励人心的语录和赞扬性的顾客评价。用来做常规静脉抽血样本检测的商用分析仪占据了房间里剩余的空间。诺曼底占据了另一个房间，其中塞满了数十台黑白两色的爱迪生设备和丹尼尔・杨与萨姆・龚破解的西门子设备。

霍姆斯和巴尔瓦尼想要用一个尖端的、完全自动化的实验室给副总统留下印象。所以他们不准备给他看真实的实验室，而是做了一个假的。他们让微生物学团队腾出第三间屋子，更小一些，重新粉刷，沿着墙边设置金属架子，架子上堆着成排的迷你实验室设备。由于大部分已造好的迷你实验室在帕洛阿尔托，它们得运回海湾对面来做这场秀。一开始，微生物学团队的成员不知道它们为什么被搬过来，但当拜登抵达之前的几天，一支特勤局（Secret Service）先遣小组出现的时候，他们明白了。

在参观的那天，实验室的大部分成员都被要求留在家里，而一些当地的新闻摄影记者和电视摄像机被允许进入楼里，以便让此事能获得媒体的报道。霍姆斯带着副总统参观工厂，给他看这个假造的自动化实验室。随后，她在楼里举行了一场关于预防性医疗的圆桌会议，参加者有六七个同行业的高管，其中包括斯坦福医院的院长。

在圆桌会议讨论时，拜登将他刚看到的东西称作“未来的实验室”。他还赞扬霍姆斯积极与 FDA 开展合作。“我知道 FDA 最近对你的创新性设备做出有利的评估，”他说，“你们自愿将所有的检测项目提交给 FDA，表明你们对自己正在做的事情充满信心。”

几天之后，7 月 28 日，我打开《华尔街日报》的早间版，一口咖啡差点喷出来：在浏览报纸的第一版时，我偶然发现一篇由伊丽莎白・霍姆斯写的评论，吹嘘希拉洛斯的疱疹检测获得批准，并且呼吁所有的实验室检测项目由 FDA 进行审核。好几个月以来，她一直拒绝我的采访，她的律师一直在对我的信息来源设置障碍、进行威胁，而在这里，她使用我自己的报纸的评论版来维持她是监管者最好朋友的神话。

由于《华尔街日报》的新闻版和评论版之间的隔离，保罗・吉格特和他的员工不知道我正在对这家公司做一个大型调查报道。所以我无法责怪他们发表他们看起来合适的东西。但我很恼火。我怀疑霍姆斯想利用这个正面的评论版报道，来让报纸更难发表我的调查报道。

同时，艾伦·比姆持续不断受到博伊斯的心腹的压力。他们威胁要举报他违反 HIPAA 法——联邦医疗隐私法——根据是他在辞职之前转发到个人 Gmail 邮箱中的邮件包含有患者信息。他的新律师正与妻子在伦敦度假，只得从那里为他辩护。巴尔瓦尼也开始骚扰一些与我谈过话的病人，坚持要求他们与他通电话，然后在通电话的时候对他们进行折磨。

一个星期前，我已经提交了一份报道的草稿，于是决定去我的编辑的办公室，去看看他的编辑进度如何。一旦他完成编辑，报道就会发送给报纸的头版编辑，他会安排手下的人再度进行仔细编辑。随后，责任编辑和律师会一行一行地仔细梳理。那是一个缓慢的过程，经常需要几个星期乃至几个月的时间。我想要加快这个过程。我们等待发表的时间越长，我们给希拉洛斯策反我的信源的时间越多。

当我把头伸进迈克·西克诺尔菲的办公室时，他还是通常那副乐哈哈的样子。他示意我坐下。我告诉他，我觉得我们应该行动更快速一些。不知道希拉洛斯和博伊斯下一步会怎么做。我提到了霍姆斯的评论，和几天前拜登被大肆宣扬的对希拉洛斯工厂的访问。

迈克警告说要耐心。这篇报道是一个重磅炸弹，我们需要确保它在见诸报端的时候无可批驳，他说。迈克是意大利裔美国人，喜欢使用意大利人的比喻。我曾听过他说自己的祖先西克诺尔菲亲王的故事不下十遍，说他在 9 世纪时统治着阿马尔菲海岸（Amalfi Coast）附近的地区。

“我有没有跟你说过拉马坦萨（la mattanza）？”他问道。噢天啊，又开始了，我想。

他解释说，拉马坦萨是一种古代西西里人的仪式，渔夫们带着棍棒和长矛涉入齐腰深的地中海海水中，静静地站着，长达几个小时，直到鱼儿不再注意到他们的存在。最后，当有足够的鱼聚集在他们周围时，某人给出极其隐蔽的信号，于是一刹那间，场景从极其异常的安静转换为血淋淋的屠杀，渔夫们狠狠地刺向他们那毫不戒备的猎物。迈克说，我们正在做的，就是新闻界的拉马坦萨。我们耐心地蛰伏，直到我们准备好发表，然后，就在我们选择的某一个时刻，予以反击。他跟我说的时候，滑稽地模仿西西里的渔夫凶狠挥舞长矛的样子，令我大笑起来。

我告诉他，我赞同拉马坦萨的方式，只要报道能在10月份之前发表，因为那时霍姆斯将可能出现在《华尔街日报》10月份在拉古那海滩（Laguna Beach）的年度技术大会上。最近我听到风声，说她在大会的演讲嘉宾名单中，觉得如果我的文章到那时候不能发表，将令我的报纸处于一种无法想象的境地。迈克表示同意。他说，距离大会还有两个半月，这给了我们充足的时间。

第二十三章　伤害控制

同时，在幕后，霍姆斯试图通过另一条途径来阻止报道。

在我开始挖掘公司内幕的一个月后，希拉洛斯在 2015 年 3 月份结束了新一轮融资。我不知道的是，领投的人是澳大利亚出生的媒体大亨鲁伯特·默多克（Rupert Murdoch），他控制着《华尔街日报》的母公司新闻集团（News Corporation）。希拉洛斯在这最新一轮筹得的 4.3 亿美元中，有 1.25 亿美元来自默多克。这使他成为该公司最大的投资者。

默多克第一次遇到霍姆斯，是 2014 年的秋天，在硅谷的一次盛会——年度突破奖（Breakthrough Prize）的宴会上。这场盛会在美国航天航空局（NASA）艾姆斯研究中心（Ames Research Center）位于山景城的 1 号机库举行，奖项颁发给在生命科学、基础物理和数学方面做出杰出贡献的人士。它是由俄罗斯科技投资人尤里·米尔纳（Yuri Milner）联合脸书创始人马克·扎克伯格、谷歌联合创始人谢尔盖·布林（Sergey Brin）以及中国科技大亨马云（Jack Ma）共同创立。在晚宴期间，霍姆斯来到默多克的桌子，作了自我介绍，与他攀谈起来。她给他留下了强烈的第一印象，后来默多克问米尔纳如何看待这个女子，米尔纳对她大唱赞歌，令这印象进一步加深。

几个星期后，他们再度相遇在这位媒体大亨位于北加利福尼亚的牧场。默多克只有一个保镖，他对霍姆斯带来的保安团队的规模大为惊讶。他问她为什么需要如此的保安措施，她回答说，是她的董事会坚持要求这样。牧场员工准备了午餐，吃饭时霍姆斯忽悠默多克进行投资，强调说她正在寻找长期投资人。她警告说，别指望短期内就有季度报告，当然也不会有公开发行上市。后来发送到默多克在曼哈顿的办公室的投资文件重申了这一信息。其说明信在第一段声明，希拉洛斯计划“长期”保持私有状态，并且随后重复这两个字不下十五次。

众所周知，默多克涉足了硅谷的创业企业投资。他是优步公司的早期投资人，将一笔 15 万美元的赌注变成大约 5000 万美元。但是与大型的投资公司不同，他不做任何尽职调查。这位 84 岁的大亨喜欢仅仅跟着自己的直觉走，这是他赖以建立世界上最大的媒体和娱乐帝国的卓有成效的方法。在投资希拉洛斯之前，他打了一通电话给克利夫兰诊所集团（Cleveland Clinic）的首席执行官托比·科斯格罗夫（Toby Cosgrove）。霍姆斯曾提到她即将与这家世界著名的心脏病中心宣布结盟。跟尤里·米尔纳一样，当默多克与他联系的时候，科斯格罗夫只是说好话。

到目前为止，希拉洛斯是默多克在他所控制的媒体资产以外所做的最大单笔投资。他的媒体资产包括 20 世纪福克斯电影公司、福克斯广播网以及福克斯新闻频道。他不但被霍姆斯的魅力及其所描述的愿景所吸引，也受到她提供的财务预测的影响。她给出的投资文件中，预测 2015 年的收入为 10 亿美元，利润 3.3 亿美元；2016 年的收入预测为 20 亿美元，利润 5.05 亿美元。这些数字让目前 100 亿美元的估值显得很便宜。

希拉洛斯给默多克列出的其他有声望的投资者也让他感到宽心。其中包括考克斯企业（Cox Enterprises），该公司总部位于亚特兰大，是一个家族集团公司，其总裁吉姆·肯尼迪跟默多克关系很好，还有沃尔玛公司的沃顿家族。其他大名鼎鼎但他并不了解的投资者，包括新英格兰爱国者队（New England Patriots）的老板鲍勃·克拉夫特（Bob Kraft）、墨西哥亿万富翁卡洛斯·斯利姆（Carlos Slim）以及控制着菲亚特·克莱斯勒汽车集团的意大利工业家约翰·艾尔坎（John Elkann）。

到 7 月底我和迈克·西克诺尔菲讨论西西里人的古老钓鱼艺术之时，霍姆斯已经与默多克私下会面三次。最新的一次是在那个月的月初，她在帕洛阿尔托招待默多克，带他看迷你实验室。在访问期间，她提起了我的报道，告诉他，我所搜集的信息是错误的，如果发表，将对希拉洛斯造成巨大损害。默多克表示异议，说他相信报纸的编辑会公正地处理此事。

到9月底，我们正在紧锣密鼓地准备发表报道的时候，在曼哈顿中城的新闻集团大厦第八层的办公室，霍姆斯第四度与默多克会面。我在《华尔街日报》新闻编辑部的办公桌就在三层楼底下，但我不知道她在楼里。她再次迫切地提到我的报道，希望默多克可以将其毙掉。再一次，他无视自己的大额投资的可能风险，拒绝加以干预。

在霍姆斯游说《华尔街日报》老板的尝试遭到失败的时候，希拉洛斯继续针对我的信息来源实施焦土政策。

博伊斯·席勒的迈克·布里耶发了一封信件给罗谢尔·吉本斯，威胁说，如果她不停止制造所谓关于公司和管理层的“虚假的和诋毁的声明”，就要起诉她。在凤凰城，两位新病人预约并出现在桑德内医生的办公室，然后大发脾气。她不得不雇了律师，去让Yelp撤下他们发表在网站上的对她的煽动性评论。我成功地让斯图尔特医生顶住了巴尔瓦尼的压力，但希拉洛斯公司说服了她的诊所接受公司提供的远程实验室服务，以抵消她对不准确的检测结果的说法。

不过，其他公开以自己身份发声的信息来源，比如盖里·贝茨医生、卡尔曼·华盛顿护士，以及莫琳·格伦兹——那位在感恩节晚上在急诊室待了好几个小时的病人——都没有被公司的恐吓策略吓跑。而艾伦·比姆和艾瑞卡·张继续作为幕后信息来源与我的报道合作，同样这样做的还有几位前员工。

由于仍然联系不上泰勒·舒尔茨（我通过电话找到他的母亲，给他留了信息，但徒劳无功），如果希拉洛斯已经成功地让他屈服，我觉得希拉洛斯一定会给我们一个签字的声明，类似于里扎夫医生和比亚兹莱医生的情况。不过，它无论如何也没法把他发给我的电子邮件抹掉。那些东西会为自己说话。

在避免报道发表的最后一次尝试中，博伊斯发给《华尔街日报》第三封长信，重复了会起诉报纸的威胁，并将我的报道贬斥为一个想象力丰富的头脑编造的精致幻想：

> 我想搞明白我们是如何陷入这样的境地：《华尔街日报》正在考虑发表一篇我们都知道是虚假的、误导性的、不公平的文章，并且会披露希拉洛斯作为商业秘密严格保护的信息。
>
> 问题的根源也许在于记者原始预设中的戏剧性，那预设可以归入“太过理想而无须审视”一类。正如卡雷鲁先生在与我们的讨论中所解释的，那预设是说，所有的学术界、科学界、医疗界对希拉洛斯取得的突破性贡献的认可，全都是错的；是说每一份此前发表的关于希拉洛斯的报道，包括《华尔街日报》自己发表的，都是公司有意误导操控的结果；是说通过兜售一种并无作用的技术和使用现成的商用设备来做检测——希拉洛斯伪装是用新技术做的——公司及其创始人根本上是在实施欺诈。这样一种揭露如果是真的，当然会是一篇强有力的调查性报道。问题也许在于，即使这一预设并非真实，但恰恰由于太过戏剧化而无法将其放弃。

信函要求与《华尔街日报》的主编格里·贝克（Gerry Baker）会面。出于公正起见，贝克同意见面，但确认将邀请我和迈克参加，另外还有杰伊·孔蒂和报纸的责任编辑尼尔·利普修兹（Neal Lipschutz）。

10月8日，星期四，下午4点，我们再次与博伊斯在《华尔街日报》新闻编辑部六楼的另一个会议室会晤。这次，他带来了一个小一些的团队，成员包括希瑟·金和梅瑞迪斯·迪尔伯恩。跟在6月份的时候一样，金拿出一个小型磁带录音机，放在我们中间的桌子上。

尽管他们仍然极力争辩我的报道是有缺陷的、不准确的，但博伊斯和金在这第二次会面中做了两个关键的让步，对我们很有帮助。他们第一次承认希拉洛斯不是在其专有设备上运行所有的检测，博伊斯将这种做法描绘成一种过渡性的、需要给公司时间来完成的“旅途”。第二个是我指出，注意到希拉洛斯的网站上最近有几个措辞发生了变化，其中一个变化似乎尤其值得一说：那句“我们的许多检测只需要几滴血”被删除了。当我问为什么的时候，金无意中脱口而出，她认为那是为了“营销的准确性”。（后来她会坚持从未说过这些话。）

到会见快结束的时候，博伊斯尝试了最后一搏：如果我们愿意稍微推迟一些见报发表，他会安排一次希拉洛斯设备的展示。他说，他们在不久前曾经为《财富》杂志做过一次，所以没有理由不能为我们也安排一次。这样一次展示将提供无可置疑的证据，证明我们关于其设备不起作用的说法错了，博伊斯争辩说。

迈克和我问道，多快可以安排，会进行哪些检测，我们怎么确保结果是来自设备，而不会涉及什么花招。博伊斯回答，可能需要几个星期的时间来安排，并且在其他问题上支支吾吾，于是贝克礼貌地拒绝了这个提议。他同意我们的观点，我们必须在霍姆斯出现在《华尔街日报》的技术大会之前发表，而大会只有不到两个星期的时间了。

贝克告诉博伊斯，我们不会等待几周的时间，但他愿意将发表日期推后几天时间，给霍姆斯最后一次机会与我对话。他给她时间，让她直到下周初都可以拿起电话打给我。

她始终没有这样做。

报道发表在《华尔街日报》2015 年 10 月 15 日的头版。文章的标题《一家被看好的创业公司的挣扎》(A Prized Startup’s Struggles) 是低调的，但文章本身是毁灭性的。除了揭露希拉洛斯将其大部分检测放在传统的机器上运行、曝光其能力验证的欺诈行为以及稀释指尖针刺取血样本之外，文章对其自身设备的准确性提出了严肃的质疑。文章的最后引用了莫琳·格伦兹说的话，“在人身上反复做试验”是“不行的”，由此提出我觉得最重要的一点：公司给病人带来的医疗危险。

报道引发了一场风暴。国家公共广播（NPR）在其早间第一档的“市场”栏目中对我做了访谈。《财富》杂志——比其他任何人都更不遗余力将霍姆斯送上神殿的出版物——的编辑，将这篇报道作为每天发给读者的电子邮件的重点。“一家高飞在天的独角兽被今天早晨《华尔街日报》的头版深度报道拉回地面。”他写道。其他两家在霍姆斯的声誉擢升中起过作用的杂志《福布斯》和《纽约客》也像其他许多新闻渠道一样，选择了这篇报道。

在硅谷，它成为街谈巷议的话题。有些风险投资人条件反射式地跳出来为霍姆斯辩护。其中一位是前网景公司联合创始人马克·安德森（Marc Andreessen），他的妻子刚刚在一篇为《纽约时报》的时尚杂志所写的封面报道中，将霍姆斯描绘一番，文章的标题是《五位正在改变世界的有远见的科技创业家》。但其他人没这么仁慈，他们长期以来就有自己的怀疑。为什么霍姆斯总是对她的技术如此保密？为什么她从未招募对血液科学哪怕是有最基础知识的董事会成员？为什么没有一家拥有医疗保健专业经验的风险投资公司把钱投入公司？对于这些观察家而言，报道证实了他们的私下怀疑。

还存在第三类群体，他们不知道该相信谁，因为希拉洛斯公司强硬地加以否认了。在网站上发布的一篇公告中，公司称报道“在事实和科学上都是错误的，是基于毫无经验的和心怀不满的前员工与同行的毫无根据的臆断”。它还宣布霍姆斯当晚将出现在吉姆·克莱默的《疯狂财富》节目中，反驳那些指控。

我们明白，战斗远没有结束，希拉洛斯和博伊斯在随后的几天、几周内将更严厉地攻击我们。我的报道是否能承受住他们的攻击，很大程度上依赖于监管者（如果有的话）会采取什么样的行动。在希拉洛斯已离职的员工中间，谣传 FDA 会有一次检查，但在报道见报之前，我还未能核实此事。我多次打电话给我在那家机构的信源，但未能联系上他。

我决定在那天午饭之前再次尝试联系他。这次，他接听了电话。作为深层幕后消息源，他向我证实，FDA 最近对希拉洛斯在纽瓦克和帕洛阿尔托的设施进行了突击检查。他说，该机构已经宣布公司的纳米容器是一项未经许可的医疗设备，禁止公司继续使用，对公司构成了严重打击。

他解释说，FDA 将目标对准这个小小的试管，是因为作为一项医疗设备，它明显没有达到 FDA 的标准，从而给了 FDA 最无可争议的法律凭据来针对这家公司采取行动。但这次检查的潜在原因，是希拉洛斯提交给 FDA、试图让其检测获批的临床数据质量低劣。巡视员在现场未能找到任何更优的数据时，因而做出决定，通过带走纳米容器，关闭公司的指尖针刺取血检测，他说。那还不是全部：美国医疗保险和医疗救助服务中心（CMS）也刚刚启动自己对希拉洛斯的检查。他不知道是否检查仍在进行中，但可以肯定检查给公司带来了更多的麻烦。迈克和我讨论了这些得到的信息，迅速投入工作，准备第二天见报的后续报道。

几个小时后，我正站在头版编辑的身边，他在处理我的新报道，此时霍姆斯的脸出现在边上一台电视机里，是 CNBC 频道。我们中断编辑工作，将音量调大。她穿着自己常规的全黑色衣服，勉强摆出一副笑容，她扮演的是有远见卓识的硅谷革新者角色，正被试图阻碍进步的既得利益者抹黑。“当你努力想要改变的时候,就会发生这样的事情，”她说,“首先他们觉得你疯了，然后他们打击你，再然后，突然之间你改变了世界。”但是，当吉姆·克莱默问到她文章中的特定内容时，比如公司使用第三方分析仪承担大部分的检测，她变得非常警惕，给出的是避重就轻和误导性的回答。

那天早些时候，我发过一份电子邮件给希瑟·金，告诉她我正在准备第二篇报道，要求希拉洛斯对我将要报道的事情给出他们的评论。金没有回复。现在我知道为什么了：在与克莱默的访谈快结束的时候，霍姆斯提到纳米容器的召回，颠倒过来说这是一个自愿的决定。她正在努力抢在我的独家报道前面。

我们迅速将我的后续报道片段发表在网上。它澄清事实，揭露是 FDA 迫使公司停止从病人指尖取血的检测，并宣布它的纳米容器是“未经许可的医疗设备”。第二天，我的报道占据了报纸印刷版的头版，给现在已经全面爆发的丑闻添加更多猛料。

我们的第一篇报道发表的那一天，霍姆斯并不在帕洛阿尔托。她在参加哈佛医学院研究委员会的一个会议。那天晚上她是在波士顿做的 CNBC 的访谈。直到第二天，她才飞回加利福尼亚，来应对日益加剧的危机。

那天上午，希拉洛斯发布了第二篇公告，在我们新闻行业看来，它相当于所谓的“不否认的否认”。“我们非常遗憾地看到《华尔街日报》仍然没有澄清事实。”它开篇就说，但在此之后它承认公司“暂时”回收了它那个小小的血液容器，它将其描述为一种预防性动作，以寻求 FDA 批准使用。

到临近傍晚的时候，一封邮件发给公司全体员工，要求他们在佩奇磨坊路大楼的餐厅里集合开会。霍姆斯不再是平时收拾得整整齐齐的样子。她的头发因为旅途奔波而凌乱不整。她戴上了框架眼镜，而不是隐形眼镜。与她站在一起的是巴尔瓦尼和希瑟·金。她以一种挑衅的语调对集合在一起的员工说，《华尔街日报》发表的两篇文章充满了心怀不满的离职员工和竞争者提供的错误事实。当你想要致力于搅动一个庞大的行业时，这样的事情注定会发生，强大的既有企业想看到你的失败，她说。她将《华尔街日报》称作“小报”，发誓要与这家报纸斗争。

当她让大家开始提问时，那位前广告业高管、帮助她打造先驱者形象的帕特里克·奥尼尔，率先举手提问。

“你真的想挑战《华尔街日报》吗?”他怀疑地问道。

“不是《华尔街日报》，是那个记者。”霍姆斯回答。

在回答了更多的问题之后，一位高级硬件工程师询问巴尔瓦尼是否可以带领他们唱赞美诗。每个人马上明白这位工程师所说的赞美诗是什么意思。三个月前，当公司从 FDA 收到疱疹检测许可时，在餐厅举行的类似会议上，巴尔瓦尼带着员工齐声大喊“去你妈的”。当时，喊声是针对奎斯特公司和实验室集团的。

巴尔瓦尼无比乐意地接受了工程师再来一次的要求。

“我们有一条消息要给卡雷鲁。”他说。

在他的指挥下，他和其他数百名参加会议的员工齐声高喊：“去你妈的，卡雷－鲁！去你妈的卡雷－鲁！”

当霍姆斯说她准备向《华尔街日报》开战时，她是认真的。

很多人认定她会退出《华尔街日报》在次周举办的 WSJ D.Live 大会。但在那一天的预定时间，她带着成群的保镖出现在拉古娜海滩的（Laguna Beach）蒙太奇度假酒店（Montage hotel and resort），与乔纳森·克里姆（《华尔街日报》的科技编辑）一同登上讲台。100 多名观众——有风险投资家、初创企业创始人、银行家以及公关公司管理层，他们每人付了 5000 美元来参加为期三天的会议——窃窃私语，翘首以待。

迈克·西克诺尔菲想让我来做这次对话，但《华尔街日报》不喜欢这个在最后一刻改变一项已经策划了几个月的活动的主意。而且，我不能离开纽约。我的妻子正在长岛伊斯利普（Islip）的一项联邦审判案中履行陪审职责，那里离布鲁克林两个小时车程。我得照顾我们的孩子。

希拉洛斯被揭开的故事引发了如此巨大的关注，令《华尔街日报》决定在其网站上实时直播这次对话。我们几个在尼尔·利普修兹的办公室观看。

霍姆斯几乎从一开始就摆出一副活跃状态。这毫不奇怪：我们预料到她会好斗逼人。但我们完全没有想到的是她在公开论坛上厚颜无耻说谎的决心。在这半个小时的对话中，她不止一次而是一再说谎。除了继续坚持纳米容器的回收是自愿的，她还说我的报道中提到的爱迪生设备是希拉洛斯已经多年不使用的旧技术。她也否认曾使用商用实验室设备来做指尖针刺取血的检测。她还声称，希拉洛斯在能力验证中的行为方式不仅是完全合法的，而且还得到了监管机构的明确支持。

在我看来，最大的谎言是她断然否认希拉洛斯稀释指尖针刺血液样本，然后在商用机器上运行检测。“《华尔街日报》所说的——说我们拿到样本，稀释样本，然后放进商用分析仪——是不准确的，那不是我们做的事情，”她跟克里姆说，“事实上，我打赌，如果你试试就知道，那样做是不会管用的，因为完全不可能稀释一个样本然后放进商用分析仪中去。我的意思是说，那样做有太多的错误。”我厌恶地摇着头，此时一条短信闪现在我的手机屏幕上。那是艾伦·比姆发来的，他写道：“简直不敢相信她刚才说的！”

由此开始，霍姆斯将她的注意力转到与我谈过话的离职员工身上，称他们“脑子发昏”，利用他们的匿名身份贬低他们。她声称其中一人在希拉洛斯只工作了两个月，而且要回溯到 2005 年，这是彻头彻尾的编造。所有我的匿名信息来源都是近期在该公司工作过的。在回答一个关于罗谢尔・吉本斯的问题时，她重复了五天前对着她的员工说过的话，将《华尔街日报》比作一家“街头小报”。她还把我称作报道“关于我们的虚假内容”的“某个家伙”。

她所面对的问题之一是，我们不再是唯一对希拉洛斯提出质疑的人。多位著名的硅谷人物开始公开批评该公司。其中一位，是著名的前苹果公司高管让 – 路易・加西（Jean–Louis Gassée）。几天前，加西在自己的博客上发表了一篇帖子，记录了在暑假期间他从希拉洛斯公司和斯坦福医院得到的极为不一致的血液检测结果。加西写邮件给霍姆斯询问问题所在，但一直没有收到过回复。当克里姆举出加西的例子时，霍姆斯声称从未接到过他的电子邮件。她说，既然知道了他的抱怨，希拉洛斯将与他联系，尽力搞清楚发生了什么事情。

至于在我的第一篇报道中提到的检测结果不准确的其他案例，她将其看作一些孤立的案例，从中无法得出或者不应当得出一般的结论。

在对话结束后不久，希拉洛斯在网站上登出一篇很长的文件，想逐项反驳我的报道。迈克和我与责任编辑、律师等一道，仔细查阅该文件，得出结论，它没有包含任何能损及我们已发表内容的东西。这是又一个烟幕弹。报纸发表了一份声明，说支持我的报道。

霍姆斯现身《华尔街日报》的大会之后，希拉洛斯宣布对其董事会进行调整，自从我的第一篇报道发表以后，这个董事会变得越来越具有讽刺意味。乔治・舒尔茨、亨利・基辛格、山姆・纳恩以及其他年长的前国会议员们全都退出，加入一个新的象征性的实体，它被称为咨询委员会。在他们原来的位置，希拉洛斯做出一个新的董事任命决定：大卫・博伊斯，这标志着一种战斗状态的升级。

不出所料，没过多久，《华尔街日报》收到了希瑟・金发来的信函，要求我们撤回前两篇报道中的核心内容，称它们是“诽谤性的妄断”。

随后的第三封信要求《华尔街日报》保留所占有的关于希拉洛斯的所有文件，“包括电子邮件、即时通讯信息、草稿、非正式文件、手写笔记、传真、备忘录、日历条目、语音邮箱，以及其他储存在硬盘中的记录，或其他任何电子形式（包括个人手提电话）以及任何其他媒体形式”。

在与《连线》杂志的一次对话中，博伊斯说很有可能提起名誉权诉讼。他对这家杂志说：“我认为现在已有足够的在案记录，因此人们应当了解事实是什么。”考虑到金和博伊斯所说的话，《华尔街日报》的法律部派了一位技术人员，复制了我的笔记本电脑和手机中的内容，准备应诉。

但如果希拉洛斯认为这种武力威胁会让我们屈服，它就错了。在随后的三个星期中，我们又发表了四篇文章。这些文章揭露沃尔格林已经中止与希拉洛斯合作的健康中心在全国的扩张计划；揭露在我第一篇报道发表前的几天，希拉洛斯试图以更高的估值售出更多的股份；揭露其实验室在没有真正主管的情况下运作；揭露西夫韦已经由于对其检测的担忧而与此前秘而不宣的伙伴渐行渐远。每一篇新的报道都会引来希瑟·金一封新的撤回要求信。

在帕洛阿尔托佩奇磨坊路大楼的二层，一间没有窗户的房间设成了作战室，霍姆斯和她的公关顾问讨论战略，如何反击我的报道。她喜欢的一个主意，是将我刻画成一个仇恨女人的人。为了赢得更多的同情，她提出公开承认当她还是斯坦福的一名学生时，曾遭遇过性侵。她的顾问建议不要采取这种方式，但她并没有完全放弃这个主意。在《彭博商业周刊》（*Bloomberg Businessweek*）的一次访谈中，她说自己是性别歧视的受害者。

“过去四个星期以来发生的这些事情，让我明白在这个领域身为一个女人意味着什么，”她对这份杂志说，“每一篇文章都是以‘一位年轻女子’开头，对不对？前几天有人走过来找我，他们就像是说，‘我从来没有读到过写马克·扎克伯格的文章以“一位年轻男子”开头。’”

在同样的故事中，她以前在斯坦福的教授钱宁·罗伯特森斥责，对希拉洛斯检测准确性的质疑是荒谬的，说公司一定会有产品“获准”进入市场，人们的生命取决于知道该产品是否可靠。他还坚持认为霍姆斯是不世出的天才，将她与牛顿、爱因斯坦、莫扎特以及列奥纳多·达·芬奇相提并论。

霍姆斯也继续为自己树立一种崇高的形象。在接受《魅力》杂志于卡内基音乐厅颁发的年度女性奖所发表的获奖词中，她将自己拔高到年轻女性的行为榜样。“尽你所能，去做科学、数学和工程领域最优秀的人，”她鼓励她们，“当我们的小女孩们开始思考长大后想成为什么样的人时，她们将会明白。”

要让伪装终结，只有一条路，那就是CMS——临床实验室的主要监管机构——是否对公司采取强力行动。我需要探究第二次监管检查带来了什么。

第二十四章　没穿衣服的女王

9月底，一个星期六的晚上，在《华尔街日报》发表我的文章的三个星期之前，加里·山本收到一封邮件，他就是2012年未经通知来到脸书老办公大楼的CMS资深现场巡查员，当时他还向桑尼·巴尔瓦尼宣读过监管的规定。邮件的标题是“致CMS的投诉：希拉洛斯公司”，开头是这样写的：

> 亲爱的加里：
>
> 要发出这封信，乃至于写下这封信，我都觉得非常紧张。希拉洛斯对待保密和隐私达到极致，让我总是害怕说出任何事情……我为自己没有早日发出这封投诉而感到羞愧。

这封邮件来自艾瑞卡·张，其中包含一系列指控，范围从科学上的误导，到实验室操作的草率大意。它还说希拉洛斯的专有设备是不可靠的；公司在能力验证上造假；它误导2013年末检查其实验室的州巡视员。在邮件的结尾，艾瑞卡说，她从这家公司辞职，是因为知道自己“可能因给出虚假的、误导性的检测结果而毁掉某一个人们（原文如此[1]）”，做不到放任自流。

1　艾瑞卡原文中，“someone”误作“someones”，作者标注“原文如此”。

山本和他在 CMS 的主管非常重视这封投诉信，仅仅三天后，CMS 就对希拉洛斯的实验室发起了一次出其不意的检查。9 月 22 日，周二上午，山本和另一位 CMS 旧金山区域办公室的现场巡视员萨拉·本内特（Sarah Bennett）来到纽瓦克的工厂，解释说他们是来检查实验室的。穿黑色西装、戴着耳麦的人拒绝让他们进去，叫他们在一间小小的接待室等待。

过了一会儿，桑尼·巴尔瓦尼、丹尼尔·杨、希瑟·金以及博伊斯·席勒律师事务所的梅瑞迪斯·迪尔伯恩过来了。他们把两位 CMS 巡视员领到一间会议室，坚持给他们做 PPT 演示。尽管这像是转移注意力的策略，山本和本内特还是礼貌地听完了它。演示一结束，他们就要求参观实验室。

他们走出会议室的时候，受到更多身穿黑西装、手指摁在耳朵上的人"护送"。金和迪尔伯恩紧紧跟在后面，手持笔记本电脑，记着笔记。他们来到实验室所在的房间，注意到实验室的门安装了指纹扫描仪，进去的时候会有蜂鸣提示声。这让山本想起酒类专营店门口的蜂鸣声。

山本和本内特原本给检查留出了两天时间，但他们发现了太多问题，希拉洛斯的实验室基础资料缺失太多，他们得出结论，下次还得再来。巴尔瓦尼请求给予两个月的宽限期。他声称公司即将开启新财年，而且正在进行新一轮的融资。他们同意在 11 月中旬再回来检查。

到他们再度检查的时候，《华尔街日报》的调查已经发表，给 CMS 更大的压力去采取行动。山本注意到，安保有所放松，霍姆斯亲自迎接他们。巴尔瓦尼和金也再度现身，另外还有一套不同的外部律师人马，以及一些实验室顾问。检查分头进行：山本检查实验室的房间，盘问实验室的工作人员，巴尔瓦尼寸步不离地跟着他；而本内特在一间会议室安营扎寨，金和其他律师紧紧盯着她。

这一次，他们待了四天。有一次，本内特要求与一位在诺曼底工作的实验室助理单独进行秘密谈话，她有直接接触爱迪生设备的经历。本内特被扔在一个无窗的会议室，等了很久，直到最后一位年轻女子才现身。一坐下来，这位女子就要求找律师。看上去她接受过指点，并且非常害怕。

艾瑞卡·张在经历了 6 月底的停车场惊魂后，和我一直保持着零星的联系，但我不知道她鼓足了勇气去联系联邦监管机构。当我第一次听说 CMS 的检查时，完全没有想到是由她引起的。

在整个 2015 年秋天，直到进入 2016 年冬天，我努力发现检查到底有何发现。山本和本内特完成他们在 11 月份的第二次检查后，从与希拉洛斯的在职员工有联系的前员工那里传来消息，说检查进行得不顺利，但很难获得具体的细节。到 1 月底，我们终于得以发表一篇报道，引用熟悉此事的信息来源，说 CMS 的巡视员在纽瓦克的实验室发现了“严重的”问题。到底有多严重，过了一些天才揭晓，CMS 发表了一封发给该公司的信函，说它们对“病人的健康和安全构成直接的危害”。信函给了公司十天时间提出可靠的改正方案，并且警告，如果未能及时遵守要求，将导致实验室失去其联邦许可。

这很重要。临床实验室的国家监管机构不仅证实希拉洛斯的血液检测存在严重的问题，还确认问题严重到使病人处于直接危险之中的程度。突然之间，希瑟·金在每一篇报道发表后像钟表一样准时到来的书面撤回要求，偃旗息鼓了。

然而，希拉洛斯仍继续将事态的严重性最小化。在一项声明中，它声称已经解决了许多问题，并且说检查的发现没有反映纽瓦克实验室当前的状况。它还声称，问题仅限于实验室运作的方式，与其专有技术的合理性无关。如果不接触到检查报告，是无法对这些说法进行反驳的。CMS 通常在将报告发给违规实验室的几个星期后公开此类文件，但希拉洛斯以商业秘密为借口，要求不公开这些报告。接触到这些报告，成为我的当务之急。

我打电话给我的一个长期的信源提供者，他在联邦政府工作，有获得该报告的渠道。他愿意做到的最大程度，是在电话里读部分片段给我听。对我们来说这已经足够，可以报道检查中最严重的发现：该实验室不顾质量控制检查的一再失败——表明其检测存在缺陷——仍继续运行凝血检测达数月之久。“凝血酶原时间测定”——该检测的正式名称——如果出错，将是非常危险的，因为医生依靠它来决定存在中风风险的病人的血液稀释剂的用量。开出太多剂量的血液稀释剂可能导致病人大出血，而开出的剂量太少，则可能导致生成致命的凝血块。希拉洛斯无法反驳我们的报道，但它再次提出此问题不涉及它的专有技术。它说凝血酶原时间测定是使用传统的静脉抽血样本、在商用分析仪上进行。当被逼到墙角的时候，这家公司愿意承认使用商用分析仪，如果这样做可以维持其自身的设备管用的幻觉的话。

为了迫使CMS公布其检查报告，我发起一项基于信息自由法的请求，要求公开任何与纽瓦克实验室检查相关的文件，并要求尽快执行。但希瑟·金继续敦促该机构未经详细校订，不得将报告公开，声称那样做会暴露珍贵的商业秘密。一家实验室的拥有者在面临制裁威胁的情况下还要求对检查报告进行校订，这还是第一次，而CMS似乎也不肯定如何继续下去。日子一天天过去，我越来越担心完整的检查发现再也不会公开。

当这场与希瑟·金之间就检查报告的拉锯战僵持不下的时候，有消息传来，霍姆斯将在希拉洛斯位于帕洛阿尔托的总部举办一场为希拉里·克林顿的总统竞选募集资金的活动。她长期以来精心培植与克林顿一家的关系，参加过多次克林顿基金会的活动，并与他们的女儿结下了友谊。募资活动后来调整到旧金山一位科技创业家的家中，来自该活动的一张图片显示，霍姆斯手持麦克风对参加的宾客讲话，她的身边站着切尔西·克林顿。竞选还有八个月，克林顿被视作领跑者，这是一个提醒，说明霍姆斯在政治上有多么广泛的关系。足以让她逃脱监管问题的困扰吗？一切似乎都有可能。

我回头去找我的信源提供者，这次终于哄得他将全部检查报告泄露给我。这份文件长达一百二十一页，其中的恶劣程度超过任何人的预期。首先，它证明了霍姆斯在去年秋天的《华尔街日报》技术大会上说了谎话：希拉洛斯在实验室中使用的专有设备确实叫作“爱迪生”，而且报告表明，该公司仅对250项检测清单中的12项使用该设备。其他所有检测都是在商用分析仪上进行。

更重要的是，检查报告显示，根据该实验室自身的数据，爱迪生设备得到的是极为错误的结果。一个月的时间里，他们有三分之一的质量控制检查未获通过。其中有一项在爱迪生设备上运行的血液检测项目，即测量影响睾丸素的激素水平，这项检测未能通过质量控制检查的比例达到惊人的 87%。另一项帮助检查前列腺癌的检测，未能通过质量控制检查的比例是 22%。使用同样的血液样本的比较检测中，爱迪生得到的结果偏离使用传统设备的幅度高达 146%。而且，正如泰勒·舒尔茨所指出的，该设备无法重复自身的检测结果。一项测量维生素 B_{12} 的爱迪生设备检测，变异系数的范围从 34% 到 48%，远远超过绝大多数实验室检测常见的 2%–3% 的范围。

至于实验室本身则是一团混乱：公司任由不具有资质的人员处理血液样本，以错误的温度储存血液，任由试剂过期，不通知病人存在缺陷的检测结果，失误层出不穷。

希瑟·金试图阻止我们发表报告，但太晚了。我们将其发布在《华尔街日报》的网站上，一同发表的报道引用一位实验室专家的话，说报告的发现说明爱迪生设备的检测结果无异于凭空猜测。

致命的一击在几天后到来，我们获得了一份新的 CMS 发给希拉洛斯的信函。信函说该公司未能纠正巡视员所指出的 45 项问题中的 43 项，并威胁要禁止霍姆斯从事血液检测行业两年。和检测报告一样，希拉洛斯绝望地试图阻止信函公开，但一个新的信源提供者如天外飞仙般出现，联系到我，将该信函泄露给我。

当我们报道了禁止从业的威胁之后，霍姆斯再也不可能淡化形势的严重性。她不得不出来说点什么，于是她在 NBC 的《今日秀》（*Today*）中与玛丽亚·施莱弗（Maria Shriver）做了一次访谈，在节目中她承认被"摧毁"了。但这似乎还不足以让她向那些被她置于伤害之地的病人道歉。看着她，我的直觉印象是，她表现出来的悔恨只是演戏。我没有感觉到任何真正的忏悔或同情。

毕竟，希拉洛斯的员工，它的投资者，以及它的零售合作伙伴沃尔格林，全都从《华尔街日报》的报道中知道了 CMS 的检查发现以及所面临的禁业处罚。如果霍姆斯真诚地想要回到正轨，为什么还那么费劲地要压制它们的曝光呢？

2016年5月，我回到旧金山湾区，想看看泰勒·舒尔茨出了什么事情。从我们在山景城的露天啤酒馆碰面，几乎过去了整整一年。艾瑞卡告诉我，泰勒正在跟斯坦福大学的一位纳米科技教授合作一个研究项目，于是我租了车，开车前往帕洛阿尔托，在斯坦福工程学院寻找他。问了一圈之后，我终于在材料科学大楼的一个房间里找到了他。

泰勒看见我并不感到惊讶。艾瑞卡给了我他的真实邮箱地址，我已经写邮件给他，让他知道我会回来找他。他一直对与我见面不置可否。现在既然我站在这儿，他倒是变得温和了。我们一起走到附近的一家小餐馆去吃午餐，很快轻松地开起了玩笑。

泰勒似乎精神状态很好。他告诉我，他现在是斯坦福一个小型研究小组的成员，该小组与加拿大的一家公司合作，参与竞争高通公司（Qualcomm）设置的奖金达数百万美元的三录仪极限大奖（Tricorder XPRIZE）。他们试图制造一台便携设备，能够根据人的血液、唾液和生命体征诊断十几种疾病。

我们的谈话转向希拉洛斯，他的眉头紧锁，变得紧张起来。他说不想在有其他人耳目的开放空间讨论这个主题。他建议我们走回材料科学大楼。我们在那儿找到一间空教室，坐下来。明显可以感觉到的紧张焦虑取代了他在餐厅时的轻松神色。

“我的律师禁止我与你交谈，但我再也无法压抑下去了。”他说。

我同意，不管他告诉我什么，都不会将其记录在案，只在他给予我许可的情况下才会在将来写下来。

接下来的四十五分钟，我惊愕无比地听他告诉我在他祖父的家里发生的伏击事件，以及几个月来他遭受的法律上的威胁。即使如此，他也从未屈服。他坚定地拒绝签署博伊斯·席勒塞给他的任何文件。我意识到，如果不是他的勇气，以及他的父母在律师费上花费的40多万美元，我也许绝无可能发表第一篇报道。让他承受这样的一种折磨，令我感到内疚和痛苦。

在所有事情中，最令人心碎的是泰勒与祖父的疏远。尽管我的报道揭露了一切，但乔治·舒尔茨仍继续与霍姆斯站在一起。他和泰勒在这一年中的大部分时间不曾见面，只通过律师进行联系。去年 12 月，为庆祝乔治的 95 岁生日，舒尔茨一家在他们所拥有的旧金山的一间顶层公寓举办了一次派对，霍姆斯参加了，但没有泰勒。

泰勒从他的父母那里听说，他的祖父依然相信希拉洛斯的承诺。2016 年 8 月 1 日，在美国临床化学协会（American Association For Clinical Chemistry，AACC）的年度会议上，霍姆斯一反多年来的严格保密姿态，准备公开其技术的内在工作方式。乔治相信她的展示会让怀疑者哑口无言。泰勒不明白，他为什么看不穿她的谎言。他要怎么样才能最终接受事实？

我们分别的时候，泰勒感谢我不懈地坚持推进报道。他指出，从他大学三年级到四年级之间的那个暑假在希拉洛斯实习开始，这家公司耗去了他生命中过去的四年时间。我反过来感谢他帮助我将这个故事公之于众，感谢他在那样的境地下顶住了巨大的压力。

过了没多久，希拉洛斯联系泰勒的律师，告诉他，他们已经知道了我们的会面。我们俩都没有告诉过任何人，因此我们推测，霍姆斯一定是派人跟踪了我们中的谁，或者是两个人都跟踪了。幸运的是，泰勒似乎不太担心此事。“下次也许我可以跟你一起拍个自拍，然后发给她，省得她费劲去雇探子。”他在邮件中打趣说。

我现在怀疑，希拉洛斯对我们两人都持续跟踪了一年。另外，对艾瑞卡·张和艾伦·比姆也很有可能如此。

在《今日秀》节目中，霍姆斯曾经告诉玛丽亚·施莱弗，她为纽瓦克实验室的错误承担责任，但最后是巴尔瓦尼承受了后果。她没有自己承担苦果，而是牺牲了她的男朋友。她与他分手，解雇了他。在一篇公告中，希拉洛斯将他的离开粉饰成自愿的离职。

一个星期后，我们报道说，希拉洛斯废弃了数以万计的血液检测结果，包括两年来的爱迪生设备检测结果，以便努力取得 CMS 的认同，避免处罚。换句话说，它实际上向该机构承认，在其专有设备上运行的血液检测没有一个结果是可靠的。再一次，霍姆斯希望将废弃的检测结果保密，但我从我的新信源——就是那位把 CMS 声称要禁止霍姆斯从事实验室行业的信函泄露给我的人——那里得到了它们。在芝加哥，沃尔格林的管理层了解到被废弃检测结果的规模后，感到非常震惊。这家药业连锁企业几个月来一直试图从希拉洛斯那里知道此事对它的客户产生的影响。2016 年 6 月 12 日，它终止了与希拉洛斯公司的伙伴关系，关闭了在其门店中的所有健康中心。

另一个严重打击接踵而至，7 月初，CMS 兑现了它的威胁，禁止霍姆斯和其公司从事实验室行业。更加严重的是，旧金山的美国检察官办公室将希拉洛斯列为刑事调查的目标，同时美国证券交易委员会也对其展开民事调查。尽管遇到这些挫折，但霍姆斯觉得她还有一张牌，可以打出来扭转舆论导向：展示她的技术，让世界惊叹。

8 月初一个闷热的夏日，2500 多人聚集在宾夕法尼亚费城会展中心的大宴会厅。绝大多数人是实验室科学家，他们来到这里听霍姆斯在美国临床化学协会的年度大会上发表演讲。公共广播系统中播放的是滚石乐队的《同情魔鬼》(Sympathy for the Devil)，这个音乐的选择似乎并非巧合。

协会对霍姆斯的邀请在会员中引发了激烈争议。有些人强有力地提出，考虑到近几个月来的事件，应当撤回对她的邀请。但协会的领导层看到，对于一场历来古板的科学会议，这是一个吸引公众关注和声音的机会。这一点被证明是对的：有数十位记者来到费城，观看这场盛会。

AACC 的主席帕特丽夏·琼斯（Patricia Jones）作了简短的介绍，随后霍姆斯登上讲台，她穿一件白色衬衣，外面套一件黑色的夹克。黑色高领毛衫已经不见踪影，从去年秋天以来，那种装扮已经成了一个笑柄。

接下来不太像一场学术的讲演，而是一个新产品的展示。在随后的一个小时里，霍姆斯将一台机器公之于众，三年前希拉洛斯开始启动其血液检测的时候，它还只是一个故障频发的原型机：迷你实验室。希拉洛斯的工程师和化学家已经对最初的模型进行了改进，但公司仍然无法开展完整的临床研究，来证明该设备可以使用指尖针刺取血可靠地工作，进行范围广泛的检测。尽管霍姆斯的演示包括了一些数据，但大部分是来自于手臂静脉抽血。其中的少量指尖针刺取血的数据，只覆盖 11 项血液检测，而且未经独立验证或同行复核。CMS 刚刚禁止霍姆斯从事临床实验室行业，但没关系：她解释说，迷你实验室是通过无线方式连接到希拉洛斯总部的服务器，可以直接部署到病人的家中、医生的办公室或者医院，完全不需要一个中心实验室。

实际上，她转了一圈，又回到自己最初的设想：可以通过无线局域网或者移动网络远程操作的便携式血液检测设备。当然，在经历过发生的一切之后，想要不经 FDA 的许可将其商用化，是不可能的。而要开展 FDA 想看到的彻底的研究，需要耗费经年累月的时间。这是她为什么起初想绕开 FDA 的原因。

在受到刑事调查的情况下，霍姆斯能够在这场最新的胡迪尼[1]式魔法表演中获得成功的可能性并不大，但看着她自信地从观众身边走过，娴熟地做她的幻灯片演示，让我恍然明白她是如何走到这么远的地方：她是一位极富魅力的销售员。她没有出现过一次结巴磕碰或是忘记思路。她有效地运用工程术语和实验室术语，当谈及新生儿重症监护室（NICU）中的正在输血的可怜婴儿，她流露出的似乎是真实的感情。像她的偶像史蒂夫·乔布斯那样，她散发出一种扭曲现实的气场，使得人们暂时忘却了怀疑。

然而，到了提问环节，魔咒被打破了。一个三人组成的专家组被邀请上台，向霍姆斯提问，其中包括纽约威尔康奈尔医学中心（Weill Cornell Medical Center）的一位病理学助理教授斯蒂芬·马斯特（Stephen Master），他指出，迷你实验室的能力远远没有达到她之前所声称的水平。他的评论引得观众中爆发出一阵喝彩。霍姆斯又转回到在《今日秀》节目中那副遭受惩罚的人物形象，承认希拉洛斯有许多工作要做，像她所说的，与实验室社群“结合”。但她再次就此打住，没有道歉和承认错误。

香港中文大学病理学教授卢煜明（Dennis Lo）随后问她，迷你实验

1　哈里·胡迪尼（Harry Houdini，1874–1926），美国著名魔术家。

室与公司此前在实验室中处理患者样本所使用的技术有何不同，她回避了这个问题。回避是个大问题，但在场的数百名病理学家对她的回避仍然抱持着礼貌和尊重，没有发出嘘声或是喝倒彩。只是在问答结束，霍姆斯转身离开讲台的时候，这种大度才被短暂地打破。“你伤害了人。”一个声音从散开的人群中喊了出来。

如果霍姆斯期待通过发布迷你实验室来重塑自己的形象、改变媒体的走向，这种期待被会议结束后潮水般发布的批评文章击得粉碎。《连线》杂志的一个大标题最完美地描述了这种反应：“希拉洛斯曾有一个机会洗刷声誉。但它却想要逃避。”

在《金融时报》的一次访谈中，华盛顿大学病理学教授杰弗里·贝尔德（Geoffrey Baird）说霍姆斯的演示所包括的“数据规模小到滑稽”，“感觉像是什么人在最后关头连夜拼出来的一篇学期论文”。其他的实验室专家都很快指出，迷你实验室的各个组成部分完全没有创新之处。他们说，希拉洛斯所做的一切就是将它们缩小，然后塞到一个盒子里。

霍姆斯在会议上展示的迷你实验室的检测之一，是寨卡病毒检测，这种通过蚊子传播的病毒损害了全世界成千上万个新生儿的大脑。希拉洛斯曾经向 FDA 申请紧急授权使用该检测，把它称作是第一个使用指尖针刺取血的此类检测。然而这不过是又一次令人尴尬的失利，FDA 的巡视员很快发现公司在其研究中连基本的病患保护措施都没有，迫使它撤回了申请。

霍姆斯在 AACC 的大会上演魔法般反转的可能性，使得希拉洛斯那些寝食难安的投资者没有立即启动发难。在她的现身搞砸了之后，在寨卡病毒检测的失败登上头条新闻之后，其中一位投资者觉得已经受够了，那就是伙伴基金，这家旧金山的对冲基金在 2014 年初向公司投资了将近 1000 万美元，它向特拉华州衡平法院（Delaware’s Court of Chancery）起诉霍姆斯、巴尔瓦尼和公司，指控他们以“一系列的谎言、重大虚假陈述和错漏”欺骗自己。另一组投资者由已退休的银行家罗伯特·科尔曼带领，在旧金山联邦法院发起另一项单独诉讼。它还指控证券欺诈，并寻求进行集体诉讼。

其他投资者大多数选择反对诉讼，寻求以不起诉的承诺换取获得额外股份。一个显著的例外是鲁伯特·默多克。这位媒体大亨以 1 美元的价格将股份回售给希拉洛斯，从而可以获得对其他收入的大额税收抵销。拥有大约 120 亿美元的默多克可以承担损失超过 1 亿美元的糟糕投资。

对于如何应对联邦调查，大卫·博伊斯及他的博伊斯·席勒和弗莱克斯勒律师事务所与霍姆斯吵翻了，此后他们不再为希拉洛斯提供法律服务。另一家大律师事务所威尔默黑尔（WilmerHale）取而代之。霍姆斯在 AACC 亮相的一个月后，希瑟·金回到博伊斯·席勒律师事务所担任合伙人，以该律所在帕洛阿尔托的办公室为工作驻地。几个月后，博伊斯离开希拉洛斯的董事会。

沃尔格林在希拉洛斯身上撒下了总计 1.4 亿美元，它自己对该公司发起诉讼，谴责它未能满足公司契约"最基本的品质标准和法律要求"。这家连锁药店在其起诉书中写道："当事人契约最基本的前提——像任何涉及人们健康的事务一样——是帮助人们，而不是伤害人们。"

对于 CMS 的制裁，霍姆斯最初试图申诉，但后来无计可施，只得自行辞职，并且关闭了加利福尼亚的实验室以及公司在亚利桑那州的第二个实验室——这个实验室只使用商用分析仪器。在亚利桑那州的实验室被关闭前几天，CMS 对其进行检查，结果也发现了大量问题。

随后在与亚利桑那州总检察长达成的一份和解协议中，希拉洛斯同意支付 465 万美元给一个州基金，用于补偿从该公司购买了血液检测服务的 76217 名亚利桑那人。

希拉洛斯在加利福尼亚州和亚利桑那州废弃或是纠正的检测结果最后达到将近 100 万件。该机构的所有这些检测对病人造成的伤害无法估计。有 10 位病人发起诉讼，指控公司欺诈消费者和医疗伤害。其中一人声称希拉洛斯的血液检测未能查出他的心脏病，导致他遭受了本可以避免的心脏病发作。这些诉讼在亚利桑那州联邦法院合并成一项集体诉讼。原告是否能在法庭上证明自身受到伤害，还有待观察。

有一件事情是肯定的："病理学博客"的亚当·克莱帕在联系我的时

候，希拉洛斯公司已箭在弦上，即将把其血液检测服务扩展到沃尔格林在全美的 8134 家门店，如果它这样做了，人们因为错误的诊断和错误的医疗措施而死亡的概率将会以指数级增长。

尾 声

我在《华尔街日报》的第一篇文章发表之后，霍姆斯公开声称，她将发布来自她的血液检测系统的临床数据，以反驳我的报道。“数据最为有力，因为它会为自己说话。”2015 年 10 月 26 日，她在由克利夫兰诊所集团主办的会议上如是说。两年零三个月后，她终于兑现了这个承诺：2018 年 1 月，希拉洛斯在经同行评审的科学杂志《生物工程和转化医学》（*Bioengineering and Translational Medicine*）上发表一篇关于迷你实验室的论文。论文描述了设备的组件及其内部工作机制，提供了部分数据，目的是表明，与 FDA 认可的设备相比，它自身是站得住脚的。但存在一个重大的问题：希拉洛斯在其研究中所使用的血是使用旧的抽血方式，在胳膊上扎针。霍姆斯最初的预设——仅仅基于刺破指尖取得的一两滴血而获得快速准确的检测结果——在论文中完全找不到踪迹。

更仔细地审读论文，会发现其他重大的缺陷。首先，论文中只有部分血液检测有数据。其中两种检测，即对高密度脂蛋白胆固醇（HDL cholesterol）和低密度脂蛋白胆固醇（LDL cholesterol）的检测偏离 FDA 认可设备的程度，令希拉洛斯自己也承认“超过了建议限定值”。公司也承认它一次只做一项检测，与霍姆斯之前声称她的技术可以同时对小小一滴血做数十项检测的说法是抵触的。最后一点是，所运行的这些检测要求对迷你实验室进行不同的配置，因为希拉洛斯还没有找到办法把所有的组件都放进盒子里。所有这些，与希拉洛斯 2013 年秋天在沃尔格林的门店中启动检测时霍姆斯所吹嘘的革命性突破相去甚远。

霍姆斯的名字列在合著者的名单中，但巴尔瓦尼不在其中。自从2016年春天，他们分手并且他离开公司之后，巴尔瓦尼似乎从地球表面上消失了。霍姆斯搬出了他在阿瑟顿拥有的6555平方英尺[1]的大房子（2013年通过一家有限合伙公司以900万美元购得），尚不清楚他是否还住在那里。在希拉洛斯的前员工中间有猜测，说他已经逃离美国，以躲避联邦的调查。

2017年3月6日上午，那些谣言就此止歇，泰勒·舒尔茨在那天来到吉本斯·邓恩和弗莱切律师事务所位于旧金山布道街（Mission Street）办公地的一间会议室。夹杂在六七名为伙伴基金的诉讼取证的律师中间的，正是那个曾以愤怒的眼神威吓希拉洛斯员工的熟悉的小个子。巴尔瓦尼是这次诉讼的指定被告，因而他的出现非同寻常，似乎只有一个目的：恐吓证人。如果目的真是如此，那么它没起到作用。在随后的八个半小时中，泰勒全神贯注，对被问及的问题给出令人信服的答案，无视坐在会议桌另一头的暴躁前老板的沉默在场。七个星期后，希拉洛斯在巴尔瓦尼自己作证的前夕，以4300万美元达成和解。（不久以后，它与沃尔格林的诉讼案以2500万美元达成和解。）

到2017年底，希拉洛斯已经精疲力竭，烧尽了它从投资者那里筹得的9亿美元，大部分用在法律方面的花销上。经过几轮裁员，员工数量从2015年高峰期的800人减少到不足130人。为了节约租金，公司将所有剩下的员工搬到旧金山湾对面的纽瓦克工厂。破产的幽灵隐隐浮现。不过，在圣诞节前几天，霍姆斯宣布她从一家私人股权投资公司获得了1亿美元的贷款。这个财务救命钱附带严格的条件：贷款以希拉洛斯的专利资产作为担保，而且公司需要在产品和运营方面实现某种重大目标，才能拿到钱。

不到三个月后，高墙开始再次逼近：2018年3月14日，美国证券交易委员会（SEC）指控希拉洛斯、霍姆斯和巴尔瓦尼从事“精心策划、

---

1 约609平方米。

持续多年的欺诈”。为了解决公司面对的民事指控，霍姆斯被迫放弃她对公司的投票控制权，交出绝大部分股份，并且支付50万美元的罚款。她还同意十年内不在上市公司担任管理职务或董事。由于没有与巴尔瓦尼达成和解，SEC在加州的联邦法院向他提起诉讼。与此同时，刑事调查继续发酵。截至本书写作之时，指控霍姆斯和巴尔瓦尼向投资者和联邦官员撒谎的刑事控诉似乎已迫在眉睫。

20世纪80年代初，人们创造出“雾件”（VAPORWARE）一词，用以描述轰轰烈烈地公之于众但却花了很多年才实现的计算机硬件或软件，如果它最终能够实现的话。它反映了计算机行业的一种倾向，即在涉及市场营销时，做法过于轻率散漫。微软、苹果和甲骨文都曾被谴责某些时候在实际操作时有类似做法。这种过度承诺成为硅谷的标志性特征之一。其对消费者的危害主要体现在预期的破灭和失望，相对较为轻微。

霍姆斯将公司定位为硅谷核心地带的科技公司，也传承了这样一种“演久成真”（fake-it-until-you-make-it）的文化，她掩盖这种造假到登峰造极的程度。硅谷的许多公司叫他们的员工签署保密协议，但在希拉洛斯，对保密的痴迷达到了完全不同的层次。它禁止员工将“希拉洛斯”字样放在领英账户的资料中。相反，他们被告知，在那里要写上他们是为“一家私人生物公司”工作。一些离职员工发布的对自己在该公司工作的描述被认定过于详细，他们收到来自希拉洛斯律师的勒令停止（cease-and-desist）信件。巴尔瓦尼定期监督员工的电子邮件和互联网浏览历史。他还禁止使用谷歌公司的Chrome浏览器，理由是谷歌理论上可以使用网络浏览器刺探希拉洛斯的研发工作。在纽瓦克的综合办公区工作的员工，不被鼓励使用那里的健身房，因为这可能导致他们与在那里租用办公室的其他公司的员工混淆。

在临床实验室中被称为“诺曼底”的部分，爱迪生设备周围竖起隔断，这样当西门子的技术人员来为德国造的机器提供维修服务时，就不会看到它们。这些隔断将屋子变成了一个迷宫，出口是堵塞的。实验室的窗户玻璃染上颜色，使人们从外面几乎看不到里面，但公司仍然在里面安置了不透明度塑料作为遮挡。通向实验室房间的走廊门，以及实验室本身的门都装了指纹扫描仪。如果一次有多个人同时进入，感应器会发出警报，激活照相机，发送照片给警卫台。至于监控的摄像机可以说无处不在。它们是那种有深蓝色的圆盖的摄像头，让你不知道镜头是对着哪个方向。所有这些表面上是为了保护商业秘密，但现在可以看得清楚，它也是霍姆斯用来掩盖她关于希拉洛斯的技术状态之谎言的一种方法。

吹嘘你的产品，获取资金，同时掩盖自己的真实进度，寄望于现实最终能赶上你的吹嘘，在科技行业中这种现象仍然得到宽容。但关键是要知道希拉洛斯并不是一家传统意义上的科技企业。它首先是、主要是一家医疗健康公司。它的产品并不是软件，而是一台分析人们血液的医疗设备。正如霍姆斯自己在声望巅峰期做客媒体访谈或是公开亮相时喜欢指出的，医生的诊疗决策有 70% 是依赖实验室的检测结果。他们指望实验室的设备如广告宣传那样有效。否则，病人的健康就会受到危害。

那么，霍姆斯是如何为拿人们的生命作赌注寻找理由的？一派想法认为，她是受到巴尔瓦尼的邪恶影响。按照这个说法，巴尔瓦尼是霍姆斯的斯文加利（Svengali）[1]，并且将她——怀抱远大梦想的纯真少女——塑造成硅谷追逐的那种年轻早熟的女性企业创始人，而他自己年龄太大，太男性化了，无法自己出面。毫无疑问，巴尔瓦尼产生了恶劣的影响。但将所有的责任推到他头上，不仅太过轻巧，也很不准确。近距离观察这两个人的互相作用的员工，看到的是一种霍姆斯拥有最后话语权的伙伴关系，尽管她年轻了 20 岁。而且，巴尔瓦尼迟至 2009 年才加入希拉洛斯。到那个时候，霍姆斯已经在关于她的技术成熟度问题上误导制药企业好多年了。而从恐吓她的首席财务官到起诉员工，这些行为已经展现出她冷酷无情的模式，迥异于一名抱有良好意图的年轻女子被一个年长男人操控的描述。

霍姆斯清楚地知道自己在做什么，她牢固地控制一切。2011 年夏天，一位前员工为申请希拉洛斯的职位而接受面试时，他问霍姆斯公司董事

1 英国小说家杜莫里哀小说中的人物，通过催眠术控制他人。

会的作用。她对这个问题语出不逊。“董事会只是个摆设，”他回忆她说的话，“在这里所有事情我说了算。”她的怒气太过明显，以至于他觉得自己搞砸了这次面试。两年后，霍姆斯确保董事会绝对无法超越作为摆设的地位。2013 年 12 月，她强行通过了一项决议，授予她所持有的股份每股 100 票投票权，使她握有的投票权达到 99.7%。从那时候开始，如果霍姆斯不在场，希拉洛斯的董事会甚至达不到法定人数。乔治・舒尔茨后来在一次作证时被问及董事会的审核职能，他说：“我们从未在希拉洛斯投过任何票。那没有意义。伊丽莎白完全按照自己的想法做出决定。”这有助于解释为什么董事会从未雇用一家律师事务所对所发生的事情进行独立调查。在一家公开上市的公司，媒体首度报道之后的几个星期甚至几天之内，就会开展这样的调查。但在希拉洛斯，没有霍姆斯的同意，不可能决定任何事情、做任何事情。

如果真有什么操控者的话，那就是霍姆斯自己。她一个接一个地将这些人玩弄于股掌之间，劝服他们按她的出价投入。第一个折服于她的魅力的，是斯坦福工程学教授钱宁・罗伯特森，他用自己的声誉帮助她以稚龄取得信任。然后是唐纳德・L. 卢卡斯，这位上了年纪的风险资本家的支持和人脉使她得以筹集资金。后面是沃尔格林的 J 博士和韦德・米克隆，以及西夫韦的首席执行官史蒂夫・伯德，紧随其后的有詹姆斯・马蒂斯（马蒂斯与希拉洛斯的纠缠，未能阻止他成为唐纳德・特朗普总统的国防部长）、乔治・舒尔茨和亨利・基辛格。大卫・博伊斯和鲁伯特・默多克忝列名单最末，但我觉得还有其他许多人，都被霍姆斯掺和了魅力、天分和领袖气质的混杂物所折服。

反社会者通常被描绘成少有或者完全没有良知的人。霍姆斯是否符合这种临床表现？这个问题我还是留给心理学家去决定，但毫无疑问，她的道德指南针是严重扭曲的。我相当肯定，当她在十五年前从斯坦福大学辍学的时候，一开始并没有想要欺骗投资者，陷病人于危害之地。所有人都相信，她真诚地信仰一个愿景，并投身于其中去实现它。但在“独角兽”热潮的淘金狂热中，在她全力以赴地追求成为史蒂夫・乔布斯第二的过程中，有那么一个转折时刻，她不再倾听明智的建议，开始寻求捷径。她的抱负过于贪婪，无法忍受任何干预。如果在追求财富和声名的道路上，附带有任何的伤害，管它呢。

致 谢

本书来自我在《华尔街日报》曝光希拉洛斯丑闻所做的工作，如果没有贯穿整个 2015 年和 2016 年、冒着巨大个人风险与我对话的那些秘密信息来源，本书绝无可能。其中一些人，如泰勒·舒尔茨已经采取公开身份的形式，以他们的真实身份出现在我的笔下。其他人则是以化名出现，或者仅仅作为不具名的信息来源而提到。所有这些人无视他们面临的法律和职业风险，坚持与我沟通，只是基于一个高于一切的关怀：保护病人，免遭希拉洛斯错误的血液检测带来的伤害。我将永远铭记他们的正直与勇气。他们是本篇故事的真正英雄。

如果没有其他数十位希拉洛斯的前员工，本书亦不可能形成，他们克服了最初的惊惶，与我分享他们的经历，帮助我重新建构了公司十五年的历史。对于我，他们慷慨地付出时间，极为支持我的工作。我也要感谢那些实验室科学家们给我上课，教给我晦涩难懂然而充满迷人魅力的血液检测科学。其中，纽约威尔康奈尔医学中心的斯蒂芬·马斯特慷慨地在出版之前审阅了手稿，帮助我减少错误。

本书起始于 2015 年初的一条爆料。我要感谢长期以来鞭策我、坚定支持我去追踪那条爆料的人：我在《华尔街日报》的编辑迈克·西克诺尔菲。不仅对于我，而且对于一代一代的记者而言，迈克都是一位导师，是《华尔街日报》所秉承的伟大新闻直觉的旗手。在我将这些事件公之于众的追寻中，迈克并不是我唯一的同盟军：杰森·孔蒂现已担任道琼斯公司的法律总顾问，他与他的副手雅各布·戈德斯滕花费了无数的时间审核我的报道，击退了希拉洛斯的律师发起的法律威胁。我还对调查团队的同事克里斯托弗·韦弗（Christopher Weaver）心怀巨大的感激之情，他在一年多的时间里帮助我采访监管调查和其他附带事项，其中包括我休假的一段时间。

在《华尔街日报》工作的一个额外好处，是我多年来在这里结下的友谊。其中一位朋友克里斯托弗·斯图尔特（Christopher Stewart）写过几本非虚构的书，他慷慨地与我分享他在出版行业的经验和人脉。正是通过克里斯，我遇到了我的经纪人，弗莱彻公司（Fletcher & Company）的埃里克·鲁弗（Eric Lupfer），他立即看到了这个项目的潜力，推动我去追寻这个故事，不管有多少障碍横亘在路上。埃里克永远的乐观精神会传染，在我迷茫的时刻是完美的解毒剂。

我很幸运，本书由诺普夫出版社（Knopf）的安德鲁·米勒（Andrew Miller）经手。安德鲁的热情和对我的坚定信任，给了我所需要的信心，使本书开花结果。我也很荣幸得到安德鲁的老板、诺普夫·道布尔戴出版集团主席桑尼·梅塔（Sonny Mehta）的支持。从我进入兰登书屋大楼的那一刻开始，安德鲁、桑尼和他们的同事给予我热烈的欢迎，令我有回到家中的感觉。我希望自己没有辜负他们的期望。

本篇传奇故事耗费了我生命中过去三年半的时光。在此期间，我有幸从朋友和家人那里得到建议、支持和温暖。伊安西·杜甘（Ianthe Dugan）、保罗·普拉达（Paulo Prada）、菲利普·希什金（Philip Shishkin）和马修·卡明斯基（Matthew Kaminski）——这里只能列举几个——经常给我鼓励，以及我非常需要的放松调节剂。我的父母简（Jane）和杰拉德（Gérard）、我的姐姐亚历山德拉（Alexandra）一路鼓励我到最后。不过，我力量和灵感的最大源泉，是与我分享生命的四个人：我的妻子莫莉（Molly），以及我的三个孩子萨巴斯蒂安（Sebastian）、杰克（Jack）和弗兰西斯卡（Francesca）。谨以本书献给他们。

后　记

在本书精装版问世三个月后，2018 年 6 月 14 日，霍姆斯和巴尔瓦尼因两项串谋诈骗罪名和九项诈骗罪名受到起诉。他们向联邦调查局自首，被安排在圣何塞联邦法庭受审。为在审判前获得自由，两人各自支付了 50 万美元保释金。他们也被迫交出自己的护照。霍姆斯经传讯后，由律师陪伴走出法院，在媒体镜头前，她勉强摆出笑容，但看上去面色苍白，颤抖着走向等在路边接她的汽车。

在起诉书中，政府指控她和巴尔瓦尼不仅欺骗投资者，而且通过电子网络跨州操控血液检测结果——明知其准确性存在问题——也欺骗医生和病人。

在将这次起诉公之于众的新闻发布会上，FBI 负责调查的特工约翰·F. 本内特（John F. Bennett）说："这一串谋在医疗检测的可靠性上误导医生和病人，危及健康和生命。"

通过向两位希拉洛斯的前高管提起刑事指控，联邦检察官向硅谷的所有创业家传递讯息：不再姑息伪装成创新的严重不当行为。创业精神的背后，"需要诚实、公平竞争和透明的法律规则"，驻旧金山的代理美国国家检察长阿历克斯·G. 谢（Alex G. Tse）说："本办将与湾区的其他执法机构一起，不遗余力地调查和控诉那些不按规则出牌的人，这些规则维系着硅谷的运作。"

如果罪名成立，霍姆斯和巴尔瓦尼面临最高可达二十年的监禁。两人均辩称无罪。截止本文写作之时，由于证据开示程序的耽搁，开庭日期尚未确定。目前，联邦检察官已经移交了存有大约 1600 万页证据的保密硬盘。

至于希拉洛斯，该公司于 2018 年 9 月资金耗尽，遭到解散。在 2017 年底提供贷款的私人股权公司峰堡投资集团（Fortress Investment Group）接收了其专利。同时，一桩投资者诉讼的法庭文件披露，教育部长贝琪·德沃斯（Betsy DeVos）是该公司最大的投资者之一。德沃斯女士的家族损失了 1 亿美元——与考克斯（Cox）家族的损失金额一样。超过他们的，只有损失了 1.21 亿美元的鲁伯特 · 默多克（他通过法律和解拿回了 400 万美元），以及沃尔顿（Walton）的两名继承人，他们一共损失 1.5 亿美元。该受控诈骗案的其他受害者包括：墨西哥的卡洛斯 · 斯利姆（Carlos Slim）（3000 万美元）；一位希腊船运大亨的继承人（2500 万美元）；曾控制钻石制造商戴比尔斯（De Beers）的一个南非家族（2000 万美元）；以及通过风险投资基金投资的众多小投资者，他们一共投资了大约 7 亿美元到这家血液检测公司。

总计，希拉洛斯的投资者大约损失了 10 亿美元。

注　释

序　幕

页 3，**“今天早晨伊丽莎白打电话给我”**：电子邮件，标题为“来自伊丽莎白的信息”，蒂姆·坎普发给他的团队，太平洋标准时间上午 10：46，2016 年 11 月 17 日。

页 4，**他关于烟草致瘾特性的专业证词**：西蒙·弗斯（Simon Firth），“钱宁·罗伯特森没怎么退休的退休”（The Not-So-Retiring Retirement of Channing Robertson），斯坦福大学工程学院网站，2012 年 2 月 28 日。

页 5，**不论按照什么标准，这次融资都非常成功**：关于希拉洛斯公司的风险投资公司专家报告，2015 年 12 月 28 日。

页 6，**有一张幻灯片列出了它与五家公司达成的六个协议**：标题为“希拉洛斯：面向投资者的介绍”的幻灯片，日期为 2006 年 6 月 1 日。

第一章　有目标的生活

页 8，**7 岁的时候**：肯·奥莱塔（Ken Auletta），《血液，更简单》（Blood, Simpler），《纽约客》，2014 年 12 月 15 日。

页 8，**在父亲这一边**：P. 克里斯蒂安·克列格（P. Christiaan Klieger），《弗莱施曼酵母家族》（*The Fleischmann Yeast Family*），查尔斯顿：阿卡迪亚出版社，2004 年，第 9 页。

页 9，**在妻子富有家族的政治和商业关系的帮助下**：同上，第 49 页。

页 9，**这确实变成了事实**：萨莉·史密斯·休斯（Sally Smith Hughes），对唐纳德·L. 卢卡斯的访谈，口述史《湾区的早期风险资本投资家：塑造经济和商业风景》（*Early Bay Area Venture Capitalists: Shaping the Economic and Business Landscape*），班克罗夫特图书馆，加利福尼亚大学伯克利分校，2010 年。

页 9，**她的父亲是一位西点军校的毕业生**：小乔治·阿灵顿·达奥斯特（George Arlington Daoust Jr.）的讣告，《华盛顿邮报》，2004 年 10 月 8 日。

页 9，**伴随着我成长的**：奥莱塔，《血液，更简单》。

页 11，**高中上到一半的时候**：同上。

页 11，**她的父亲给她灌输**：罗杰·帕洛夫，《为血液而生的 CEO》（This CEO Is Out for Blood），《财富》，2014 年 6 月 12 日。

页 11，**伊丽莎白从中接收的信息**：瑞切尔·克莱恩（Rachel Crane），《她是美国最年轻的女亿万富翁——也是一个辍学生》（She's America's Youngest Female Billionaire—and a Dropout），CNN 的《金钱》网站，2014 年 10 月 16 日。

页 12，**这一经历令她相信**：帕洛夫，《为血液而生的 CEO》。

页 12，**她回到休斯敦的家**：同上。

页 13，**多年以后，在法庭作证时**：*希拉洛斯公司和伊丽莎白·霍姆斯诉富兹药业有限公司、理查德·C. 富兹和约瑟夫·M. 富兹*，No. 5:11-cv-05236-PSG，圣何塞美国地区法院，庭审记录，2014 年 3 月 13 日，第 122–123 页。

页 13，**为了筹集所需资金**：希拉·科尔哈德卡（Sheelah Kolhatkar）和卡罗琳·陈（Caroline Chen），《伊丽莎白·霍姆斯能否拯救她的独角兽？》（Can Elizabeth Holmes Save Her Unicorn?），《彭博商业周刊》，2015 年 12 月 10 日。

页 13，**德雷珀家族的声名极具分量**：丹尼尔·萨克斯（Danielle Sacks），《风险资本公司能否传承？看看硅谷德雷珀王朝的新一代》（Can VCs Be Bred? Meet the New Generation in Silicon Valley's Draper

Dynasty),《快速公司》，2012 年 6 月 14 日。

页 14，**在一份用来招募投资者的 26 页的文件中**：希拉洛斯公司的秘密文件，2004 年 12 月。

页 14，**2004 年 7 月的一个早晨**：约翰·卡雷鲁，《希拉洛斯公司的诸多策略和障碍》(At Theranos, Many Strategies and Snags),《华尔街日报》，2015 年 12 月 27 日。

页 14，**迈德文奇并不是唯一一家拒绝这位 19 岁大学辍学生的风险资本公司**：风险资本公司关于希拉洛斯公司的专家报告。

页 14，**除了德雷珀和帕尔梅耶里**：标题为“希拉洛斯：面向投资者的介绍”的幻灯片，日期为 2006 年 6 月 1 日。

页 16，**他们的小公司**：《停止糟糕的反应》(Stopping Bad Reactions),《红鲱鱼》，2005 年 12 月 26 日。

页 16，**邮件的最后写着**：电子邮件，标题为“节日快快乐乐”，伊丽莎白·霍姆斯发给希拉洛斯的员工，太平洋标准时间上午 9：57，2005 年 12 月 25 日。

第二章　点胶机器人

页 19，**由于已经用完了第一次筹集的 600 万美元**：关于希拉洛斯公司的风险投资公司专家报告，2015 年 12 月 28 日。

页 20，**埃迪注意到在她的桌子上有一张剪报**：瑞切尔·巴隆（Rachel Barron),《药物女神》(Drug Diva),《红鲱鱼》，2006 年 12 月 15 日。

页 20，**卢卡斯和埃里森都在希拉洛斯的第二轮融资中有投资**：标题为“希拉洛斯：面向投资者的介绍”的幻灯片，日期为 2006 年 6 月 1 日。

页 21，**在甲骨文公司初创早期**：迈克·威尔森，《上帝和拉里·埃里森之间的区别》(*The Difference Between God and Larry Ellison*)，纽约：威廉·莫罗出版社，1997 年，第 94–103 页。

页 22，**回到加利福尼亚后**：电子邮件，标题为“祝贺”，伊丽莎白·霍姆斯发给希拉洛斯的员工，太平洋标准时间上午 11:35，2007 年 8 月 8 日。

页 24，**希拉洛斯向加利福尼亚州最高法院提交一份十四页的起诉书**：希拉洛斯公司诉 *Avidnostics* 公司，No. 1-07-cv-093-047，加利福尼亚圣克拉拉高级法院，2007 年 8 月 27 日提交的起诉书，第 12–14 页。

页 25，**这种技术并不算新**：安东尼 · K. 坎贝尔（Anthony K. Campbell），《彩虹制造者》（Rainbow Makers），《化学世界》（*Chemistry World*），2003 年 6 月 1 日。

第三章　仰慕苹果

页 28，**那年 1 月**：约翰 · 马科夫（John Markoff），《苹果公司介绍创新手机》（Apple Introduces Innovative Cellphone），《纽约时报》，2007 年 1 月 9 日。

页 28，**其中一位名叫安娜·阿里奥拉**：安娜过去是位男子，名叫乔治。她在离开希拉洛斯的工作后，从男性变为女性。

页 30，**"我们已经忽略了商业上的目标"**：电子邮件，标题为"IT"，贾斯汀·麦克斯韦尔发给安娜·阿里奥拉，早晨时分，2007 年 9 月 20 日。

页 32，**艾维是史蒂夫·乔布斯最长久、最亲密的朋友之一**：沃尔特·艾萨克森，《史蒂夫 · 乔布斯》，纽约：西蒙和舒斯特出版社，2011 年，第 259、300、308 页。

页 35，**出来的时候**：电子邮件，安娜 · 阿里奥拉发给伊丽莎白 · 霍姆斯和塔拉 · 兰西奥尼（Tara Lencioni），太平洋标准时间下午 2：57，2007 年 11 月 15 日。

页 35，**伊丽莎白三十分钟后给她回复电子邮件**：电子邮件，伊丽莎白 · 霍姆斯发给安娜 · 阿里奥拉，太平洋标准时间下午 3：27，2007 年 11 月 15 日。

页 36，**他还注意到，伊丽莎白谈了一笔多么诱人的交易**：电子邮件，标题为"回复：弃权及辞职信"，迈克尔·埃斯基维尔发给艾维·特维尼安，太平洋标准时间 12：41，2007 年 12 月 23 日。

页 36，**圣诞夜晚上，11 点 17 分**：电子邮件，标题为"回复：弃权及辞职信"，迈克尔 · 埃斯基维尔发给艾维 · 特维尼安，太平洋标准时间 12：41，2007 年 12 月 23 日。

页 37，**用来让他签署放弃声明的冷酷伎俩**：艾维·特维尼安致唐·卢卡斯的信，2007 年 12 月 27 日。

第四章　告别东帕洛

页 45，**其目的是通过测量肿瘤生长时身体额外产生的三种蛋白质在血液中的集中度**：保密文件《希拉洛斯的血管再生研究报告》。

页 46，**第二次会谈的前一天晚上**：约翰·卡雷鲁，《希拉洛斯公司的诸多策略和障碍》，《华尔街日报》，2015 年 12 月 27 日。

页 48，**在他们的最后一次邮件往来中**：电子邮件，标题为“阅读材料”，贾斯汀·麦克斯韦尔发给伊丽莎白·霍姆斯，太平洋标准时间下午 7：54，2008 年 5 月 7 日。

页 48，**他的辞职信有一部分是这么写的**：电子邮件，标题为“正式辞职”，贾斯汀·麦克斯韦尔发给伊丽莎白·霍姆斯，太平洋标准时间下午 5：19，2008 年 5 月 9 日。

第五章 童年邻居

页 51，**伊丽莎白的母亲诺尔**：希拉洛斯公司等诉富兹药业有限公司等，洛兰·富兹 2013 年 6 月 11 日所作的证词，洛杉矶，第 18–19 页。

页 51，**诺尔和洛兰相互串门，进进出出**：同上，第 19–20 页。

页 51，**一天晚上，富兹家停电了**：同上，第 54 页。

页 52，**克里斯的祖父**：P. 克里斯蒂安·克列格，《Moku o Lo’e: 可可岛历史》（*Moku o Lo’e: A History of Coconut Island*），火奴鲁鲁：主教博物馆出版社，2007 年，第 54–121 页。

页 52，**克里斯的父亲克里斯蒂安·霍姆斯三世**：洛兰·富兹的证词，第 52 页。

页 52，**两个女人仍保持着日常联系**：同上，第 22 页。

页 52，**霍姆斯家回到华盛顿作短期停留的时候**：同上，第 35 页。

页 52，**在后面的旅行中**：同上，第 55–56 页，第 100–101 页。

页 53，**刚刚在麦克莱恩市（McLean）环城公路郊区的富人区购买了一套房子**：希拉洛斯公司等诉富兹药业有限公司等，理查德 · 富兹于 2013 年 6 月 9 日作的证词，洛杉矶，第 92-93 页。

页 53，**克里斯和诺尔 • 霍姆斯终于在四年后搬回了华盛顿**：希拉洛斯公司等诉富兹药业有限公司等，克里斯蒂安 · R. 霍姆斯四世于 2013 年 4 月 7 日所作的证词，华盛顿，第 30 页。

页 53，**一开始，他们与朋友一起住在大瀑布城**：洛兰 · 富兹的证词，第 30 页。

页 53，**有一天午餐的时候**：同上，第 65–68 页。

页 53，**洛兰回到家中**：同上。

页 53，**正如后来他在一封电子邮件中所说**：电子邮件，无标题，理查德 · 富兹发给我，太平洋标准时间上午 10：57，2017 年 2 月 2 日。

页 54，**富兹起诉百特非法解约**：托马斯 · M. 伯顿（Thomas M. Burton），《辩解：百特未能平息对其在以色列禁运中角色的质疑》（On the Defensive: Baxter Fails to Quell Questions on Its Role in the Israeli Boycott），《华尔街日报》，1991 年 4 月 25 日。

页 54，**双方在 1986 年达成和解**：休 · 塞伦巴格（Sue Shellenbarger），《移出黑名单？医院供应商抛弃其以色列的工厂来赢取阿拉伯人的欢心？》（Off the Blacklist: Did Hospital Supplier Dump Its Israel Plant to Win Arabs' Favor?），《华尔街日报》，1990 年 5 月 1 日。

页 54，**他派遣了一名自己招募的女性特工**：同上。

页 55，**富兹复印了这份爆炸性的备忘录，一份发给**：同上。

页 55，**他后来又得到了**：伯顿，《辩解》一文。

页 55，**1993 年 3 月**：托马斯 · M. 伯顿，《当场被抓：百特如何脱离阿拉伯人的黑名单，又是如何被钉上去的》（Caught in the Act: How Baxter Got off the Arab Blacklist, and How It Got Nailed），《华尔街日报》，1993 年 3 月 26 日。

页 55，**声誉的损失**：托马斯 · M. 伯顿，《最好通过减少与百特的合作来抗议这家医院供应商的伦理》（Premier to Reduce Business with

Baxter to Protest Hospital Supplier's 'Ethics,'),《华尔街日报》，1993 年 5 月 26 日。

页 55，**最高潮**：《在耶鲁大学，对一位代理校长的致敬》（At Yale, Honors for an Acting Chief），《纽约时报》，1993 年 5 月 25 日。

页 55，**三个月后**：托马斯·J. 卢克（Thomas J. Lueck），《一位耶鲁托管人因遭受批评而辞职》（A Yale Trustee Who Was Criticized Resigns），《纽约时报》，1993 年 8 月 28 日。

页 56，**其后以 1.54 亿美元卖给一家加拿大的制药公司**：《拜维尔公司以 1.54 亿美元收购富兹科技》（Biovail to Buy Fuisz Technologies for $154 Million），道琼斯，1999 年 7 月 27 日。

页 56，**在访谈中，她更为详细地描述了自己的血液检测系统**：莫伊拉·冈恩（Moira Gunn）对伊丽莎白·霍姆斯的访谈，生物技术国度，2005 年 5 月 3 日。

页 56，**三十五年的医学专利发明经验告诉他**：理查德·富兹的证词，第 302 页。

页 57，**"艾，我和乔想申请如下专利"**：电子邮件，标题为"血液分析——偏离正常（个性化）"，理查德·富兹发给艾伦·斯卡维利，东部标准时间下午 7：30，2005 年 9 月 23 日。

页 57，**终于引起了他的注意**：电子邮件，无标题，理查德·富兹发给艾伦·斯卡维利，东部标准时间下午 11：23，2006 年 1 月 11 日。

页 57，**富兹和斯卡维利频繁交换邮件**：电子邮件，日期为 2006 年 4 月 24 日，艾伦·斯卡维利发给理查德·富兹，告知他专利申请已经提交，附上申请的一份副本以及所提供服务的账单。

页 58，**它并没有特别保密**：第 60794117 号专利申请书，标题为《体液分析仪及其所含系统、编程方法》（Bodily fluid analyzer, and system including same and method for programming same），2006 年 4 月 24 日提交，2008 年 1 月 3 日发布。

页 58，**霍姆斯家在靠近海军天文台的威斯康星大道上买了一套公寓，搬了进去**：洛兰·富兹的证词，第 32 页。

页 58，**洛兰从麦克莱恩开车过来**：同上，第 33 页。

页 58，**她刚刚和其他几位年轻的创业者一起登上《公司》杂志**：贾思敏 · D. 阿德金斯（Jasmine D. Adkins），《年轻与躁动》（The Young and the Restless），《公司》，2006 年 7 月。

页 58，**对于像希拉洛斯这样的小公司，很容易被大公司占便宜**：理查德 · 富兹的证词，第 298 页。

页 58，**一次是在克里斯和诺尔新公寓那条路上的一家日式餐馆 Sushiko**：洛兰 · 富兹的证词，第 33 页。

页 58，**那晚克里斯没有吃多少东西**：同上，第 33–34 页。

页 59，**不管什么情况**：同上，第 45–46 页。

页 59，**在乔治城迪恩德鲁卡的一次碰面中**：同上，第 42 页。

页 59，**有一天给洛兰剪头发的时候**：同上，第 40–41 页。

页 60，**洛兰带着蛋糕去拜访霍姆斯家的公寓，两人之间又见了一面**：同上，第 108–110 页。

页 60，**然而，希拉洛斯又过了五个月才发现其存在**：电子邮件，标题为“这是什么新东西吗?”，加里 · 弗伦泽尔发给伊丽莎白 · 霍姆斯、伊恩 · 吉本斯和托尼 · 钮金特，太平洋标准时间下午 11：53，2008 年 5 月 14 日。

页 61，**她在几个星期之后来访**：希拉洛斯公司等诉富兹药业有限公司等，查尔斯 · R. 沃克的声明，马里兰州斯蒂芬斯维尔（Stevensville），2013 年 7 月 22 日。

页 61，**伊丽莎白直奔主题**：同上。

页 62，**他通过电话告知伊丽莎白自己的决定**：同上。

第六章　桑尼

页 65，**桑尼出现在伊丽莎白的生活中**：肯 · 奥莱塔，《血液，更简单》，《纽约客》，2014 年 12 月 15 日。

页 65，**伊丽莎白被同行的一些学生欺负，很难交到朋友**：希拉洛斯公司等诉富兹药业有限公司等，洛兰 · 富兹的证词，第 85–86 页。

页 65，**桑尼在孟买出生、成长**：桑尼 · 巴尔瓦尼在领英的资料；希拉洛斯公司网站。

页 65，**分析师们正屏气凝神，预测**：史蒂夫·哈姆（Steve Hamm），《在线狂潮：商业一号从火热到沸腾》（Online Extra: From Hot to Scorched at Commerce One），《彭博商业周刊》，2003 年 2 月 3 日。

页 65，**到年底的时候已经上涨超过十倍**：同上。

页 65，**当年 11 月**：《商业一号以股票和现金收购商业竞价网》（Commerce One Buys CommerceBid for Stock and Cash），《纽约时报》，1999 年 11 月 6 日。

页 65，**这是一个惊人的价格**：《商业一号收购商业竞价网》（Commerce One to Buy CommerceBid），CNET 网站，1999 年 11 月 6 日。

页 65，**商业一号最终申请破产**：埃里克·赖（Eric Lai），《网络灰烬中崛起的商业一号》（Commerce One Rises from Dot-Ashes），《旧金山商业时报》（*San Francisco Business Times*），2005 年 3 月 3 日。

页 66，**他们 2002 年第一次在中国遇见的时候**：购买旧金山滨海林荫道和斯科特街拐角一处不动产的契约，日期为 2001 年 3 月 2 日，其中将桑尼·巴尔瓦尼和藤本惠子列为夫妻。

页 66，**到 2004 年 10 月**：购买加利福尼亚州帕洛阿尔托钱宁大街 118 号 325 室的契约，日期为 2004 年 10 月 29 日。

页 66，**其他公开记录**：TLO 记录搜索服务，从 2005 年 7 月开始将伊丽莎白·霍姆斯的住址列为帕洛阿尔托钱宁大街 118 号 325 室。在 2006 年 10 月 10 日的选民登记表中，她也将该地址作为她的居住地。

页 66，**他待在商业一号担任副总裁**：桑尼·巴尔瓦尼的领英资料；希拉洛斯公司网站。

页 66，**这一操作产生了一笔 4100 万美元的伪造税务损失**：拉米什·巴尔瓦尼诉德豪国际事务所和弗朗索瓦·赫金杰，No. CGC-04-433732，加利福尼亚旧金山高级法院，2004 年 8 月 11 日提交的起诉书，第 10 页。

页 66，**他转而起诉德豪事务所**：拉米什·巴尔瓦尼诉德豪国际事务所等，第 4、6–7 页。

页 69，**竭尽全力为耗时十五个月的研究进行解释**：秘密文件《希拉洛斯血管再生研究报告》。

第七章　J 博士

页 75，**2010 年 6 月，这家社交网络的私人估值升至 230 亿美元**：阿里克谢 · 奥瑞斯科维奇（Alexei Oreskovic），《高地风险投资公司投资 1.2 亿美元购买脸书公司股份》（Elevation Partners Buys $120 million in Facebook Shares），路透社，2010 年 6 月 28 日。

页 75，**六个月后**：苏珊娜 · 克雷格（Susanne Craig）和安德鲁 · 罗斯 · 索尔金（Andrew Ross Sorkin），《高盛为客户提供投资脸书的机会》（Goldman Offering Clients a Chance to Invest in Facebook），《纽约时报》，2011 年 1 月 2 日。

页 75，**推特公司横空出世**：迈克尔·阿灵顿（Michael Arrington），《推特完成新一轮风险投资，估值 10 亿美元》（Twitter Closing New Venture Round at $1 Billion Valuation），TechCrunch 网站，2009 年 9 月 16 日。

页 76，**2010 年春天**：克里斯汀 · 拉格利奥 – 查夫金（Christine Lagorio-Chafkin），《优步今年招募 1000 人，意欲何为?》（How Uber Is Going to Hire 1,000 People This Year），《公司》，2014 年 1 月 15 日。

页 76，**J 博士在费城郊区的康舍霍肯办公**：杰 · 罗山的领英资料；杰西卡 · 沃尔（Jessica Wohl），《沃尔格林收购诊所运营商关爱健康》（Walgreen to Buy Clinic Operator Take Care Health），路透社，2007 年 5 月 16 日。

页 76，**2010 年 1 月，希拉洛斯通过一封电子邮件找到沃尔格林**：沃尔格林公司诉希拉洛斯公司，No. 1:16-cv-01040-SLR，美国威尔明顿地区法院，2016 年 11 月 8 日提交的起诉书，第 4–5 页。

页 76，**两个月后，伊丽莎白和桑尼**：同上，第 5–6 页。

页 78，**在沃尔格林这一方**：2010 年 8 月 24 日，沃尔格林和希拉洛斯会谈的备忘录。

页 78，**“对我们正在做的事情，我非常激动”**：同上。

页 78，**该计划包括不迟于 2011 年中期**：希拉洛斯主购买协议 F 计划，日期为 2010 年 7 月 30 日，沃尔格林公司对希拉洛斯公司的起诉书中作为证据 C 提交。

页 78，**一份预备合同**:2010 年 7 月的希拉洛斯主购买协议的 B 计划、F 计划和 H1 计划。

页 79，**希拉洛斯告诉沃尔格林**：一份印有希拉洛斯标志的文件，标题为《希拉洛斯基础检测库》(希拉洛斯 Base Assay Library)。

页 80，**当沃尔格林方面提出**：机密备忘录，标题为《沃格 / 希拉洛斯现场访问想法与建议》，凯文 · 亨特提交给沃尔格林管理层，2010 年 8 月 26 日。

页 80，**沃尔格林的一位高管站在投影前面**：幻灯片，标题为《贝塔计划——搅局实验室行业——概览》，日期为 2010 年 9 月 28 日。

页 81，**他汇总了一份报告**：亨特提交给沃尔格林管理层的备忘录，2010 年 8 月 26 日。

页 81，**亨特在每周定期的电话视频会议上问及血液检测结果**：希拉洛斯与沃尔格林的视频会议记录，中部时间下午 1：00–2：00，2010 年 10 月 6 日。

页 82，**亨特与伊丽莎白和桑尼的意见交换并不愉快**：希拉洛斯与沃尔格林的视频会议记录，中部时间下午 1:00–2:00，2010 年 11 月 10 日。

页 83，**两家公司签署的协议注明**:《贝塔计划——搅局实验室行业——概览》，第 5 页。

页 83，**那是一封信，日期是 2010 年 4 月 27 日**：标明机密的信函，有约翰 · 霍普金斯医学院的信头，标题为《霍普金斯 / 沃尔格林 / 希拉洛斯会议纪要》。

页 84，**他之所以转向这个领域**：理查德 · S. 邓纳姆 (Richard S. Dunham) 和基斯·爱泼斯坦 (Keith Epstein),《一位 CEO 的医保改革之路》(One CEO's Health-Care Crusade),《彭博商业周刊》，2007 年 7 月 3 日。

页 84，**他为自己的员工开辟创新型健康和预防性医疗项目**：贾米·富勒 (Jaime Fuller),《巴拉克 · 奥巴马与西夫韦：一则爱情故事》(Barack Obama and Safeway: A Love Story),《华盛顿邮报》，2014 年 2 月 18 日。

页 84，**与 J 博士一样，他对自己的健康非常在意**：邓纳姆和爱泼斯坦，《一位 CEO 的医保改革之路》。

页 86，**之后许多同事开始质疑他的判断力**：梅里莎·哈里斯 (Melissa

Harris）和布莱恩·考克斯（Brian Cox），《沃尔格林公司首席财务官韦德·米克隆因醉驾再度被捕》（2nd DUI Arrest for Walgreen Co. CFO Wade Miquelon），《芝加哥论坛报》（*Chicago Tribune*），2010年10月18日。

第八章　迷你实验室

页88，**第一个商业化的分光光度计**：杰瑞·加拉沃斯（Jerry Gallwas），《阿诺德·奥维尔·贝克曼（1900-2004）》（Arnold Orville Beckman [1900–2004]），《分析化学》，2004年8月1日，第264A-65A页。

页88，**血细胞计数器是一种计算血细胞的方法**：M.L. 韦尔索（M. L. Verso），《血细胞计算技术的演化》（The Evolution of Blood-Counting Techniques），《医学史》（*Medical History*），第8卷第2期（1964年4月），第149–58页。

页88，**其中一种设备看上去像一台小型的ATM取款机**：亚贝克希斯公司的“Piccolo Xpress化学分析仪”使用手册，可在该公司网站上获取。

第九章　健康游戏

页99，**这家连锁超市刚刚公布**：西夫韦，《西夫韦公司公布2011年第四季度财报》（Safeway Inc. Announces Fourth Quarter 2011 Results），新闻公告，2012年2月23日。

页99，**其中一位分析师是来自瑞士信贷银行的埃德·凯利**：西夫韦公司2011年第四季度收益电话会议，东部时间上午11：00举行，2012年2月23日，可在Earningscast.com网站获取。

页99，**恼羞成怒的伯德表示不同意**：同上。

页103，**几个月前**：CMS第2567号表格显示，2012年1月9日完成了对希拉洛斯位于帕洛阿尔托山景大道3200号的实验室的检查，未做出任何决定。

页103，**尽管CLIA最终是由美国医疗保健和医疗服务中心（CMS）**

负责实施：加利福尼亚州审计局,《公共卫生部：实验室现场服务处对临床实验室的监管缺位，令公众处于风险之中》(Department of Public Health: Laboratory Field Services' Lack of Clinical Laboratory Oversight Places the Public at Risk)，2008 年 9 月。

页 104，**在杜普伊看来，林的莽撞是不可原谅的**：信函，日期为 2012 年 6 月 25 日，雅各布·赛德（Jacob Sider）律师代表戴安娜·杜普依发给伊丽莎白·霍姆斯。

页 104，**采血师没有接受过如何使用的训练**：同上。

页 105,**这封电子邮件她抄送给伊丽莎白**：电子邮件,标题为“事件”，戴安娜·杜普依发给桑尼·巴尔瓦尼，抄送伊丽莎白·霍姆斯，太平洋标准时间上午 11：13，2012 年 5 月 27 日。

页 106，**桑尼同意，派人在草地东环路办公室的门前与她见面**：电子邮件，标题为“回复：观察”，桑尼·巴尔瓦尼发给戴安娜·杜普依，抄送伊丽莎白·霍姆斯，太平洋标准时间下午 2：16，2012 年 5 月 27 日。

页 106，**随后的几天**：多封电子邮件，标题为“来自希拉洛斯的重要通知”和“回复：来自希拉洛斯的重要通知”，大卫·多伊尔发给戴安娜·杜普依，2012 年 5 月 29 日、30 日以及 6 月 1 日。

页 106，**杜普伊一开始拒绝了**：赛德，2012 年 6 月 25 日发给霍姆斯的信函。

页 106，**伯德被问及西夫韦神秘的“健康游戏”的现状**：西夫韦公司 2012 年第一季度收益电话会议，东部时间上午 11：00 举行，2012 年 4 月 26 日，可在 Earningscast.com 网站获取。

页 106，**随后在 7 月份的收益电话会议上**：西夫韦公司 2012 年第二季度收益电话会议，东部时间上午 11：00 举行，2012 年 7 月 19 日，可在 Earningscast.com 网站获取。

页 107，**股市收盘后不久**：西夫韦，《西夫韦公司宣布董事会主席及首席执行官史蒂夫·伯德退休》(Safeway Announces Retirement of Chairman and CEO Steve Burd)，新闻公告，2013 年 1 月 2 日。

页 107，**公告列出他担任 CEO 所取得的一系列成就**：同上。

页 108，**离开连锁超市三个月后**：《来自创始人、首席执行官史蒂夫·伯德的信》（Letter from Steve Burd, Founder and CEO），Burdhealth.com 网站。

第十章 “谁是舒梅克中校？”

页 109，**把希拉洛斯的设备用到战场上的想法由此而生**：卡罗琳 · Y. 约翰森（Carolyn Y. Johnson），《特朗普的国防部长人选指向曾受困于血液检测公司希拉洛斯的马特》（Trump’s Pick for Defense Secretary Went to the Mat for the Troubled Blood-Testing Company Theranos），《华盛顿邮报》，2016 年 12 月 1 日。

页 113，**在取得上司同意后**：电子邮件，标题为“寻求关于希拉洛斯的监管建议（非保密件）”（ Seeking regulatory advice regarding Theranos [UNCLASSIFIED]），大卫 · 舒梅克发给萨莉 · 霍瓦特，东部时间上午 10：16，2012 年 6 月 14 日。

页 113，**霍瓦特将他的问询转发给五位同事**：电子邮件，标题为“转发：寻求关于希拉洛斯的监管建议（非保密件）”，萨莉 · 霍瓦特发给伊丽莎白 · 曼斯菲尔德（Elizabeth Mansfield）、凯瑟琳 · 塞拉诺（Katherine Serrano）、考特尼·利亚斯（Courtney Lias）、阿尔伯特·古铁雷兹（Alberto Gutierrez）、唐 · 圣彼埃尔（Don St. Pierre）和大卫 · 舒梅克，东部时间上午 11：43，2012 年 6 月 15 日。

页 113，**然而，在实践中，它并没有这样做**：美国食品和药品监管局办公厅公共卫生战略和分析办公室，《FDA 对实验室开发检测进行监管的公共卫生证据：20 个案例研究》（The Public Health Evidence for FDA Oversight of Laboratory Developed Tests: 20 Case Studies），2018 年 11 月 16 日。

页 113，**到了 20 世纪 90 年代，这一情况发生了变化**：同上。

页 114，**古铁雷兹将舒梅克的电子邮件转发给朱迪斯·约斯特（Judith Yost）和彭妮 · 凯勒**：电子邮件，标题为“转发：寻求关于希拉洛斯的监管建议（非保密件）”，阿尔伯特·古铁雷兹发给朱迪斯·约斯特、彭妮·凯勒和伊丽莎白 · 曼斯菲尔德，东部时间下午 4：36，2012 年 7 月 15 日。

页 114，**约斯特和凯勒认为，不妨派人去帕洛阿尔托**：电子邮件，标题为“回复：寻求关于希拉洛斯的监管建议（非保密件）”，朱迪斯·约斯特发给彭妮·凯勒和萨拉·本内特，东部时间上午 11：46，2012 年 6 月 18 日。

页 114，**这项工作落到了加里·山本的头上**：电子邮件，标题为“转发：寻求关于希拉洛斯的监管建议（非保密件）”，彭妮·凯勒发给加里·山本，东部时间下午 5：48，2012 年 6 月 18 日。

页 114，**两个月后，2012 年 8 月 13 日**：电子邮件，标题为“回复：关于希拉洛斯情况的更新”，加里·山本发给彭妮·凯勒和凯伦·富勒，东部时间下午 2：03，2012 年 8 月 15 日。

页 114，**山本解释说，他的机构收到了一份关于希拉洛斯的投诉**：电子邮件，标题为“回复：关于希拉洛斯（非保密件）”，彭妮·凯勒发给大卫·舒梅克，抄送艾林·埃德加，东部时间下午 1：36，2012 年 8 月 16 日。

页 115，**在一封写给马蒂斯将军的措辞激烈的邮件里**：电子邮件，标题为“回复：后续跟踪”，伊丽莎白·霍姆斯发给詹姆斯·马蒂斯，抄送约恩·彭（Jorn Pung）和卡尔·霍斯特（Karl Horst），东部时间下午 3：14，2012 年 8 月 9 日。

页 116，**他将邮件转发给艾林·埃德加上校**：电子邮件，标题为“转发：后续跟踪”，詹姆斯·马蒂斯发给艾林·埃德加，抄送卡尔·霍斯特、卡尔·曼迪（Carl Mundy）和约恩·彭，东部时间下午 10：52，2012 年 8 月 9 日。

页 117，**他还把伊丽莎白给马蒂斯的邮件以及马蒂斯的反应也转发给了舒梅克**：电子邮件，标题为“转发：后续跟踪”，艾林·埃德加发给大卫·舒梅克，东部时间下午 1：35，2012 年 8 月 14 日。

页 117，**这位直言无忌的将军有一次著名的讲话**：托马斯·E. 里克斯（Thomas E. Ricks），《大失败》（*Fiasco*），纽约：企鹅出版社，2006 年，第 313 页。

页 117，**在埃德加上校的鼓励下**：电子邮件，标题为“希拉洛斯（非机密件）”，大卫·舒梅克发给彭妮·凯勒和朱迪斯·约斯特，抄送艾林·埃德加和罗伯特·米勒（Robert Miller），东部时间下午 3：34，2012 年 8 月 15 日。

页 117，**他收到的回复**：电子邮件，标题为“回复：希拉洛斯（非机密件）”，彭妮·凯勒发给和大卫·舒梅克，抄送艾林·埃德加，东部时间下午 1：36，2012 年 8 月 16 日。

页 117，**他与埃德加上校质证这一信息时**：电子邮件，标题为“回复：希拉洛斯（非机密件）”，艾林·埃德加发给大卫·舒梅克，东部时间上午 7：23，2012 年 8 月 20 日。

页 118，**2012 年 8 月 23 日下午 3 点整**：电子邮件，标题为“回复：希拉洛斯后续进展（非机密件）”，大卫·舒梅克发给阿尔伯特·古铁雷兹，东部时间上午 10：58，2012 年 8 月 20 日。

第十一章　燃爆富兹

页 120，**比弗利山（Beverly Hills）冷水峡谷街（Coldwater Canyon Drive）1238 号的门铃响了**：经公证的传票送达书，2011 年 10 月 31 日。

页 120，**这对夫妻两年前购买了它**：希拉洛斯公司等诉富兹药业有限公司等，洛兰·富兹于 2013 年 6 月 11 日所作的证词，第 111 页；Realtor.com 网站。

页 120，**十多年前他就已经卖掉了公司**：《拜维尔公司以 1.54 亿美元收购富兹科技》，道琼斯，1999 年 7 月 27 日。

页 120，**它现在属于加拿大制药企业威朗药业**：《拜维尔与威朗药业合并》（Biovail to Merge with Valeant），《纽约时报》，2010 年 6 月 21 日。

页 120，**诉讼是由希拉洛斯向旧金山的联邦法院发起的**：希拉洛斯公司等诉富兹药业有限公司等，起诉书，2011 年 10 月 26 日提交，第 7–10 页。

页 121，**富兹第一次也是唯一一次向约翰提及伊丽莎白·霍姆斯的创业公司，是 2006 年 7 月他发给儿子的电子邮件中**：电子邮件，标题为“http://www.freshpatents.com/Medical-device-for-analyte-monitoring-and-drug-delivery-dt20060323ptan20060062852.php”,理查德·富兹发给约翰·富兹，抄送乔·富兹，东部时间上午 8：31，2006 年 7 月 3 日。

页 121，**约翰回复，说麦克德莫特是一家大事务所**：电子邮件，标题为“回 复：http://www.freshpatents.com/Medical-device-for-analyte-monitoring-and-drug-delivery-dt20060323ptan20060062852.php”，约翰·富兹发给理查德·富兹，抄送乔·富兹，东部时间上午 9：34，2006 年 7 月 3 日。

页 121，**约翰没有任何动机对伊丽莎白或她的家人抱有恶意**：希拉洛斯公司等对富兹药业有限公司等，洛兰·富兹的证词，第 180–181、183 页。

页 121，**诺尔甚至去他们的家里看望**：希拉洛斯公司等对富兹药业有限公司等，约翰·富兹于 2013 年 5 月 29 日所作的证词，华盛顿，第 38 页。

页 122，**这无异于直接给伊丽莎白打脸**：电子邮件，标题为“Gen dis”，理查德·富兹发至 info@Theranos.com，太平洋标准时间上午 7：29，2010 年 11 月 8 日。

页 122，**从而在法庭上取得了轰动性的胜利**：大卫·马格利克（David Margolick），《吞噬微软的人》（The Man Who Ate Microsoft），《名利场》（*Vanity Fair*），2000 年 3 月 1 日。

页 122，**有一个案例展现了他毫无底线的风格**：约翰·R. 威克（John R. Wilke），《博伊斯就是博伊斯，在佛罗里达展现了又一个法律传奇》（Boies Will Be Boies, as Another Legal Saga in Florida Shows），《华尔街日报》，2000 年 12 月 6 日。

页 122，**在迈阿密州的一位法官驳回起诉后**：同上。

页 123，**其中之一是麦克德莫特律师事务所的记录管理员布莱恩·麦考利的一份证词**：希拉洛斯公司等诉富兹药业有限公司等，布莱恩·B. 麦考利的声明，华盛顿，2012 年 1 月 12 日。

页 123，**但在五天后的一份回复中**：信函，日期为 2012 年 1 月 17 日，大卫博伊斯致埃利奥特·彼得斯（Elliot Peters）。

页 124，**他还提议与董事会当面会晤**：信函，日期为 2012 年 6 月 7 日，理查德·富兹致唐纳德·L. 卢卡斯、钱宁·罗伯特森、T. 彼得·托马斯（T. Peter Thomas）、罗伯特·萨皮利奥（Robert Shapiro）和乔治·舒尔茨。

页124,**他收到的唯一回复来自博伊斯**:信函,日期为2012年7月5日,大卫·博伊斯致詹妮弗·石本（Jennifer Ishimoto）。

页124，**1992年，约翰刚从法学院毕业**：特雷克斯集团诉理查德·富兹等，No. 1:1992-cv-0941，美国地区法院哥伦比亚特区法院，约翰·富兹于1993年2月17日所作的证词，华盛顿，第118–154页。

页124，**当时，理查德·富兹正与世达的客户、重型设备制造商特雷克斯集团（Terex Corporation）处于法律争执中**：《制造商因飞毛腿导弹的报道而起诉西摩·赫什》（Manufacturer Sues Seymour Hersh over Scud Launcher Report），美联社，1992年4月17日。

页124,**即使这件事情已经过去了二十年**：特雷克斯集团诉理查德·富兹等，1996年12月2日做出的裁决，罗伊斯·C. 兰博什（Judge Royce C. Lamberth）法官驳回歧视案。

页125，**博伊斯向约翰·富兹身上泼污水的策略**：希拉洛斯公司等诉富兹药业有限公司等，2012年6月6日的法庭令，批准约翰·R. 富兹提出的撤销动议，部分批准和驳回富兹药业有限公司、理查德·富兹和约瑟夫·富兹的撤销动议。

页125，**博伊斯迂回包抄，在华盛顿特区的州法院起诉麦克德莫特**：希拉洛斯公司等诉麦克德莫特·威尔和埃默里有限合伙公司，No. 2012-CA-009617-M，哥伦比亚特区高等法院，2012年12月29日起诉。

页125，**"仅仅因为该律师事务所的律师有渠道接触"**：希拉洛斯公司等诉麦克德莫特·威尔和埃默里有限合伙公司，2013年8月2日的法庭令，批准被告麦克德莫特的歧视撤销动议。

页125，**他父亲的一个律师问他**：希拉洛斯公司等诉富兹药业有限公司等，约翰·富兹的证词，第238页。

页126，**博伊斯对客户每小时的收费超过1000美元**：凡妮莎·奥·康纳尔（Vanessa O' Connell），《每小时1000美元以上的大律师俱乐部》（Big Law's $1,000-Plus an Hour Club），《华尔街日报》，2011年2月23日；大卫·A. 卡普兰（David A. Kaplan），《大卫·博伊斯：美国公司的第一雇用枪手》(David Boies: Corporate America’s No.1 Hired Gun),《财富》,2010 年 10 月 20 日。

页 127,**但随后发生了奇怪的事情**:希拉洛斯公司等诉富兹药业有限公司等,预审会和动议听证会的记录,2014 年 3 月 5 日,第 42 页。

第十二章　伊恩·吉本斯

页 128,**伊恩和罗伯特森在生物轨迹公司相识**:美国 No. 4,946,795 号专利,签发于 1990 年 8 月 7 日。

页 130,**他向老朋友钱宁·罗伯特森发牢骚**:希拉洛斯公司等诉富兹药业有限合伙公司等,预审会和动议听证会的记录,2014 年 3 月 5 日,第 47–48 页。

页 133,**富兹家的律师已经花了好几个星期的时间**:希拉洛斯公司等诉富兹药业有限合伙公司等,被告要求伊恩·吉本斯作证的通知,2013 年 5 月 6 日提交。

页 134,**离限定他出现的期限只有不到两天时间**:电子邮件,标题为“作证 – 保密的律师 / 客户特权”,大卫·多伊尔发给伊恩·吉本斯,抄送莫娜·拉玛莫西,太平洋标准时间下午 7:32,2013 年 15 月 5 日。

页 134,**伊恩将电子邮件转发到自己的个人谷歌邮箱**:电子邮件,标题为“转发:转发:作证 – 保密的律师 / 客户特权”,伊恩·吉本斯发给罗谢尔·吉本斯,太平洋标准时间下午 7:49,2013 年 15 月 5 日。

第十三章　李岱艾

页 136,**她甚至想说服那些广告背后的创意天才李·克劳(Lee Clow)从退休状态中复出**:沃尔特·艾萨克森,《史蒂夫·乔布斯》,第 162、327 页。

页 139,**伊丽莎白相信生命之花**:阿普里勒·霍洛威(April Holloway),《生命之花中隐藏着怎样的古代秘密?》(What Ancient Secrets Lie Within the Flower of Life?),《古代起源》(*Ancient Origins*),

2013 年 12 月 1 日。

页 141，**在写给凯特的一封电子邮件中，他列出了需要经过法律评估的项目**：电子邮件，标题为“法律”，迈克·佩蒂托发给凯特·沃尔夫，太平洋标准时间下午 4：27，2013 年 1 月 4 日。

页 142，**对于李岱艾在营销材料中作出的、任何经客户书面认可的说法，合同给出了免责**：李岱艾洛杉矶分公司与希拉洛斯公司之间的协议，2012 年 10 月 12 日。

页 143，**他给公司的外部律师事务所戴维斯和吉尔伯特（Davis & Gilbert）的律师乔·塞纳（Joe Sena）发了一封电子邮件**：电子邮件，标题为“转发：协议”，迈克·佩蒂托发给约瑟夫·塞纳，太平洋标准时间 6：23，2013 年 3 月 19 日。

页 143，**塞纳回复**：电子邮件，标题为“回复：协议”，约瑟夫·塞纳发给迈克·佩蒂托，太平洋标准时间下午 6：51，2013 年 3 月 20 日。

页 143，**但凯特和迈克仍然保持着足够的警醒**：希拉洛斯网站在最后时刻所做的许多修改，可以在一份标明“希拉洛斯机密”的 Word 文档中找到，杰夫·布利克曼在视频会议开始前不久将其通过电子邮件发给凯特·沃尔夫和迈克·佩蒂托。

第十四章　启动

页 147，**他刚刚读过沃尔特·艾萨克森写的史蒂夫·乔布斯传记**：沃尔特·艾萨克森，《史蒂夫·乔布斯》。

页 149，**另一个人叫青迈·潘加卡**：青迈·潘加卡的领英资料。

页 149，**另外还有临床化学家苏拉吉·萨克塞纳**：苏拉吉·萨克塞纳的领英资料。

页 151，**这种科学怪人式的机器**：参见《PC 杂志百科全书》（*PC Magazine Encyclopedia*）中关于“刀锋服务器”的定义，可在 PCMag.com 网站获取。

页 152，**十二个月前的 2012 年 6 月 5 日，她与沃尔格林签署了一份新的合同**：修改和重申的希拉洛斯主服务协议，日期为 2012 年 6 月 5 日，沃尔格林公司诉希拉洛斯公司的起诉书中，作为证据A提交。

页153，**ADVIA是一台重达1320磅的笨重机器**：参见西门子健康（Siemens Healthineers）美国网站，技术支持页面对ADVIA 1800化学系统的介绍。

页154，**溶血是指尖针刺取血引发的著名的副作用**：马尔列斯·奥斯滕多普（Marlies Oostendorp）、沃特·W. 范·索林格（Wouter W. van Solinge）和汉斯·肯普曼（Hans Kemperman），《体外溶血所导致的钾升高，毛细血管采样比静脉血样采样严重，但乳酸脱氢酶并非如此》（Potassium but Not Lactate Dehydrogenase Elevation Due to In Vitro Hemolysis Is Higher in Capillary Than in Venous Blood Samples），《病理学和实验医学档案》（*Archives of Pathology & Laboratory Medicine*），第136期（2012年10月），第1262–1265页。

第十五章　独角兽

页158，**她不喜欢这位艺术家的插图**：约瑟夫·拉格，《伊丽莎白·霍姆斯：即时诊断的突破》（Elizabeth Holmes: The Breakthrough of Instant Diagnosis），《华尔街日报》，2013年9月7日。

页158，**一份新闻稿将在星期一早晨第一时间发布**：希拉洛斯，《希拉洛斯选择沃尔格林作为长期合作伙伴，为其提供最新的临床实验室服务》（Theranos Selects Walgreens as a Long-Term Partner Through Which to Offer Its New Clinical Laboratory Service），新闻公告，2013年9月9日，希拉洛斯网站。

页159，**这位前国务卿不仅制定了里根政府的外交政策**：希拉洛斯公司等诉富兹药业有限合伙公司等，庭审记录，2014年3月13日，第92页。

页159，**他不会有任何理由怀疑伊丽莎白告诉她的事情是假的**：《〈华尔街日报〉的拉格获得普利策奖》（WSJ's Rago Wins Pulitzer Prize），《华尔街日报》，2011年4月19日。

页161，**几个星期后**：电子邮件，标题为“希拉洛斯——时间紧急”，唐纳德·A. 卢卡斯发给迈克·巴桑迪和其他卢卡斯风险投资集团的客户，太平洋标准时间下午 2：47，2013 年 9 月 9 日。

页 161，**他们范围广泛，包括从旧金山一家已经倒闭的投资银行罗伯特森·斯蒂芬斯公司**（Robertson Stephens & Co.）**的联合创始人罗伯特·科尔曼**：*罗伯特·科尔曼、希拉里·塔布曼－戴*（*Hilary Taubman-Dye*）*代表个人以及其他所有类似情形者诉希拉洛斯公司、伊丽莎白·霍姆斯和拉米什·巴尔瓦尼*，No. 5:16-cv-06822，美国旧金山地区法院，2016 年 11 月 28 日提交起诉书，第 4 页。

页 162，**风险投资人艾琳·李**（Aileen Lee）**在科技新闻网站 TechCrunch 上发表一篇文章**：艾琳·李,《欢迎来到独角兽俱乐部：了解 10 亿美元的初创企业》（Welcome to the Unicorn Club: Learning from Billion-Dollar Startups），TechCrunch 网站，2013 年 11 月 2 日。

页 162，**在伊丽莎白接受《华尔街日报》访谈前的几个星期**：托米欧·格隆（Tomio Geron），《优步确认从谷歌风险投资、德州太平洋集团（TPG）获得 2.58 亿美元，看好未来需求》（Uber Confirms $258 Million from Google Ventures, TPG, Looks to On-Demand Future），福布斯网站 ,2013 年 8 月 23 日。

页 162，**另外还有音乐流媒体服务公司 Spotify**：约翰·D. 斯托尔（John D. Stoll）、伊芙琳·拉斯里（Evelyn Rusli）和斯温·格兰德伯格（Sven Grundberg），《Spotify 创新高：估值高达 40 亿美元》（Spotify Hits a High Note: Valuation Tops $4 Billion），《华尔街日报》，2013 年 11 月 21 日。

页 162，**伙伴基金的总资产达到 40 亿美元**：Cliffwater 有限合伙公司，《对冲基金投资尽职调查报告：伙伴基金管理有限合伙》（Hedge Fund Investment Due Diligence Report: Partner Fund Management LP），2011 年 12 月，第 2 页。

页 162，**他们与伊丽莎白联系**：*伙伴基金有限合伙、PFM 健康主基金有限合伙、PFM 健康首要基金有限合伙诉希拉洛斯公司、伊丽莎白·霍姆斯、拉米什·巴尔瓦尼等*，No. 12816-VCL，特拉华州衡平法院，2016 年 10 月 10 日提交起诉书，第 10 页。

页 163，**在第一次会面的时候**：同上，第 11 页。

页 163，**三个星期后的第二次会谈**：同上，第 15–16 页。

页 163，**个中奥秘在于，图表中的大部分数据不是来自迷你实验室或者爱迪生**：伙伴基金有限合伙等诉希拉洛斯公司等，普拉纳夫·帕特尔（Pranav Patel）于 2017 年 3 月 9 日所作的证词，加利福尼亚州帕洛阿尔托，第 95–97 页。

页 163，**桑尼还告诉詹姆斯和格罗斯曼**：伙伴基金有限合伙等诉希拉洛斯公司等，起诉书，第 16–17 页。

页 164，**桑尼和伊丽莎白最厚颜无耻的吹嘘**：同上，第 12–13 页。

页 165，**桑尼发给这家对冲基金高管的一份带有财务预测的电子表格支持这个想法**：伙伴基金有限合伙等诉希拉洛斯公司等，丹尼斯·任在 2017 年 3 月 16 日所作的证词，加利福尼亚州帕洛阿尔托，第 154-158 页。

页 165，**桑尼将他的预测发送给伙伴基金的六个星期之后**：同上，第 140–58 页。

页 165，**事实将证明，即使任的预测数字**：克里斯托弗·韦弗（Christopher Weaver），《希拉洛斯年底时手握 2 亿美元现金》（Theranos Had $200 Million in Cash Left at Year-End），《华尔街日报》，2017 年 2 月 16 日。

页 165，2014 年 2 月 4 日，**伙伴基金以每股 17 美元的价格**：伙伴基金有限合伙等诉希拉洛斯公司等，起诉书，第 17–18 页。

第十六章　孙子

页 168，**这就好像你抛硬币，抛的次数足够多**：伙伴基金有限合伙、*PFM* 健康主基金有限合伙、*PFM* 健康首要基金有限合伙诉希拉洛斯公司、伊丽莎白·霍姆斯、拉米什·巴尔瓦尼等，No. 12816-VCL，特拉华州衡平法院，泰勒·舒尔茨于 2017 年 3 月 6 日所作的证词，加利福尼亚州旧金山，第 13 页。

页 169，**在为期数天的一段期间**：电子邮件，标题为“回复：此前讨论的后续进展”，泰勒·舒尔茨发给伊丽莎白·霍姆斯，太平洋标准时间下午 3：38，2014 年 4 月 11 日。

页 170，**而且，杜甚至没有进入临床实验室的许可**：伙伴基金有限合伙等诉希拉洛斯公司等，艾瑞卡·张于 2017 年 3 月 7 日所作的证词，加利福尼亚州洛杉矶，第 45–47 页。

页 170，**巡查员在实验室的楼上部分花了几个小时的时间**：CMS 第 2567 号表格说明，2013 年 12 月 3 日对希拉洛斯实验室的一次检查发现了相对轻微的缺陷。

页 174，**它可以任意扩展**：泰勒舒尔茨 2014 年 4 月 11 日发给伊丽莎白·霍姆斯的邮件。

页 174，**其中之一是伊丽莎白在《华尔街日报》的访谈**：约瑟夫·拉格，《伊丽莎白·霍姆斯：即时诊断的突破》，《华尔街日报》，2013 年 9 月 7 日。

页 175，**泰勒查阅过 CLIA 法规**：联邦监管规则第 42 章，第 493 节，H 分节，801 条。

页 175，**星期一，上午 9 点 16 分**：电子邮件，标题为“回复：能力验证问题”，斯蒂芬妮·舒尔曼发给科林·拉姆雷兹（即泰勒·舒尔茨），东部时间下午 12：16，2014 年 3 月 31 日。

页 175，**他向舒尔曼描述了希拉洛斯的做法，她回复说**：电子邮件，标题为“回复：能力验证问题”，斯蒂芬妮·舒尔曼发给科林·拉姆雷兹（即泰勒·舒尔茨），东部时间下午 4：46，2014 年 4 月 2 日。

页 176，**于是他便敲了一封长长的信**：泰勒·舒尔茨 2014 年 4 月 11 日发给伊丽莎白·霍姆斯的电子邮件。

页 176，**这封针锋相对的反击邮件比泰勒的原始邮件还要长**：电子邮件，桑尼·巴尔瓦尼发给泰勒·舒尔茨，2014 年 4 月 15 日。

页 179，**信上说，她不赞成在爱迪生设备上运行患者样本**：艾瑞卡·张在 2014 年 4 月 16 日写的辞职信。

第十七章　成名

页 180，**但主审法官否决了富兹一家随后提出的传召罗谢尔出庭的动议**：希拉洛斯公司等诉富兹药业有限合伙公司等，预审会议和动议听证会记录，2014 年 3 月 5 日，第 48 页。

页 181，**其中一个谎言，是富兹的抗辩**：希拉洛斯公司等诉富兹药业有限合伙公司等，庭审记录，2014 年 3 月 14 日，第 118–121 页。

页 181，**在自己混乱的公开辩论中**：希拉洛斯公司等诉富兹药业有限合伙公司等，庭审记录，2014 年 3 月 13 日，第 54 页。

页 182，**之后不久昂德希尔离开了麦克德莫特**：希拉洛斯公司等诉富兹药业有限合伙公司等，约翰·富兹的证词，第 165–166 页。

页 183，**第二天早晨，富兹在宾馆的记事本上写下一张便笺**：手写便笺，日期为 2014 年 3 月 17 日，写于费尔蒙酒店和度假村的信笺上。

页 183，**一怒之下，约翰给一位名叫朱莉娅·洛夫的年轻记者发去电子邮件**：电子邮件，标题为“希拉洛斯”，约翰·富兹发给朱莉娅·洛夫，东部时间上午 7：15，2014 年 3 月 17 日。

页 183，**随后他把邮件抄送昂德希尔、理查德和乔**：电子邮件，标题为“转发：希拉洛斯”，约翰·富兹发给理查德·富兹、乔·富兹、迈克尔·昂德希尔和朗达·安德森（Rhonda Anderson），东部时间上午 7：17，2014 年 3 月 17 日。

页 183，**昂德希尔怒气冲冲地回复**：电子邮件，标题为“回复：希拉洛斯”，迈克尔·昂德希尔发给约翰·富兹，抄送大卫·博伊斯、理查德·富兹、乔·富兹和朗达·安德森，东部时间下午 3：59，2014 年 3 月 17 日。

页 183，**为了让这个信息更加突出**：电子邮件，标题为“回复：希拉洛斯”，大卫·博伊斯发给约翰·富兹，抄送朱莉娅·洛夫、迈克尔·昂德希尔、理查德·富兹、乔·富兹和朗达·安德森，东部时间下午 4：16，2014 年 3 月 17 日。

页 183，**朱莉娅·洛夫关于和解的文章**：朱莉娅·洛夫，《家族放弃有争议的专利，结束与博伊斯的客户的官司》（Family Gives Up Disputed Patent, Ending Trial with Boies' Client），《诉讼日报》，2014 年 3 月 17 日。

页 186，**帕洛夫的封面故事刊登在 2014 年 6 月 12 日的《财富》杂志上**：罗杰·帕洛夫，《为血液而生的 CEO》，《财富》，2014 年 6 月 12 日。

页 186，**如果帕洛夫读过罗伯特森在富兹案中的证词**：希拉洛斯公司等诉富兹药业有限合伙公司等，庭审记录，2014 年 3 月 14 日，第 202 页。

页 186，**标题是“神奇的血液”**：马修·赫珀（Matthew Herper），《神

奇的血液》，福布斯网站，2014 年 7 月 2 日。

页 186，**两个月后，她跻身福布斯年度美国富豪榜前 400**："福布斯 400 富豪榜"，《福布斯》，2014 年 10 月 20 日。

页 187，**她成为霍雷肖·阿尔杰奖（Horatio Alger Award）的最年轻获得者**：霍雷肖·阿尔杰协会在美通社发布的新闻公告，2015 年 3 月 9 日。

页 187，**《时代》杂志提名她为 100 个世界上最有影响力的人物之一**：《时代》，《100 个最有影响力的人物》，2015 年 4 月 16 日。

页 187，**奥巴马总统任命她为美国全球创业精神大使**：希拉洛斯，《伊丽莎白·霍姆斯成为总统的全球创业精神大使之一》（Elizabeth Holmes on Joining the Presidential Ambassadors for Global Entrepreneurship (PAGE) Initiative），公告，2015 年 5 月 11 日，希拉洛斯网站。

页 187，**伊丽莎白也有一个私人厨师**：肯·奥莱塔，《血液，更简单》，《纽约客》，2014 年 12 月 15 日。

页 187，**2014 年 9 月，《财富》杂志的封面文章发表三个月之后**：霍姆斯的 TEDMED 演讲可以在 YouTube 上观看：https://www.youtube.com/watch?v=kZTfgXYjj-A。

第十八章　希波克拉底誓言

页 192，**他的确将他与桑尼的一些往来邮件**：电子邮件，标题为"回复：就业法律小组：咨询信息"，发给德怀恩·斯科特（DeWayne Scott），东部时间下午 9：18，2014 年 10 月 29 日。

页 196，**菲丽丝和丈夫安德鲁·佩尔曼**：希拉洛斯公司的 A 轮融资期间，霍姆斯用来向投资者推销的一份公司机密摘要中，菲丽丝·加德纳被作为科学和战略顾问列出。

页 196，**情况发生了变化**：肯·奥莱塔，《血液，更简单》，《纽约客》，2014 年 12 月 15 日。

页 197，**在质疑声中，伊丽莎白集中反驳后面一点**：斯蒂芬·M. 陈（Steven M. Chan）、约翰·查德维克（John Chadwick）、丹尼尔·L. 杨、伊丽莎白·霍姆斯和贾森·戈特利布（Jason Gotlib），《用于预测化疗中恶性血液病患者中性粒细胞减少性发热的强化系列生物标志物分析：一项试点研究》（Intensive Serial Biomarker Profiling for the Prediction of Neutropenic Fever in Patients with Hematologic Malignancies Undergoing Chemotherapy: A Pilot Study），《血液学报道》（*Hematology Reports*），第6期（2014），第5466页。

页197，**在自己博客上一篇关于《纽约客》文章的帖子中**：克莱帕迪博客帖子可以通过在网站时光倒流机器（Wayback Machine）中输入“病理学博客 .com”看到。

第十九章　爆料

页200，**他耐心地向我解释特定的账单项目对应的实验室流程是怎么样的**：约翰·卡雷鲁和珍妮特·阿达米（Janet Adamy），《医保的“自我转介”漏洞是如何泛滥成灾的》（How Medicare ‘Self-Referral’ Thrives on Loophole），《华尔街日报》，2014年10月22日。

页201，**“执行一项化学过程”**：肯·奥莱塔，《血液，更简单》，《纽约客》，2014年12月15日。

页201，**当然，马克·扎克伯格10岁的时候就在父亲的计算机上学会了编程**：何塞·安东尼奥·瓦格斯（Jose Antonio Vargas），《脸书的脸面》（The Face of Facebook），《纽约客》，2010年9月20日。

页201，**许多诺贝尔医学奖得主都是60多岁**：《诺贝尔生理学或医学奖的平均年龄》（Average Age for Nobel Laureates in Physiology or Medicine），Nobelprize.org网站。

页201，**同时，我对希拉洛斯作了一些初步了解**：约瑟夫·拉格，《伊丽莎白·霍姆斯：即时诊断的突破》（Elizabeth Holmes: The Breakthrough of Instant Diagnosis），《华尔街日报》，2013年9月7日。

页204，**那是2月份的最后一个星期六**：N.R.科伦菲尔德，《纽约的2月寒流笼罩，人们冻得握紧拳头、指骨发白》（With White-Knuckle Grip, February’s Cold Clings to New York），《纽约时报》，2015年2月27日。

页 209，**她曾给希拉洛斯写了一封信投诉**：桑德内医生所写的信函，日期为 2015 年 1 月 20 日，收信地址为："希拉洛斯 质量控制部门"。

页 210，**正当我打点行装、准备结束行程的时候**：电子邮件，标题为"希拉洛斯"，马修 · 特劳布发给约翰 · 卡雷鲁，东部时间下午 1：11，2015 年 4 月 21 日。

页 211，**我写信回复特劳布，证实我有一篇正在工作中的报道**：电子邮件，标题为"回复：希拉洛斯"，约翰 · 卡雷鲁发给马修 · 特劳布，东部时间下午 7：08，2015 年 4 月 21 日。

页 211，**他说他会查看霍姆斯的行程**：电子邮件，标题为"回复：希拉洛斯"，马修 · 特劳布发给约翰 · 卡雷鲁，东部时间上午 12：02，2015 年 4 月 22 日。

页 211，**我检视自己的检测结果**：希拉洛斯和实验室集团于 2015 年 4 月 24 日将我的检测结果传真给桑德内医生。我是 2015 年 4 月 23 日在凤凰城的一家希拉洛斯健康中心完成抽血，40 分钟后在实验室集团的一个门店完成再次抽血。

页 211，**与桑德内医生在自己的报告中的发现相比，那些差异属于温和的**：桑德内医生 2015 年 4 月 28 日收到实验室集团给她的检测结果，4 月 30 日收到希拉洛斯给她的检测结果。她是 2015 年 4 月 24 日在实验室集团的一个门店完成抽血，53 分钟后在希拉洛斯的一家健康中心二度抽血。

页 212，**这次尴尬的晚宴对话**：约翰 · 卡雷鲁，《希拉洛斯的揭发者撼动公司——以及他自己的家庭》（Theranos Whistleblower Shook the Company—and His Family），《华尔街日报》，2016 年 11 月 18 日。

页 213，**律师邮件的时间戳显示**：电子邮件，标题为"作证 - 保密的律师 / 客户特权"，大卫 · 多伊尔发给伊恩 · 吉本斯，抄送莫娜 · 拉玛莫西，太平洋标准时间下午 7：32，2013 年 15 月 5 日。

第二十章　伏击

页 215，**我发了一封电子邮件给他，列出了我想和希拉洛斯讨论的**

七个方面：电子邮件，标题为“对希拉洛斯访谈的问题列表”，约翰·卡雷鲁发给马修·特劳布，东部时间下午6：33，2015年6月9日。

页215，**泰勒在晚上8点45分到达祖父的家**：关于泰勒·舒尔茨的痛苦经历，删节版描述参见约翰·卡雷鲁，《希拉洛斯的揭发者撼动公司——以及他自己的家庭》，《华尔街日报》，2016年11月18日。

页221，**她最近出现在CBS的早间新闻节目中**：霍姆斯在CBS的今日早晨节目（This Morning，2015年4月16日）、CNBC的疯狂财富节目（2015年4月27日）、CNN法里德·扎卡里亚的GPS节目（2015年5月18日）以及PBS的查理·罗斯节目（2015年6月3日）中的访谈，均可在YouTube网站观看。

第二十一章 商业秘密

页222，**团队的其他成员有马修·特劳布和《华尔街日报》前记者、华盛顿一家对手研究公司的创始人彼得·弗里奇**：弗里奇的公司Fusion GPS后来因为一名前英国间谍搜罗唐纳德·特朗普总统的黑幕档案而臭名昭著，该间谍声称特朗普对俄罗斯的勒索无抵抗能力。

页222，**会谈一开始就被定了调**：我也对会谈进行了录音。所引对话均逐字转自该录音。

页222，**应特劳布的要求，两个星期前，我发了一套新的有八十个问题的问卷给他们**：电子邮件，标题为“对希拉洛斯访谈的问题列表”，约翰·卡雷鲁发给马修·特劳布，东部时间下午6:33，2015年6月9日。

页226，**信封里的信印着博伊斯·席勒的信头**：信函，大卫·博伊斯致艾瑞卡·张，日期为2015年6月26日。

页237，**邮件附有一封来自大卫·博伊斯的正式信函**：信函，大卫·博伊斯致杰森·P.孔蒂，抄送约翰·卡雷鲁和迈克·西克诺尔菲，日期为2015年6月26日。

页228，**第二天，我接到凤凰城桑德内医生的电子邮件**：电子邮件，标题为“回复：希拉洛斯的HIPAA豁免”，妮科尔·桑德内发给约翰·卡雷鲁，东部时间下午7：04，2015年6月30日。

页 228，**我给希瑟·金发去一封电子邮件**：电子邮件，标题为“埃里克·尼尔森”，约翰·卡雷鲁发给希瑟·金，东部时间下午 1：07，2015 年 7 月 1 日。

页 228，**下半周，博伊斯给《华尔街日报》发来第二封信函**：信函，大卫·博伊斯致杰森·P. 孔蒂，抄送马克·H. 杰克逊、约翰·卡雷鲁和迈克·西克诺尔菲，日期为 2015 年 7 月 3 日。

页 228，**他支持这一观点的主要证据**：里扎夫医生和比亚兹莱医生签署的声明，日期为 2015 年 7 月 1 日。

页 229，**几天之后，斯图尔特医生发电子邮件过来**：电子邮件，标题为“希拉洛斯”，斯图尔特医生发给约翰·卡雷鲁，东部时间下午 8：26，2015 年 7 月 8 日。

第二十二章　拉马坦萨

页 230，**一是 FDA 批准了该公司专有的指尖针刺检测单纯疱疹病毒 1**：希拉洛斯，《希拉洛斯获得 FDA 对其革命性的指尖针刺技术、检测和相关系统的批准、评估和核准》（Theranos Receives FDA Clearance and Review and Validation of Revolutionary Finger Stick Technology, Test, and Associated System），新闻公告，2015 年 7 月 2 日，希拉洛斯网站。

页 230，**二是亚利桑那州通过了一项新的法律**：《无须医生处方单即可进行自助式检测》（Do-It-Yourself Lab Testing Without Doc's Orders Begins），《亚利桑那共和报》（*Arizona Republic*），2015 年 7 月 7 日。

页 231，**最新的一次是在欢迎日本首相的国宴上**：海伦娜·安德鲁斯-戴尔（Helena Andrews-Dyer）和艾米莉·黑尔（Emily Heil），《日本国宴：祝酒；米歇尔·奥巴马的裙子；拉塞尔·威尔逊和希亚拉公开亮相》（Japan State Dinner: The Toasts; Michelle Obama's Dress; Russell Wilson and Ciara Make a Public Appearance），《华盛顿邮报》，2015 年 4 月 28 日。

页 231，**对《财富》杂志而言，罗杰·帕洛夫对疱疹测试的获批有与我不同的观点**：罗杰·帕洛夫，《搅局的诊断公司希拉洛斯获得 FDA 的支持》（Disruptive Diagnostics Firm Theranos Gets Boost from FDA），

《财富》杂志网站，2015 年 7 月 2 日。

页 233，**两个月前，巴尔瓦尼曾恐吓其成员**：对希拉洛斯的匿名评论，发表于玻璃门（Glassdoor.com）网站，2015 年 5 月 11 日。

页 235，**在圆桌会议讨论时**：希拉洛斯，《希拉洛斯迎接拜登副总统参加新时代预防性医疗峰会》（Theranos Hosts Vice President Biden for Summit on a New Era of Preventive Health Care），新闻公告，2015 年 7 月 23 日，希拉洛斯网站。

页 235，**他还赞扬霍姆斯积极与 FDA 开展合作**：同上。

页 235，**几天之后，7 月 28 日，我打开《华尔街日报》的早间版**：伊丽莎白 · 霍姆斯，《如何迎接预防性医疗的新时代?》（How to Usher in a New Era of Preventive Health Care），《华尔街日报》，2015 年 7 月 28 日。

第二十三章　伤害控制

页 238，**在我开始挖掘公司内幕的一个月后，希拉洛斯在 2015 年 3 月份结束了新一轮融资**：风险投资公司对希拉洛斯公司的专家报告。

页 238，**希拉洛斯在这最新一轮筹得的 4.3 亿美元中**：克里斯托弗·韦弗和约翰 · 卡雷鲁，《希拉洛斯提供股份换取不起诉》（Theranos Offers Shares for Promise Not to Sue），《华尔街日报》，2017 年 3 月 23 日。

页 238，**它是由俄罗斯科技投资人尤里 · 米尔纳联合脸书创始人马克 · 扎克伯格、谷歌联合创始人谢尔盖 · 布林以及中国科技大亨马云共同创立**：突破奖网站；https://breakthroughprize.org。

页 239，**其说明信在第一段声明**：信函，伊丽莎白·霍姆斯·致鲁伯特·默多克，写在希拉洛斯抬头的信笺上，日期为 2014 年 12 月 4 日。

页 239，**他打了一通电话给克利夫兰诊所集团的首席执行官托比 · 科斯格罗夫**：2017 年 3 月 9 日，希拉洛斯发布题为《希拉洛斯与克利夫兰诊所集团宣布战略合作，以希拉洛斯创新的实验室检测改善病患关怀》的新闻公告，宣布与克利夫兰诊所集团结盟，希拉洛斯网站。

页 239，**她给出的投资文件中**：一份五页的文件概括了希拉洛斯的财务状况，包括其资本化、现金流和资产负债表信息，其中有财务预测。

它们是由克里斯托弗·韦弗和约翰·卡雷鲁首先披露的,《希拉洛斯预测收入和利润将大幅增长》(Theranos Foresaw Huge Growth in Revenue and Profits),《华尔街日报》,2016 年 12 月 5 日。

页 239,**其中包括考克斯企业**:同上。

页 239,**到 7 月底我和迈克·西克诺尔菲讨论西西里人的古老钓鱼艺术之时**:霍姆斯一共与默多克见过六次,分别发生在 2014 年 11 月 26 日、2015 年 4 月 22 日、2015 年 7 月 3 日、2015 年 9 月 29 日、2016 年 1 月 30 日以及 2016 年 6 月 8 日。两次在加利福尼亚,四次在纽约。

页 240,**博伊斯·席勒的迈克·布里耶发了一封信件给罗谢尔·吉本斯**:信函,迈克尔·A. 布里耶致玛丽·L. 赛蒙斯(Mary L. Symons)——罗谢尔·吉本斯的地产律师,日期为 2015 年 8 月 5 日。

页 240,**在避免报道发表的最后一次尝试中**:信函,大卫·博伊斯致格里·贝克(Gerard Baker),抄送杰森·孔蒂,日期为 2015 年 9 月 8 日。

页 242,**报道发表在《华尔街日报》2015 年 10 月 15 日的头版**:约翰·卡雷鲁,《一家被看好的创业公司的挣扎》,《华尔街日报》,2015 年 10 月 15 日。

页 242,**《财富》杂志的编辑**:《财富 CEO 日报》(*Fortune CEO Daily*)快讯,艾伦·默里(Alan Murray)发给订阅者,东部时间上午 7:18,2015 年 10 月 15 日。

页 243,**《福布斯》和《纽约客》**:马修·赫珀(Matthew Herper),《希拉洛斯的伊丽莎白·霍姆斯需要停止抱怨,回答问题》(Theranos' Elizabeth Holmes Needs to Stop Complaining and Answer Questions),《福布斯》网站,2015 年 10 月 15 日;埃里克·拉奇(Eric Lach),《亿万富婆的血液检测初创企业的秘密》(The Secrets of a Billionaire's Blood-Testing Startup),《纽约客》网站,2015 年 10 月 16 日。

页 243,**其中一位是前网景公司联合创始人马克·安德森**:劳拉·阿里拉加–安德森(Laura Arrillaga-Andreessen),《五位正在改变世界的有远见的科技创业家》,《纽约时报》时尚杂志,2015 年 10 月 12 日。

页 243,**在网站上发布的一篇公告中**:希拉洛斯,“来自希拉洛斯的声明”,新闻公告,2015 年 10 月 15 日,希拉洛斯网站。

页 244,**她穿着自己常规的全黑色衣服**:2015 年 10 月 15 日,霍姆斯在 CNBC 的疯狂财富节目与吉姆·克莱默的访谈，可在 YouTube 网站观看：https://www.youtube.com/watch?v=rGfaJZAdfNE.

页 244，**我们迅速将我的后续报道的片段发表在网上**：约翰·卡雷鲁，《FDA 要求热门初创企业希拉洛斯停止实验室检测》（Hot Startup Theranos Dials Back Lab Tests at FDA's Behest），《华尔街日报》，2015 年 10 月 16 日。

页 245，**希拉洛斯发布了第二篇公告**：希拉洛斯，"来自希拉洛斯的声明"，新闻公告，2015 年 10 月 16 日，希拉洛斯网站。

页 245，**在他的指挥下**：尼克·比尔顿（Nick Bilton），《伊丽莎白·霍姆斯的纸牌屋是如何倒塌的》，《名利场》，2016 年 9 月 6 日。

页 246，**希拉洛斯被揭开的故事引发了如此巨大的关注**：乔纳森·克里姆，2016 年 10 月 21 日在 WSJ D.Live 大会上对霍姆斯的访谈，可在 WSJ.com 观看。

页 247，**几天前，加西在自己的博客上发表了一篇帖子**：让－路易·加西，《希拉洛斯的问题：一位亲历者的经历》（Theranos Trouble: A First Person Account），《星期一笔记》（*Monday Note*），2015 年 10 月 18 日。

页 247，**在对话结束后不久**：希拉洛斯，《希拉洛斯的事实》（Theranos Facts），新闻公告，2015 年 10 月 21 日，希拉洛斯网站。

页 247，**霍姆斯现身《华尔街日报》的大会之后**：安德鲁·波拉克，《面对批评，希拉洛斯表示已改组董事会结构》（Theranos, Facing Criticism, Says It Has Changed Board Structure），《纽约时报》，2015 年 10 月 28 日。

页 247，**不出所料，没过多久**：信函，希瑟·金致《华尔街日报》母公司道琼斯首席执行官威廉·刘易斯（William Lewis），抄送马克·杰克逊、杰森·孔蒂、格里·贝克、约翰·卡雷鲁以及迈克·西克诺尔菲，日期为 2015 年 11 月 4 日、5 日。

页 247，**随后的第三封信要求《华尔街日报》保留所占有的关于希拉洛斯的所有文件**：信函，希瑟·金致杰森·孔蒂，日期为 2015 年 11 月 11 日。

页 248，**在与《连线》杂志的一次对话中**：尼克·斯托克顿（Nick Stockton），《希拉洛斯丑闻可能成为法律界的一个噩梦》，《连线》，

2015 年 10 月 29 日。

页 248，**这些文章揭露沃尔格林已经中止与希拉洛斯合作的健康中心在全国的扩张计划**：迈克·西克诺尔菲、约翰·卡雷鲁和克里斯托弗·韦弗，《沃尔格林审视希拉洛斯的检测》（Walgreens Scrutinizes Theranos Testing），《华尔街日报》，2015 年 10 月 23 日。

页 248，**希拉洛斯试图以更高的估值售出更多的股份**：罗尔夫·温克莱（Rolfe Winkler）和约翰·卡雷鲁，《希拉洛斯发行新的股份，可能提高估值》（Theranos Authorizes New Shares That Could Raise Valuation），《华尔街日报》，2015 年 10 月 28 日。

页 248，**揭露其实验室在没有真正主管的情况下运作**：约翰·卡雷鲁，《希拉洛斯寻找新的实验室主管》（Theranos Searches for Director to Oversee Laboratory），《华尔街日报》，2015 年 11 月 5 日。

页 248，**揭露西夫韦已经由于对其检测的担忧而与此前秘而不宣的伙伴渐行渐远**：约翰·卡雷鲁，《西夫韦和希拉洛斯分道扬镳，3.5 亿美元的交易告吹》（Safeway, Theranos Split After $350 Million Deal Fizzles），《华尔街日报》，2015 年 11 月 10 日。

页 248，**每一篇新的报道都会引来希瑟·金一封新的撤回要求信**：信函，希瑟·金致威廉·刘易斯，日期为 2015 年 11 月 11 日。

页 248，**在《彭博商业周刊》的一次访谈中**：希拉·科尔哈德卡（Sheelah Kolhatkar）和卡罗琳·陈（Caroline Chen），《伊丽莎白·霍姆斯能否拯救她的独角兽?》，《彭博商业周刊》，2015 年 12 月 10 日。

页 249，**在接受《魅力》杂志于卡内基音乐厅颁发的年度女性奖所发表的获奖词中**：安妮·科恩（Anne Cohen），《瑞瑟·威瑟斯彭在 < 魅力 > 年度女性奖上问‘我们现在在做什么?’》（Reese Witherspoon Asks ‘What Do We Do Now?’ at Glamour’s Women of the Year Awards），《综艺》（*Variety*），2015 年 11 月 9 日。

第二十四章　没穿衣服的女王

页 250，**邮件的标题是“致 CMS 的投诉：希拉洛斯公司”，开头是**

这样写的：电子邮件，标题为"致 CMS 的投诉：希拉洛斯公司"，艾瑞卡·张发给加里·山本，太平洋标准时间下午 6：13，2015 年 9 月 19 日。

页 252，**到 1 月底，我们终于得以发表一篇报道**，约翰·卡雷鲁、克里斯托弗·韦弗和迈克·西克诺尔菲，《希拉洛斯实验室中发现的问题》（Deficiencies Found at Theranos Lab），《华尔街日报》，2016 年 1 月 24 日。

页 252，**到底有多严重，过了一些天才揭晓**：2016 年 1 月 25 日，信函，美国医疗保险和医疗救助服务中心（CMS）官员凯伦·富勒致希拉洛斯实验室主管苏尼尔·达万。

页 252，**突然之间，希瑟·金在每一篇报道发表后像钟表一样准时到来的书面撤回要求，偃旗息鼓了**：《华尔街日报》收到的希拉洛斯发来的最后一封要求撤销的信函，是在 2016 年 1 月 11 日。

页 252，**然而，希拉洛斯仍继续将事态的严重性最小化**：电子邮件，标题为"希拉洛斯关于 CMS 检查结果的声明"（Statement by Theranos on CMS Audit Results），希拉洛斯发言人布鲁克·布坎南（Brooke Buchanan）发给新闻记者，东部时间下午 1：49，2016 年 1 月 27 日。

页 252，**该实验室仍继续运行凝血检测达数月之久**：约翰·卡雷鲁和克里斯托弗·韦弗，《希拉洛斯无视质量问题继续运行检测》（Theranos Ran Tests Despite Quality Problems），《华尔街日报》，2016 年 3 月 8 日。

页 253，**希拉洛斯无法反驳我们的报道**：电子邮件，标题为"来自希拉洛斯的声明"，希拉洛斯发言人布鲁克·布坎南发给新闻记者，东部时间下午 3：35，2016 年 3 月 7 日。

页 253，**但希瑟·金继续敦促该机构未经详细校订**：金在 2016 年 3 月份和 4 月初向 CMS 发送了多封信件，要求该机构在向媒体发布检查报告之前先对报告进行校订。

页 253，**当这场与希瑟·金之间就检查报告的拉锯战僵持不下的时候**：诺亚·库尔温（Noah Kulwin），《希拉洛斯的 CEO 伊丽莎白·霍姆斯与切尔西·克林顿一起举办希拉里筹资会》（Theranos CEO Elizabeth Holmes Is Holding a Hillary Fundraiser with Chelsea Clinton），《重新编码》（*Recode*），2016 年 3 月 14 日。

页 253，**募资活动后来调整到旧金山一位科技创业家的家中**：埃迪·西尔维曼（Ed Silverman），《为避免“茶壶风暴”，克林顿的竞选活动与希拉洛斯拉开距离》（Avoiding ‘Teapot Tempest’, Clinton Campaign Distances Itself from Theranos），*STAT*，2016年3月21日。

页254，**希瑟·金试图阻止我们发表报告**：信函，希瑟·金致杰森·孔蒂，抄送约翰·卡雷鲁、迈克·西克诺尔菲和格里·贝克，日期为2016年3月30日。

页254，**我们将其发布在《华尔街日报》的网站上**：约翰·卡雷鲁和克里斯托弗·韦弗，《希拉洛斯的设备常常无法满足准确度的要求》（Theranos Devices Often Failed Accuracy Requirements），《华尔街日报》，2016年3月31日。

页254，**致命的一击在几天后到来**：信函，CMS的凯伦·富勒致苏尼尔·达万、伊丽莎白·霍姆斯和拉姆什·巴尔瓦尼，日期为2016年3月18日。

页254，**当我们报道了禁止从业的威胁之后**：约翰·卡雷鲁和克里斯托弗·韦弗，《监管者建议禁止希拉洛斯的创始人伊丽莎白·霍姆斯两年从业》（Regulators Propose Banning Theranos Founder Elizabeth Holmes for at Least Two Years），《华尔街日报》，2016年4月13日。

页254，**她不得不出来说点什么**：霍姆斯与玛丽亚·施莱弗的访谈于2016年4月18日播出，可在YouTube网站观看。

页256，**霍姆斯一反多年来的严格保密姿态**：美国临床化学协会（AACC）2016年4月18日发布新闻公告，说霍姆斯将在协会的68届年度会议上公布其技术。

页256，**她与他分手**：约翰·卡雷鲁，《在监管机构调查之下，希拉洛斯高管桑尼·巴尔瓦尼离职》（Theranos Executive Sunny Balwani to Depart Amid Regulatory Probes），《华尔街日报》，2016年5月12日。

页256，**一个星期后，我们报道说**：约翰·卡雷鲁，《希拉洛斯废弃两年来的爱迪生设备的血液检测结果》（Theranos Voids Two Years of Edison Blood-Test Results），《华尔街日报》，2016年5月18日。

页257，**2016年6月12日，它终止了**：迈克尔·西克诺尔菲、克里斯托弗·韦弗、约翰·卡雷鲁，《沃尔格林终止与血液检测公司希拉洛斯的伙伴关系》（Walgreen Terminates Partnership with Blood-Testing Firm Theranos），《华尔街日报》，2016 年 6 月 3 日。

页 257，**另一个严重打击接踵而至**：约翰·卡雷鲁、迈克尔·西克诺尔菲和克里斯托弗·韦弗，《希拉洛斯遭受严重打击，伊丽莎白·霍姆斯被禁止两年内从事实验室运作》（Theranos Dealt Sharp Blow as Elizabeth Holmes Is Banned from Operating Labs），《华尔街日报》，2016 年 7 月 8 日。

页 257，**更加严重的是**：克里斯托弗·韦弗、约翰·卡雷鲁和迈克尔·西克诺尔菲，《希拉洛斯受到美国刑事调查》（Theranos Is Subject of Criminal Probe by U.S.），《华尔街日报》，2016 年 4 月 18 日。

页 257，**在随后的一个小时里，霍姆斯将一台机器公之于众**：霍姆斯在 AACC 的演讲可以在该协会的网站 AACC.org 观看。

页 258，**尽管霍姆斯的演示包括了一些数据**：霍姆斯在 AACC 的演讲幻灯片可在 AACC.org 网站获取。

页 259，**《连线》杂志的一个大标题最完美地描述了这种反应**：尼克·斯托克顿，《希拉洛斯曾有一个机会洗刷声誉。但它却想要逃避》（Theranos Had a Chance to Clear Its Name. Instead, It Tried to Pivot），《连线》网站，2016 年 8 月 2 日。

页 259，**在《金融时报》的一次访谈中**：大卫·克劳，《对希拉洛斯创始人的参会邀请在科学家中引发争议》（Theranos Founder's Conference Invitation Sparks Row Among Scientists），《金融时报》，2016 年 8 月 4 日。

页 259，**然而这不过是又一次令人尴尬的失利**：约翰·卡雷鲁和克里斯托弗·韦弗，《希拉洛斯在受到 FDA 的检查后中止新的寨卡病毒检测》（Theranos Halts New Zika Test After FDA Inspection），《华尔街日报》，2016 年 8 月 30 日。

页 259，**那就是伙伴基金，这家旧金山的对冲基金在 2014 年初向公司投资了将近 1000 万美元**：克里斯托弗·韦弗，《重要投资者起诉希拉洛斯》（Major Investor Sues Theranos），《华尔街日报》，2016 年 10 月 10 日。

页 259，**另一组投资者**：克里斯托弗·韦弗，《希拉洛斯受到罗伯特森·斯蒂芬斯的联合创始人科尔曼控告欺诈》（Theranos Sued for Alleged Fraud by Robertson Stephens Co-Founder Colman），《华尔街日报》，2016

年 11 月 28 日。

页 260，**其他投资者大多数选择反对诉讼**：克里斯托弗·韦弗和约翰·卡雷鲁，《希拉洛斯提供股份换取不起诉》(Theranos Offers Shares for Promise Not to Sue)，《华尔街日报》，2017 年 5 月 23 日。

页 260，**这位媒体大亨以一美元的价格将股份回售给希拉洛斯**：同上。

页 260，**大卫·博伊斯及他的博伊斯·席勒和弗莱克斯勒律师事务所与霍姆斯吵翻了**：约翰·卡雷鲁，《希拉洛斯与大卫·博伊斯切断法律关系》(Theranos and David Boies Cut Legal Ties)，《华尔街日报》，2016 年 11 月 20 日。

页 260，**霍姆斯在 AACC 亮相的一个月后**：卡雷鲁和韦弗，《希拉洛斯在受到 FDA 的检查后中止新的寨卡病毒检测》。

页 260，**博伊斯离开希拉洛斯的董事会**：韦弗和卡雷鲁，《希拉洛斯提供股份换取不起诉》。

页 260，**沃尔格林在希拉洛斯身上撒下了总计 1.4 亿美元**：克里斯托弗·韦弗、约翰·卡雷鲁和迈克尔·西克诺尔菲，《沃尔格林起诉希拉洛斯，要求 1.4 亿美元损失赔偿》(Walgreen Sues Theranos, Seeks $140 Million in Damages)，《华尔街日报》，2016 年 11 月 8 日。

页 260，**霍姆斯最初试图申诉**：约翰·卡雷鲁和克里斯托弗·韦弗，《希拉洛斯退出血液检测》(Theranos Retreats from Blood Tests)，《华尔街日报》，2016 年 10 月 6 日。

页 260，**在亚利桑那州的实验室被关闭之前几天，CMS 对其进行检查**：克里斯托弗·韦弗和约翰·卡雷鲁，《希拉洛斯的第二个实验室未能通过美国政府的检查》(Second Theranos Lab Failed U.S. Inspection)，《华尔街日报》，2017 年 1 月 17 日。

页 260，**随后在与亚利桑那州总检察长达成的一份和解协议中**：克里斯托弗·韦弗，《亚利桑那州总检察长与希拉洛斯达成和解》(Arizona Attorney General Reaches Settlement with Theranos)，《华尔街日报》，2017 年 4 月 18 日。

页 260，**希拉诺斯在加利福尼亚州和亚利桑那州废弃或是纠正的检测结果最后达到将近 100 万件**：同上。

图书在版编目（CIP）数据

坏血：一个硅谷巨头的秘密与谎言 /（美）约翰·卡雷鲁著；成起宏译．-- 北京：北京联合出版公司，2019.4（2019.5 重印）

书名原文：Bad Blood : Secrets and Lies in a Silicon Valley Startup

ISBN 978-7-5596-2941-8

Ⅰ．①坏… Ⅱ．①约… ②成… Ⅲ．①纪实文学—美国—现代 Ⅳ．① I712.55

中国版本图书馆 CIP 数据核字 (2019) 第 037628 号

坏血：一个硅谷巨头的秘密与谎言

作者：[美] 约翰·卡雷鲁（John Carreyrou）
译　　者：成起宏
策划编辑：赵　磊
责任编辑：龚　将
　　　　　夏应鹏
封面设计：周伟伟

北京联合出版公司出版
（北京市西城区德外大街83号楼9层　100088）
北京联合天畅文化传播公司发行
山东临沂新华印刷物流集团有限责任公司印刷　新华书店经销
字数287千字　910毫米×1260毫米　1/32　10印张
2019年4月第1版　2019年5月第2次印刷
ISBN 978-7-5596-2941-8
定价：49.80元

北京市版权局著作权合同登记号 图字：01-2019-1406